MILICIANOS

Rafael Soares

Milicianos
Como agentes formados para combater o crime passaram a matar a serviço dele

3ª reimpressão

Grafia atualizada segundo o Acordo Ortográfico da Língua Portuguesa de 1990, que entrou em vigor no Brasil em 2009.

Capa e ilustração
Flavio Flock

Mapa
Sonia Vaz

Preparação
Angela Vianna

Índice remissivo
Probo Poletti

Revisão
Jane Pessoa
Bonie Santos

Dados Internacionais de Catalogação na Publicação (CIP)
(Câmara Brasileira do Livro, SP, Brasil)

Soares, Rafael
Milicianos : Como agentes formados para combater o crime passaram a matar a serviço dele / Rafael Soares. — 1ª ed. — Rio de Janeiro : Objetiva, 2023.

Bibliografia.
ISBN 978-85-390-0785-1

1. Crime organizado – Rio de Janeiro (Estado) 2. Milicianos – Rio de Janeiro (Estado) 3. Rio de Janeiro (Estado) – Milícias 4. Segurança pública 5. Violência urbana – Rio de Janeiro (RJ) I. Título.

23-165707 CDD-364.106098153

Índice para catálogo sistemático:
1. Crime organizado : Rio de Janeiro : Estado : Problemas sociais 364.106098153

Aline Graziele Benitez – Bibliotecária – CRB-1/3129

EDITORA SCHWARCZ S.A.
Praça Floriano, 19, sala 3001 — Cinelândia
20031-050 — Rio de Janeiro — RJ
Telefone: (21) 3993-7510
www.companhiadasletras.com.br
www.blogdacompanhia.com.br
facebook.com/editoraobjetiva
instagram.com/editora_objetiva
twitter.com/edobjetiva

Se eu resolver falar, acabou o Rio de Janeiro. Isso eu garanto à senhora. Se eu falar o que eu sei, não existe mais o estado do Rio de Janeiro. Vão ter que reinventar a Polícia Civil. Vão ter que reinventar a Polícia Militar.

Orlando Curicica

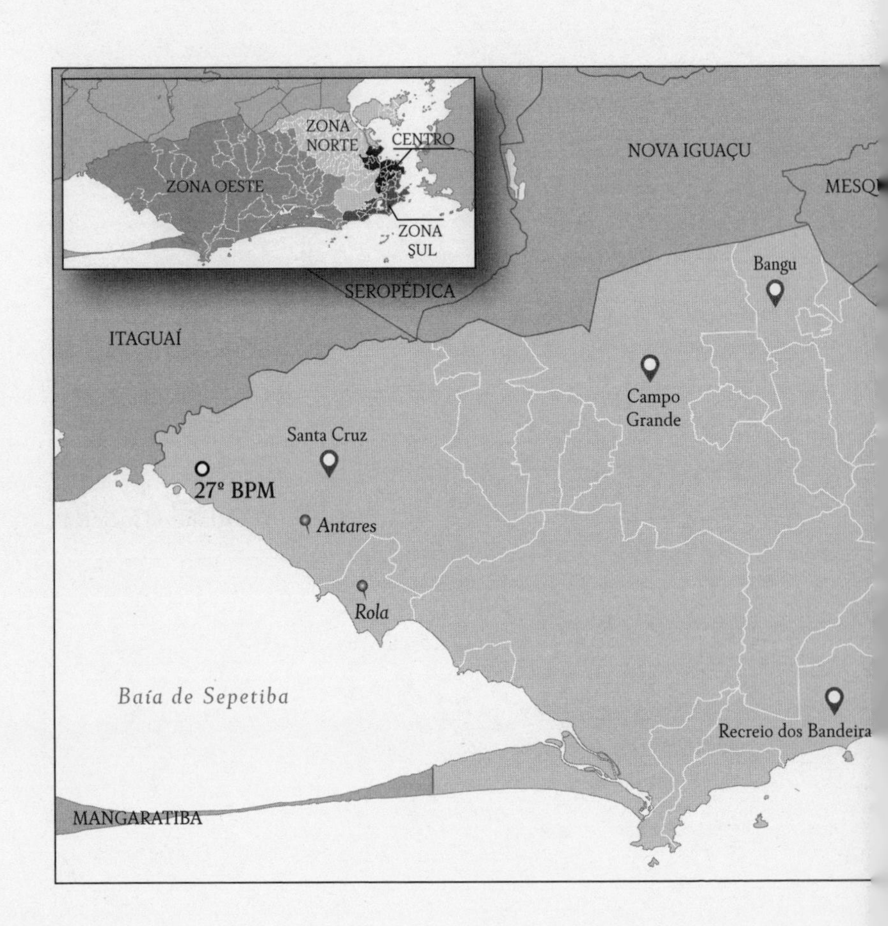
ZONA NORTE
CENTRO
ZONA OESTE
ZONA SUL
NOVA IGUAÇU
MESQ
SEROPÉDICA
Bangu
ITAGUAÍ
Campo Grande
Santa Cruz
27º BPM
Antares
Rola
Baía de Sepetiba
Recreio dos Bandeira
MANGARATIBA

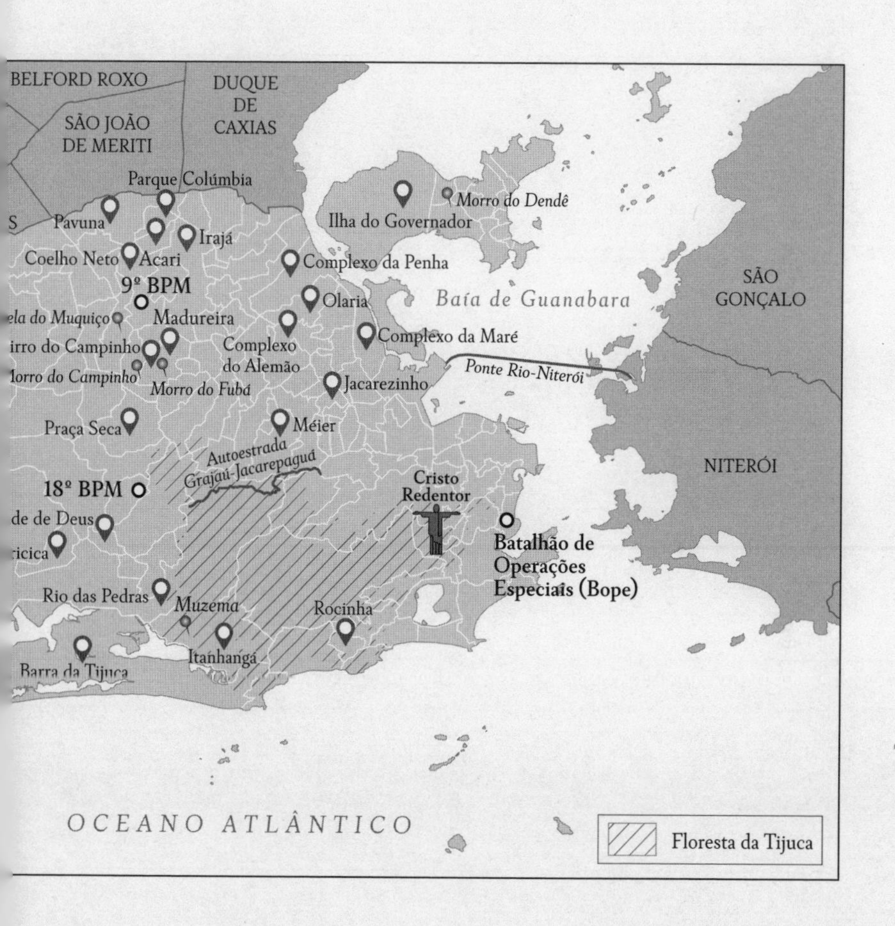
BELFORD ROXO
DUQUE DE CAXIAS
SÃO JOÃO DE MERITI
Parque Colúmbia
Pavuna
Irajá
Coelho Neto
Acari
9º BPM
Madureira
Complexo do Alemão
Morro do Fubá
Praça Seca
Méier
Autoestrada Grajaú-Jacarepaguá
18º BPM
Rio das Pedras
Muzema
Itanhangá
Barra da Tijuca
Rocinha
Ilha do Governador
Morro do Dendê
Complexo da Penha
Olaria
Complexo da Maré
Jacarezinho
Baía de Guanabara
Ponte Rio-Niterói
SÃO GONÇALO
NITERÓI
Cristo Redentor
Batalhão de Operações Especiais (Bope)
OCEANO ATLÂNTICO
Floresta da Tijuca

Sumário

O granulado entrega que a foto foi feita por uma câmera analógica. A imagem mostra oito policiais vestidos com a farda cinza da Polícia Militar (PM) do Rio de Janeiro. Estavam provavelmente num momento de lazer — três deles seguram copos com cerveja —, mas ninguém sorri para a câmera. Todos olham sérios para o fotógrafo. Atrás do grupo, uma criança brinca no balanço de uma praça.

O primeiro policial da esquerda para a direita, um dos que está com uma cerveja na mão, é Ronnie Lessa, acusado de ter feito os disparos que mataram a vereadora Marielle Franco e seu motorista, Anderson Gomes, em março de 2018, no Centro do Rio de Janeiro. Lessa aparenta ser o mais jovem do grupo. Ao seu lado está outro policial cujo nome frequentou as manchetes dos jornais: o tenente-coronel — na época, ainda capitão — Cláudio Luiz Silva de Oliveira, que atualmente cumpre pena de mais de trinta anos de prisão por ser o mandante do assassinato da juíza Patrícia Acioli, em 2011. Décadas antes de serem apontados como autores dos dois crimes de maior repercussão na história recente do Rio, Lessa e Cláudio trabalhavam juntos, numa mesma viatura, como comandante e comandado.

A primeira vez que vi essa foto foi em junho de 2019. Lessa havia sido preso pelo homicídio de Marielle três meses antes, e eu estava em busca de informações para escrever um perfil dele para o jornal *O Globo*, onde trabalho como repórter. Na ocasião, eu havia marcado um encontro com uma fonte num café no Largo da Carioca para conversar sobre a trajetória de Lessa na polícia.

Cubro o campo da segurança pública e dos direitos humanos no Rio de Janeiro há dez anos, mas naquele dia meu interesse por Ronnie Lessa não era apenas profissional, tinha um fundo pessoal. A questão é que horas depois de sua prisão, fui informado de que meu nome estava entre os buscados por Lessa em suas pesquisas na internet — uma descoberta feita pelo Ministério Público do Estado do Rio de Janeiro (MPRJ) graças à quebra de sigilo de seu e-mail. Era 12 de março de 2019, e eu estava no *Globo* quando um policial envolvido na investigação do crime, e que eu já conhecia havia anos, ligou para o meu celular.

"Fica calmo", ele disse assim que eu atendi. Achei o alerta estranho, então me levantei e fui para um canto afastado da redação, debaixo de uma escada. "É melhor você saber por mim do que pela imprensa, mas o Lessa te pesquisou."

Segundo o relatório final da investigação que desvendou os executores do homicídio, no dia 19 de novembro de 2017 — ou seja, quatro meses antes do crime —, às 14h30, Ronnie Lessa digitara no Google: "Rafael Soares Extra" — o jornal popular da Editora Globo onde muitas das minhas reportagens são publicadas. Nos trinta minutos seguintes, Lessa mergulhou em páginas e mais páginas na internet com informações sobre mim. "Rafael Soares aniversário" ou "Rafael Soares repórter aniversário" foram outras combinações de palavras que ele digitou no buscador. As pesquisas terminam às 15h08. Nesse mesmo dia, eu havia publicado no *Extra* a matéria: "Mortes em operações do Bope cresceram

80% em 2017". Depois dessa data até sua prisão, ele não voltou a procurar meu nome.

No momento em que eu soube disso, minha mão ficou gelada. Desliguei o telefone, voltei para minha mesa e não contei para ninguém, nem amigos nem família. Na verdade, eu não sabia o que fazer. Passado o susto, queria entender quem era aquele homem e o que motivara seu interesse por mim. Foram essas indagações que me levaram até o Largo da Carioca três meses depois.

Naquela manhã ensolarada de inverno, sentados no balcão do café, minha fonte me mostrou a fotografia de Lessa e seus colegas — e me deu um ponto de partida. A imagem fora encontrada pelo MPRJ no celular do próprio Lessa, apreendido no dia de sua prisão. Em outubro de 2018, o sargento aposentado a enviara a um amigo policial pelo WhatsApp. "Patamo 500. Formação original, 1997", escreveu na ocasião. "Boa, rapaziada com cara de moleque", respondeu o interlocutor. Lessa encerrou a conversa dizendo: "Das antigas".

Lessa rememorava, com aparente nostalgia, os cinco anos em que serviu na patrulha chefiada pelo então capitão Cláudio Luiz Silva de Oliveira, a Patamo 500. Quando me mostrou a foto, meu interlocutor, que conhece bem as entranhas da PM do Rio, me disse que aquela patrulha era uma lenda na corporação: os feitos de seus agentes são até hoje considerados exemplares e contados em rodas de policiais. Suas carreiras foram marcadas por elogios de comandantes, moções de congratulações de políticos e bonificações salariais por bravura. Mas como esses heróis viraram os inimigos públicos número um do Rio? Por que agentes forjados para combater o crime passaram a matar a serviço do crime? Qual o limite que separa bandidos de mocinhos no submundo do Rio?

1. Ronnie Lessa e a Patamo 500

A história da Patamo 500 tem início nos primeiros meses de 1997, após o capitão Cláudio Luiz Silva de Oliveira ser transferido para o 9º Batalhão de Polícia Militar (BPM), em Rocha Miranda, na Zona Norte do Rio, quartel responsável por policiar uma área que cobria mais de trinta bairros. O nome pelo qual o grupamento de Ronnie Lessa até hoje é conhecido é formado pelas primeiras sílabas de "Patrulhamento Tático Móvel", jargão usado para nomear o conjunto de agentes armados com fuzis que circulam em picapes e são acionados para ocorrências de maior gravidade, como assaltos a banco e estabelecimentos comerciais. Já o número 500 vinha estampado na viatura usada pelos policiais militares (PMs). A região do 9º BPM, até hoje uma das mais conflagradas da cidade, já era naquela época considerada um barril de pólvora pela polícia. Sob a responsabilidade do batalhão, havia mais de vinte favelas, sendo três complexos de comunidades — Chapadão, Pedreira e Serrinha — dominados por três facções diferentes do tráfico que guerreavam entre si e com a polícia.

A violência do tráfico era respondida com a violência da polícia. O batalhão já tinha um longo histórico de brutalidade e abusos antes mesmo do surgimento da Patamo 500. Em 1993, o quartel abrigou os temidos Cavalos Corredores, o grupo de PMs que participou da Chacina de Vigário Geral. Na ocasião, numa incursão em represália à morte de quatro policiais, 21 pessoas foram mortas.

Quatro anos depois do massacre, Cláudio Luiz, um "caveira" formado pelo Batalhão de Operações Especiais (Bope), a tropa de elite da PM do Rio, chegaria ao 9º BPM com a missão de formar uma equipe especializada em confrontos. O objetivo inicial era fazer uma ocupação na favela de Acari, considerada "problemática" por conta do controle territorial exercido pelos traficantes, que não permitiam a entrada da polícia. Para integrar sua equipe, Cláudio Luiz convocou seus homens de confiança. Selecionou a dedo agentes que já conhecia e solicitou ao comando da PM a transferência deles para a ocupação — e foi prontamente atendido.

Ronnie Lessa, um de seus "pupilos" no Bope, foi uma escolha óbvia. Ambos se conheceram na tropa de elite em meados dos anos 1990. Cláudio Luiz é um "caveira" formado pelo Curso de Operações Especiais (Coesp) retratado no filme *Tropa de elite* e notório pela dificuldade de ingresso e pelos requintes de tortura com os postulantes ("Pede pra sair!"). Já Lessa admirava tanto os "caveiras" que, mesmo sem ter feito o curso, pediu para ser um deles — e entrou no Bope como voluntário em 1993, quando o batalhão ainda não tinha a atual fama e precisava de agregados para completar seu efetivo.

Ex-tatuador relativamente conhecido no subúrbio do Rio, Ronnie Lessa abandonou o estúdio que mantinha num quarto da casa dos pais, no Méier, Zona Norte da cidade, para se tornar policial militar em 1991. Já naquela época, ele não era exatamente um admirador de quem obedecia às leis; prova disso é que dois anos antes se alistara na Scuderie Le Cocq, irmandade formada principalmente por policiais que defendiam o extermínio de criminosos. A organização — considerada por vários pesquisadores um embrião das milícias no Rio — foi criada na década de 1960 para vingar a morte do detetive Milton Le Cocq,[1] assassinado num tiroteio entre policiais e Manoel Moreira, o Cara de Cavalo, criminoso afamado por extorquir dinheiro de apontadores do jogo do bicho. A primeira ação da Scuderie foi justamente a execução do próprio Cara de Cavalo: apenas dois meses após a morte de Le Cocq, em outubro de 1964, o criminoso foi executado dentro de um casebre que usava como esconderijo na Região dos Lagos. A autópsia detectou exatas 61 perfurações de bala na vítima[2] — a maioria na barriga. Depois dessa primeira morte, a irmandade virou uma espécie de grupo de extermínio, formado sobretudo por policiais justiceiros agindo sob a insígnia da caveira que adornava o emblema da Scuderie.

Nessa organização, Lessa ostentava a matrícula número 3127 — conforme atesta sua carteirinha de membro, apreendida pelo Ministério Público (MP) em sua casa. Já no Bope, quando conheceu Cláudio Luiz, se destacava pelo voluntarismo e pela "coragem acima da média", como lembra o capitão aposentado da PM e ex-caveira Rodrigo Pimentel, contemporâneo de Lessa na tropa de elite e que chegou a comandá-lo em vários momentos.

"Numa operação de infiltração para combater acampamentos do tráfico na Floresta da Tijuca, eu precisava de oito policiais habilitados a descer de rapel no meio das árvores. Consegui juntar sete homens, faltava um. Antes de sairmos, perguntei se tinha algum voluntário. O Lessa se prontificou e foi correndo pegar o material de montanhismo. Pensamos que ele já sabia como fazer. Lá do alto, o helicóptero já em cima da floresta, ele perguntou: 'Me ensina como faz, nunca desci de rapel'. Ele aprendeu ali, na hora. Eu fiquei impressionado com a coragem do Lessa", me contou Pimentel.[3]

Além de Lessa, Cláudio Luiz elegeu como seus "homens de ouro" na ocupação de Acari os PMs Guilherme Tell Mega, Roberto Luiz de Oliveira Dias, Marcelo Ferreira Rodrigues e Floriano Jorge Evangelista de Araújo – policiais operacionais egressos de unidades que atuavam em áreas conflagradas, como o próprio Bope, a Companhia de Cães e o 16º BPM (Olaria), responsável por patrulhar o Complexo do Alemão, que era o quartel-general da maior facção do tráfico do Rio, o Comando Vermelho (CV). Estava formada a Patamo 500.

Juntos, esses policiais trilharam, entre 1997 e 2003, uma trajetória de sucesso profissional muito rara na PM do Rio. Graças a uma série de ocorrências que terminaram com muitas mortes e apreensões, progrediram meteoricamente em suas carreiras. Antes de entrar na patrulha, por exemplo, Lessa tinha a patente de soldado, a mais baixa da corporação. Em menos de um ano, foi promovido por bravura duas vezes e, no final de 1997, já era terceiro-sargento. E não era um caso isolado: no fim do mesmo ano, todos os integrantes da Patamo 500 foram promovidos juntos – Cláudio Luiz, o chefe, de capitão virou major; cada um dos seus subordinados subiu um degrau. Os boletins da PM com o anúncio das promoções mencionavam a "dedicação à causa pública, o preparo profissional, moral e o cometimento de atos não comuns de audácia e coragem"[4] dos membros do grupo.

Entre 1997 e 1998, os elogios nas fichas funcionais[5] de Lessa e Cláudio chegaram a praticamente um por mês. No mesmo período, a atuação da dupla na patrulha rendeu moções de aplauso e congratulações da Assembleia Legislativa do Estado do Rio de Janeiro (Alerj) – propostas pelo então deputado Pedro Fernandes, que tinha sua base eleitoral na área do 9º BPM. Ao homenagear Lessa, Fernandes escreveu que o policial "é digno dessa homenagem por honrar, permanentemente, com suas posturas, atitudes e desempenho profissional, a sua condição humana e de militar discreto, mas eficaz".[6]

Uma política pública que apostava nos confrontos como estratégia para combater o crime praticamente deu carta branca para a atuação da Patamo 500 — e ainda encheu os bolsos de seus agentes. A "gratificação faroeste", como ficou apelidada a premiação por bravura criada pelo governador Marcello Alencar (do Partido da Social Democracia Brasileira, PSDB) em 1995,[7] na prática, concedia bonificações salariais a policiais que participavam de ocorrências com mortes. Em março de 1998, pouco depois de ser promovido de cabo a sargento por "ato de bravura", Ronnie Lessa teve seu salário incrementado em 25% "por ter demonstrado coragem e determinação"[8] ao participar de uma ação policial. Três meses mais tarde, após novas ocorrências e elogios, o sargento teria aumentada a gratificação com mais 40% de seus vencimentos.

Os demais integrantes receberam bonificações ainda maiores. Em dezembro de 1996, Cláudio Luiz e os cabos Roberto Luiz Dias, Floriano Jorge Araújo e Guilherme Tell Mega ganharam uma gratificação de 50% por terem matado dois homens numa troca de tiros, depois de abordarem um carro. Até 1998, após sucessivos decretos, o percentual de bonificação chegaria a 90% dos salários. No segundo semestre desse ano, com a explosão do número de homicídios em operações no estado — as mortes pela polícia passaram de 300 em 1997 para 397 em 1998, um aumento de 32%[9] —, a "gratificação faroeste" foi extinta por uma lei aprovada pela Alerj, de autoria do deputado Carlos Minc, do Partido dos Trabalhadores (PT).

O prestígio dos policiais da Patamo 500 na corporação, entretanto, era proporcional ao terror que provocavam nos moradores de favelas da Zona Norte do Rio: ao mesmo tempo que era premiada pelo governo, a patrulha deixava um rastro de sangue por onde passava, colecionando denúncias de violações aos direitos humanos. Em apenas cinco anos, Lessa, Cláudio Luiz e seus colegas participaram de ocorrências que terminaram em pelo menos 23 mortes — três delas com indícios de execução —, duas vítimas feridas após uma sessão de tortura e o desaparecimento de um homem depois de ser colocado no xadrez da viatura. Todos os casos foram levantados por mim com base em processos judiciais e documentos internos do 9º BPM.

Na maioria dos registros, a mesma dinâmica se repete: os agentes afirmam que "foram recebidos com disparos de arma de fogo pelos marginais e revidaram a injusta agressão".[10] As justificativas eram aceitas, e os casos, arquivados. Apenas três inquéritos contra a Patamo 500 saíram das gavetas de delegacias e chegaram à Justiça. Os processos, entretanto, só foram abertos anos depois dos crimes, quando a patrulha já havia sido dissolvida. Todos tiveram o mesmo desfecho: os agentes acabaram absolvidos e se livraram das acusações.

A EXECUÇÃO DE BINHO

Já passava da meia-noite de 1º de setembro de 2000, uma sexta-feira, quando a Patamo 500 recebeu uma missão: a patrulha mais capacitada do 9º BPM para incursões em favelas deveria acelerar rumo ao Parque Colúmbia, comunidade dominada pelo tráfico no bairro homônimo, a dez quilômetros de distância do batalhão. Minutos antes, o setor de inteligência do quartel havia recebido uma informação "quente": um bando de vinte criminosos vindo da Baixada Fluminense havia acabado de chegar à favela em carros importados. Segundo o informe, o chefe do grupo era o criminoso mais procurado do Rio: Dálber Virgílio da Silva, o Binho.

A caçada ao traficante de apenas dezenove anos começou depois de uma ação ousada. Dois meses antes de a Patamo 500 ser acionada para capturá-lo, Binho mandara seus comparsas invadirem a 53ª Delegacia Policial (DP), em Mesquita, na Baixada Fluminense. O objetivo era resgatar sua mulher, Vanessa Medeiros, que estava grávida e havia sido capturada em um tiroteio do qual Binho conseguira fugir. A invasão aconteceu na madrugada de 3 de julho, uma segunda-feira, horário de pouco movimento na unidade.

Um Santana preto parou na porta da delegacia e, de dentro do carro, saíram cinco homens: três deles vestindo camisas pretas com a inscrição "Polícia Civil" nas costas e fuzis AR-15 a tiracolo, enquanto os outros dois os seguiam cabisbaixos e algemados com as mãos nas costas. Quando o grupo entrou no saguão da delegacia, o detetive de plantão Alcimar de Oliveira achou que eram agentes da Corregedoria que tinham usado uma viatura descaracterizada para prender dois criminosos. O teatro não durou nem um minuto: no balcão, os falsos policiais tiraram as algemas dos presos e apontaram os fuzis para o detetive: "Perdeu!".

Sob a mira das armas, o agente foi obrigado a levar o grupo até a carceragem, onde outros dois policiais de plantão também foram rendidos. Em meio a pontapés, os três investigadores foram obrigados a ficar deitados com os rostos virados para o chão, enquanto os criminosos abriam a cela e resgatavam Vanessa e outras oito presas. O bando ainda arrancou um cordão de ouro do pescoço de um dos policiais antes de fugir pela porta da frente da delegacia.

Na manhã seguinte, Binho – que, até então, era um traficante sem muita relevância, atuante em favelas da Baixada Fluminense, região com os piores indicadores de desenvolvimento humano e social do estado do Rio — passou a ser considerado o inimigo número um da polícia. A ascensão ao "estrelato" do crime foi meteórica. "A prisão dele é uma questão de honra!", disse o coronel Roberto Penteado, comandante do 21º BPM, responsável pelo policiamento da área onde o resgate aconteceu. Nos meses seguintes, enquanto várias operações eram realizadas para capturar Binho, seus "feitos" passaram a ser amplificados na imprensa: "O Binho é sanguinário. É responsável pela morte de cinco policiais, sendo quatro PMs e um carcereiro", disse, numa entrevista ao jornal *Extra*, José de Freitas, delegado titular da unidade invadida.[11] Já o então secretário de Segurança do Rio, coronel Josias Quintal, determinou que a captura de Binho fosse tratada como "prioridade".

Em meio à caçada, o traficante decidiu fugir da Baixada Fluminense e se abrigar numa favela dominada pela facção à qual pertencia, o CV, no extremo norte da capital: o Parque Columbia, destino da Patamo 500 naquela madrugada de setembro. Como o informe recebido pelo batalhão dava conta de que Binho estava acompanhado por cerca de vinte homens, Ronnie Lessa e seus colegas pediram, via rádio, apoio a outras duas patrulhas que estavam de plantão. Ao todo, quinze agentes participaram da operação. Quando chegaram ao local, todos desembarcaram das viaturas e seguiram a pé pelos becos. À frente do grupo iam Lessa e seus dois colegas de patrulha, os sargentos Guilherme Mega e Floriano Evangelista.

Até hoje não se sabe exatamente o que aconteceu a seguir. Há, no entanto, duas versões sobre a operação. A primeira delas foi contada pelos agentes da Patamo 500 na delegacia da Pavuna, a 39ª DP, ainda naquela madrugada. Eles afirmaram que "foram recebidos a tiros por um grupo de aproximadamente quinze elementos" enquanto progrediam pela favela e, "diante da injusta agressão, revidaram os disparos". No final do tiroteio, ainda segundo essa versão, teriam feito buscas pela região e encontrado "dois homens feridos", caídos no chão. Ao lado deles, os PMs alegaram ter encontrado "um fuzil, duas granadas e uma bolsa contendo 413 trouxinhas de erva e 314 papelotes de pó branco". Só três policiais atiraram na ocasião, justamente os que lideravam a patrulha: Lessa, Mega e Evangelista, integrantes da Patamo 500. Porém, nenhum deles admitiu ser o responsável pelos disparos que acertaram as vítimas: "Todos usaram suas armas ao mesmo tempo e na mesma direção", foi o que relatou Ronnie Lessa.[12]

Os dois baleados foram identificados como Binho, atingido na cabeça, e um de seus comparsas, conhecido como Paulista,[13] alvejado por três tiros no pescoço, na barriga e no braço. Na ocasião, a pretexto de socorrer os feridos, os PMs retiraram os corpos da favela e levaram ao hospital, onde "deram entrada já cadáver", conforme os boletins de atendimento médico. A alteração da cena do crime impediu a realização, no local, de uma perícia que teria ajudado na elucidação do caso. Por fim, os policiais levaram até a delegacia, para a confecção do registro de ocorrência, um homem que se apresentou como usuário de drogas e disse ter testemunhado a ação. Ele confirmou a versão dos policiais de que houvera um confronto e foi liberado.

"Binho tomba em tiroteio", noticiou o *Extra* no dia seguinte. "PM mata traficante que invadiu DP", foi a manchete do jornal *O Dia*. As reportagens — que descreviam Binho como "um dos mais ousados traficantes da cidade" — replicaram a versão dos policiais. Os jornais relataram que a PM conseguira cercar os criminosos, mas estes não se renderam: "Binho e seus cúmplices resistiram aos tiros durante cerca de quinze minutos".[14] Para a PM, o resultado da ação foi um sucesso. A averiguação interna aberta para investigar o caso não só concluiu que não houve crime ou excesso por parte dos agentes como também os elogiava: "Os meliantes estavam em maior número, porém, vendo a determinação dos policiais empreenderam fuga deixando para trás dois elementos".[15]

No entanto, uma prova produzida pela Polícia Civil naquela mesma madrugada não batia com a versão de confronto dos PMs. A perícia feita nos cadáveres constatou que um dos tiros que atingiu Paulista, o comparsa de Binho, deixou uma "orla de tatuagem" na pele. A expressão — usada por peritos para identificar a marca escura produzida pelos resíduos de pólvora expelidos pelo cano da arma no entorno da perfuração feita pela bala no corpo — indica que o tiro foi feito a curta distância, um sinal de execução. Segundo especialistas, o disparo de fuzil só deixa uma orla de tatuagem na vítima se for feito à distância de até um metro, o que desmentia a versão de que os policiais atiraram num primeiro momento, depois fizeram buscas e só então encontraram os homens caídos no chão.

O indício de que os policiais não haviam agido dentro da lei não foi suficiente para a investigação avançar: depois daquela madrugada, o inquérito sobre as mortes vagou por quase duas décadas pelas gavetas de delegados e promotores sem que novas provas fossem produzidas. Os crimes já estavam prestes a prescrever — no Brasil, homicídios não são mais passíveis de punição depois de vinte anos — quando o caso sofreu uma reviravolta.

Em 2019, após Ronnie Lessa ser preso pelo homicídio da vereadora Marielle Franco, o inquérito foi parar nas mãos da promotora Karina Puppin, do Grupo de Atuação Especializada em Segurança Pública (Gaesp) — criado pelo Ministério Público do Rio de Janeiro (MPRJ) para atuar em investigações de crimes cometidos por policiais —, que estranhou o choque entre os laudos cadavéricos e a versão dos policiais. Karina resolveu retomar a investigação para esclarecer o que de fato havia acontecido no Parque Columbia, e decidiu começar ouvindo novamente a única testemunha ocular apontada no inquérito: o homem levado pelos PMs à delegacia, que se apresentou como usuário de drogas na ocasião e corroborou, em depoimento, o relato dos policiais.

A testemunha foi localizada pela Promotoria em outro estado brasileiro — para onde fugira justamente depois dos homicídios — e apresentou, nesse novo relato, outra versão sobre o ocorrido naquela madrugada. Ele admitiu que tinha mentido: na verdade, não era usuário de drogas, mas sim um dos integrantes do bando de Binho. O homem afirmou que portava um fuzil e chegou a atirar na direção dos policiais. Mas, segundo ele, depois da "troca de tiros, os PMs conseguiram encurralar os traficantes num terreno baldio". Nesse momento, Binho e Paulista foram executados pelos policiais da Patamo 500. Capturado pelos agentes, o homem foi agredido e sufocado com um saco plástico para que fornecesse informações sobre o tráfico na favela, tais como esconderijos de armas e drogas, e a localização de outros integrantes do bando. Por fim, contou que os PMs propuseram "um acordo": se ele passasse os dados sobre seus comparsas, seria liberado — o que, de fato, aconteceu.[16]

Mesmo com o caso encerrado, uma ponta permanece solta. Em seu segundo depoimento, o comparsa de Binho contou que, ao todo, havia três armas com os homens encurralados pelos policiais: ele portava um fuzil Parafal calibre 7,62, Binho tinha outro fuzil nas mãos, este de calibre 5,56, e Paulista, uma pistola. Somente um dos fuzis, no entanto, é citado nos relatos dos policiais e foi entregue na delegacia depois da operação. Até hoje não se sabe onde foram parar as outras armas.

"MARCELO NUNCA MAIS APARECEU"

Os assassinatos de Binho e Paulista não foram os únicos que levaram a Patamo 500 ao banco dos réus. Em 2007, os mesmos colegas que acompanharam Ronnie Lessa na operação no Parque Colúmbia, os sargentos Guilherme Mega e Floriano Evangelista, foram denunciados pelo MPRJ por executar um homem, identificado como Márcio Davis Couto da Silva, com um tiro à queima-roupa na cabeça. O crime acontecera seis anos antes, em setembro de 2001, durante uma operação da patrulha para reprimir o tráfico de entorpecentes no bairro do Campinho, segundo declaração da dupla.

Assim como no assassinato de Binho, a principal prova contra os agentes nesse caso era o laudo de exame cadavérico da vítima, que apontava a existência de uma "orla de tatuagem" na ferida de entrada da bala. A trajetória feita pelo projétil também chamou a atenção dos promotores: o tiro que matou Márcio entrou em seu corpo pela parte de baixo da mandíbula e saiu pela testa, de baixo para cima — o que não se encaixava na cena de tiroteio descrita por Mega e Evangelista na delegacia.

Por fim, outros detalhes enfraqueciam a versão dos PMs. Como prova de que tinham atirado em legítima defesa, entregaram na delegacia as duas armas — um revólver e uma escopeta — que estariam com a vítima. Peritos da Polícia Civil, entretanto, constataram que a escopeta estava danificada e não poderia ter produzido disparos. Em novembro de 2007, seis anos depois da operação, o MP propôs uma ação contra Mega e Evangelista pelo crime: na denúncia encaminhada à Justiça, o promotor Alexandre Murilo Graça argumentava que a vítima estava "subjugada pelos acusados quando sofreu o disparo à queima-roupa, o que caracteriza execução sumária".[17]

Somente em 2012 os agentes foram levados a júri popular, mas acabaram absolvidos: prevaleceram os argumentos da defesa de que houvera um confronto. Uma de suas testemunhas foi o próprio comandante da Patamo 500, o major Cláudio Luiz Silva de Oliveira. Ele e Ronnie Lessa também haviam participado da operação, mas alegaram que não tinham feito disparos. Numa das audiências do processo, o chefe corroborou a narrativa de seus subordinados, de que apenas haviam se defendido de um "perigoso ataque realizado por bandidos".[18]

Cláudio Luiz não frequentou o Tribunal de Justiça somente como testemunha. Ele e seu pupilo Ronnie Lessa responderam, juntos, a um processo por tortura. O caso aconteceu em 26 de junho de 1997, na Pavuna. Duas vítimas, um homem e uma mulher, procuraram a Polícia Civil para relatar que, após serem abordados pelos policiais, foram agredidos com socos e chutes para que dessem informações sobre o paradeiro de armas e drogas na região. Além de Lessa e Cláudio Luiz, outro integrante da patrulha foi reconhecido: o sargento Roberto Luiz Dias, o Beto Cachorro. Mais de uma testemunha confirmou a versão das vítimas.

No entanto, depois que a denúncia foi feita, o inquérito ficou mais de uma década parado. Só em outubro de 2008 o MP propôs a ação contra os três. Quando os policiais viraram réus, a Patamo 500 já havia sido desfeita e nenhum deles trabalhava mais no 9º BPM. Nas audiências na Justiça, vítimas e testemunhas disseram não se lembrar da sessão de tortura, e a defesa ressaltou os "antecedentes irretocáveis" dos agentes. Em agosto de 2009, todos foram absolvidos: para o juiz Marcel Duque Estrada, não havia "convicção segura da existência do fato".[19]

Uma das acusações mais graves feitas contra a Patamo 500, no entanto, nunca chegou à Justiça. No início da tarde de 16 de janeiro de 2002, Marcelo Fabiano de Oliveira de Araújo, de 24 anos, desapareceu. O jovem saiu, de moto, da casa onde morava com a namorada, no bairro de Coelho Neto — área também sob responsabilidade do 9º BPM — e não voltou. Parentes de Marcelo passaram as semanas seguintes em seu rastro: visitaram hospitais e delegacias por toda a cidade, foram ao Instituto Médico Legal (IML) e circularam pelas redondezas do bairro onde ele morava perguntando se alguém o tinha visto.

Na tentativa de refazer os passos de Marcelo naquele dia, acabaram encontrando uma testemunha que afirmou ter visto o jovem sendo abordado por PMs quando trafegava pela avenida Automóvel Clube, a mais movimentada do bairro de Irajá, vizinho a Coelho Neto. A testemunha foi levada à delegacia e ao batalhão — que abriram inquéritos para investigar o caso — e repetiu o que contara à família: o rapaz fora colocado pelos agentes na caçamba da viatura.

"O Marcelo foi abordado e ficaram rodando com ele na viatura. Como ele era usuário de drogas, devem ter achado que era bandido. Até hoje não sabemos o que aconteceu, mas acho que os PMs tentaram negociar dinheiro em troca da liberação dele. No bairro, encontramos até uma pessoa que viu um dos policiais circulando com a moto do Marcelo depois do desaparecimento. Mas todo mundo tinha medo de prestar depoimento contra aqueles policiais", me contou um parente de Marcelo que localizei em 2021 e me pediu para não ser identificado.

Por conta da mobilização da família, a investigação avançou. Dados de geolocalização de todas as viaturas do 9º BPM foram analisados: a única que passou pelo local da abordagem, às 11h55, foi justamente a de número 500. No entanto, depois de alguns meses, a família deixou de cobrar providências da polícia, amedrontada com as histórias que ouvia sobre os agentes da Patamo 500.

"No início, a gente ia à delegacia quase todo dia, não tínhamos noção do risco que estávamos correndo. Mas, depois de um tempo, paramos de mexer no caso. Nunca mais fomos à delegacia, e o Marcelo nunca mais apareceu. É triste, porque se os PMs tivessem sido presos na época, eles não cometeriam outros crimes depois", conta o parente.

Para a Polícia Militar, bastou que os policiais negassem ter feito a abordagem para que a investigação interna fosse arquivada. No relatório final, a patrulha ainda foi elogiada: "De forma contundente, combate a criminalidade e retira do convívio social marginais, bem como armas e drogas".[20]

LETALIDADE E CORRUPÇÃO

Mesmo celebrada dentro da PM, a Patamo 500 não era uma unanimidade na Secretaria de Segurança Pública do Rio de Janeiro (SSP-RJ). O grupo que assumiu cargos importantes no órgão depois de Anthony Garotinho ser eleito governador do estado, em 1998, era uma espécie de feudo de resistência contra os policiais "operacionais" — parte da tropa que se destacava pela atuação em incursões em favelas e acumulava mortes em serviço, da qual a Patamo 500 era o maior expoente.

À frente desse grupo, formado por intelectuais e pesquisadores, estava o antropólogo e cientista político Luiz Eduardo Soares, que formulou as propostas de Garotinho para a área e, após a eleição, assumiu o cargo de coordenador de Segurança, Justiça e Cidadania no novo governo. À época identificado com a esquerda e filiado ao Partido Democrático Trabalhista (PDT) de Leonel Brizola, Garotinho se elegeu com um programa para a área de segurança contraposto ao de seu antecessor, Marcello

Alencar, criador da "gratificação faroeste", que premiava os policiais que matavam.

A questão é que a política de incentivo aos confrontos não havia provocado quedas em indicadores criminais importantes — os roubos de carros, por exemplo, cresceram 9% em 1998,[21] ano da eleição —, o que abriu espaço para as propostas de Soares: o estímulo a um policiamento comunitário mais voltado para o diálogo com a população do que para confrontos e a criação de uma ouvidoria externa às polícias, que pudesse receber e dar encaminhamento a denúncias de abusos por parte dos agentes de segurança.

Luiz Eduardo Soares é um crítico ferrenho da "gratificação faroeste" e de suas consequências sobre a tropa — que persistem até hoje, mais de duas décadas depois de sua extinção. Para ele, o estímulo à letalidade policial abriu as portas para a corrupção. "Quando se confere ao policial liberdade para matar, para executar criminosos, sem que isso custe nada, se lhe confere também tacitamente a liberdade para não matar e negociar a sobrevivência. Olhe a moeda que o policial da ponta tem em suas mãos: a vida. Não há moeda que se inflacione mais, não há bem mais precioso. O suspeito dá o que tem e o que não tem para sair vivo", explica o antropólogo.[22]

Portanto, segundo Soares, na esteira da política de estímulo aos confrontos, o que aconteceu foi a explosão de uma prática conhecida dentro das polícias como "mineira", referência à atividade de mineração, à busca de tesouros e pedras preciosas. Policiais passaram a sequestrar suspeitos e a negociar valores por sua vida — "minerá-los", no jargão policial —, aproximando-se assim do crime que haviam sido treinados para combater.

"Corrupção e brutalidade policial letal são dois lados da mesma moeda, são indissociáveis, porque ambas são ilegais e uma ilegalidade enseja a outra. A autorização para o policial matar gera uma fonte inesgotável de corrupção. A imagem do guerreiro contra o mal é apenas um lado da moeda. Do outro lado, temos a rapina. O banho de sangue tem a sua contrapartida na corrupção, na degradação institucional, na inviabilização completa das hierarquias institucionais", completa Soares.

Logo após sua posse no governo, o antropólogo começou a receber, através da recém-criada Ouvidoria, denúncias sobre a Patamo 500. Os relatos iam de agressões e truculência durante abordagens a execuções sumárias. Segundo Soares, ao longo de 1999 foram feitos pedidos para que a PM afastasse esses agentes das ruas e até acabasse com a patrulha, transferindo os policiais para outros batalhões. Nenhuma das iniciativas foi bem recebida pela corporação. Os "operacionais" eram vistos como necessários ao enfrentamento do crime. Quando Soares pedia o afastamento dos agentes, lhe perguntavam: "Se o senhor continuar com esse discurso de direitos humanos, tentando afastar das ruas esses profissionais, nós vamos ficar como uma fera banguela. Quem vai enfrentar o crime? Nós precisamos dos operacionais". A Patamo 500 era uma célula dessa operacionalidade, composta de policiais liberados para agir à margem da lei, em contraposição aos policiais que atuavam de acordo com a legalidade, com métodos definidos institucionalmente. "Fiz de tudo para afastar a Patamo 500, tirá-los das ruas, mas não tive apoio suficiente dentro e fora da Polícia Militar", resumiu Soares.

O antropólogo acabou sendo demitido por Garotinho em março de 2000, depois de ter denunciado em entrevistas à imprensa a presença de policiais da "banda podre" na cúpula da segurança do Rio.[23] Sua demissão foi anunciada ao vivo, no telejornal local da TV Globo, o RJTV, enquanto o antropólogo dava uma palestra na Universidade de São Paulo. Ameaçado, decidiu sair do país com a família após a demissão. Já a Patamo 500 seguiu em ação, prestigiada dentro da polícia.

"Eu fui derrotado e a Patamo 500 venceu. Naquela patrulha estavam os homens que seriam responsáveis pelas mortes de Marielle Franco e de Patrícia Acioli. Tinha muita coisa em jogo ali no início dos anos 2000", me disse Soares.

Antes da demissão, a equipe do pesquisador havia preparado um dossiê com as 101 denúncias mais graves recebidas pela Ouvidoria durante sua gestão, que incluíam o envolvimento de agentes em homicídios, relatos de pagamento de propina e participação em grupos de extermínio. Segundo o documento, a unidade recordista em denúncias era justamente o 9º BPM, onde trabalhavam os policiais da Patamo 500.

PROMOVIDOS

Em junho de 2002, a Patamo 500 foi dissolvida, e seus policiais, transferidos do 9º BPM. No entanto, a patrulha não foi extinta por causa das denúncias de crimes. Pelo contrário, seu fim foi uma consequência direta da promoção de seus integrantes. Cláudio Luiz Silva de Oliveira, o chefe, seguiu progredindo rumo ao topo da hierarquia da Polícia Militar: nos anos seguintes, ascendeu de major a tenente-coronel, assumiu o cargo de subcomandante do 3º BPM (Méier), até que, em 2010, virou comandante de um dos batalhões com maior efetivo da corporação, o 7º BPM (São Gonçalo), onde sua passagem seria marcada pela execução da juíza Patrícia Acioli.

Entre os praças, o sargento Guilherme Mega — o integrante da Patamo 500 com mais tempo de Polícia Militar — foi lotado em outros batalhões responsáveis por patrulhar áreas sensíveis, como o 22º BPM, unidade localizada dentro do Complexo da Maré, até se aposentar em 2014 como subtenente, posto mais alto da carreira dos praças.

Já os sargentos mais novos da patrulha tiveram um destino ainda mais cobiçado no meio policial. Lessa e seus colegas Roberto Luiz de Oliveira Dias, Marcelo Ferreira Rodrigues e Floriano Evangelista foram cedidos à Polícia Civil — e passaram, assim, a fazer parte do grupo seleto dos "adidos", policiais militares que trabalhavam dentro de delegacias especializadas, investigando crimes. O empréstimo dos agentes, em janeiro de 2003, era mais um prêmio que a patrulha ganhava pelos "bons serviços" prestados à PM: pois só eram dignos dessa honraria agentes "operacionais" conhecidos por suas redes de contatos no submundo, algo essencial na resolução de crimes e na captura de foragidos. Na época, ser cedido à Polícia Civil era mais valorizado do que subir de patente na corporação: os "adidos" não estavam mais subordinados à hierarquia rígida da PM, não precisavam cumprir ordens de oficiais, podiam trabalhar à paisana, sem farda, não tinham mais limites geográficos em suas áreas de patrulha e, no final do mês, ainda ganhavam bonificações.

No entanto, com o passar do tempo, a proximidade dos policiais da Patamo 500 com o crime foi ficando cada vez mais explícita. Nos vinte anos que se seguiram à dissolução da patrulha, todos os seus integrantes foram presos sob diferentes acusações ou acabaram mortos em assassinatos envoltos em mistério.

O primeiro caso aconteceu em 30 de dezembro de 2004. Marcelo Ferreira Rodrigues foi executado a tiros de fuzil em Jacarepaguá. Na ocasião, o sargento — que trabalhava como "adido" — voltava para casa após um dia de trabalho quando foi alvo de uma emboscada: ele estava ao volante de sua picape Nissan, parado num sinal de trânsito, quando um homem encapuzado desembarcou de um Vectra que vinha logo atrás, parou ao seu lado e disparou com um fuzil AK-47. O ataque também vitimou outro PM, o cabo Gelson Cardoso, que era colega de Rodrigues no Serviço de Repressão a Entorpecentes e estava num outro carro, mais à frente no sinal. Gelson ainda pegou sua pistola para reagir, mas foi atingido por dez disparos. Ambos os PMs morreram no local.

Ao *Extra*, um policial amigo das vítimas que não quis se identificar disse que, pelo modus operandi, o crime "foi um trabalho de profissional, coisa de policial, não de vagabundo".[24] Até hoje, o duplo homicídio não foi esclarecido. No entanto, um colega de Rodrigues na Patamo 500 chegou a ser investigado pelo assassinato.

Num depoimento prestado internamente à PM na época do crime, o então sargento "adido" Ronnie Lessa afirmou que presumia que o motivo de seu nome "constar como possível acusado" era o fato de ele "possuir, acautelado da Polícia Civil, um armamento semelhante ao utilizado no homicídio em questão, um fuzil AK-47, sendo esta uma arma pouco comum". No mesmo relato, Lessa nega ter cometido o crime, mas confirma que havia se distanciado das vítimas: "Há um ano não falava com os policiais por eles serem indisciplinados, esquecendo as normas regulamentares da corporação".[25]

A linha de investigação que ligava Lessa ao atentado partiu de uma denúncia anônima recebida pelo Ministério Público indicando que o crime tinha sido motivado por uma briga entre policiais militares por causa da partilha de uma carga de cocaína. De acordo com o informe, a droga era de um traficante oriundo do Espírito Santo que fora capturado por um grupo de "adidos", do qual Lessa e Rodrigues fariam parte. Em poder dos PMs, o criminoso propôs trocar sua liberdade pelo carregamento, o que teria sido aceito pelos agentes — que, em seguida, acabaram brigando pela partilha da droga. A cocaína jamais foi encontrada, a investigação não avançou e Lessa nunca respondeu pelo homicídio.

A primeira prisão de um integrante da Patamo 500 aconteceu em dezembro de 2006, quase três anos após o fim da patrulha. Na ocasião, o sargento Guilherme Tell Mega foi um dos alvos da Operação Tingui, da PF, que prendeu 75 PMs acusados de ligação com traficantes da favela do Muquiço. Segundo a denúncia do Ministério Público, os agentes presos na ocasião "se omitiram, dolosamente, na repressão ao nefasto comércio ilícito de drogas, forneciam informações privilegiadas acerca das ações policiais no local, proveram segurança contra invasões da favela por grupos criminosos rivais, bem como venderam armas e entorpecentes para o tráfico da localidade".[26] Guilherme Mega, especificamente, era acusado de integrar um grupamento do batalhão de Bangu, o 14º BPM, de codinome "Choque", que manteve em três datas, entre fevereiro e junho de 2006, "contato telefônico com traficantes da favela do Muquiço ajustando o recebimento das quantias em espécie que faziam parte da organização criminosa chamada de 'sintonia'".[27] Todos os policiais acusados de integrar o grupo foram soltos no ano seguinte e acabaram absolvidos por falta de provas em 2011.

Antes mesmo de entrar na Patamo 500, Guilherme Mega já tinha um histórico de denúncias graves de violações de direitos humanos. Em 1994, três anos antes da formação da patrulha, foi acusado por uma moradora da favela Nova Brasília, no Complexo do Alemão, de executar, com um tiro em cada olho, o protético Evandro de Oliveira, de 22 anos. O assassinato aconteceu durante uma operação da Polícia Civil que terminou com treze mortos — no episódio que ficou conhecido como Chacina da Nova Brasília. Na ocasião, Guilherme Mega entrou na favela encapuzado, como informante dos policiais civis. Uma testemunha ocular contou que o assassino do protético era um PM que estava com o rosto coberto, de nome "Téo".

Segundo o depoimento, o agente teria afirmado, antes de atirar, que Evandro não seria mais o "garanhão da favela", uma referência aos olhos azuis da vítima, da mesma cor que os do PM. Téo, na verdade, era Guilherme Tell Mega, à época soldado do 23º BPM que havia trabalhado, anos antes, no Complexo do Alemão — e, por isso, era conhecido pelos moradores. Ele chegou a ser preso administrativamente, mas nunca respondeu formalmente pelo homicídio. Em 2017, o Brasil foi condenado pela Corte Interamericana de Direitos Humanos por não investigar e punir a violência policial na Chacina da Nova Brasília. O exame cadavérico do protético, que descreve os tiros nos olhos, foi uma das principais provas que levaram à condenação do Estado brasileiro.

Em fevereiro de 2011, foi a vez de outros dois ex-integrantes da Patamo 500 serem presos. Os sargentos Floriano Evangelista, conhecido como Xexa, e Roberto Luiz de Oliveira Dias, o Beto Cachorro, foram dois dos 47 alvos da Operação Guilhotina, da PF — fruto de uma investigação contra policiais militares emprestados à Polícia Civil que trabalhavam em delegacias (os "adidos"). Xexa e Beto Cachorro haviam sido cedidos, com Ronnie Lessa, depois do fim da Patamo 500. Por quase uma década, o trio trabalhou em delegacias especializadas, como a Delegacia de Repressão a Armas e Explosivos (Drae) e a Delegacia de Combate às Drogas (DCOD). Segundo agentes que trabalharam com eles, os três eram conhecidos por sua técnica em incursões em favelas e pela capacidade de atrair informantes — e, consequentemente, de levantar informações sobre o paradeiro de traficantes.

A apuração que culminou na Guilhotina, feita com base em depoimentos de informantes dos policiais e interceptações telefônicas, concluiu que um grupo de "adidos" integrava uma milícia e revendia a criminosos armas apreendidas em operações. Xexa foi acusado de chefiar um grupo que "promoveu uma verdadeira devassa no Complexo do Alemão", se apropriando "criminosamente de bens pertencentes a traficantes locais",[28] em novembro de 2010. Na ocasião, uma megaoperação das polícias do Rio com apoio do Exército — transmitida ao vivo pela TV — ocupou o conjunto de favelas, abrindo caminho para a instalação de Unidades de Polícia Pacificadora (UPPs) na região.

Numa das conversas telefônicas que fundamenta o pedido de prisão de Xexa, o PM afirma que o material encontrado na operação "é espólio de guerra, todo mundo tá dentro". O relatório cita que a equipe chegou a levar sete pares de tênis encontrados numa laje: "Os diálogos demonstram a aptidão voraz da equipe de Xexa para a prática da apropriação delitiva do chamado espólio de guerra", escreveu o delegado Allan Dias Simões Maia no documento.

Beto Cachorro também foi acusado de participar da "devassa" no Alemão: segundo o relatório, o PM "praticou saques e desvios de bens de criminosos na operação". A PF ainda alega que, durante a ação, o agente integrava a equipe chefiada por um sargento que, mesmo já aposentado, estava no local em busca do "espólio de guerra": Ricardo Afonso Fernandes, o Afonsinho, apontado como chefe de uma milícia que atua em Ramos, na Zona Norte do Rio, e principal alvo da Operação Guilhotina. Naquele dia, Afonsinho e Beto Cachorro teriam se apropriado de armas, acessórios e drogas — que foram posteriormente revendidos. O documento ainda conclui que Beto Cachorro atuava como membro do "segundo escalão da milícia" de Afonsinho, prestando apoio armado para o grupo "contra possíveis tentativas de invasões de traficantes".

Três meses após a prisão, Xexa e Beto Cachorro foram beneficiados por um habeas corpus e deixaram a cadeia. Em 2017, a Justiça absolveu ambos por falta de provas. Atualmente, os dois são subtenentes e estão aposentados.

O comandante da Patamo 500 também foi preso em 2011: em setembro, Cláudio Luiz Silva de Oliveira, já tenente-coronel e então comandante do 22º BPM (Maré), teve a prisão decretada sob a acusação de ser o mandante do assassinato da juíza Patrícia Acioli. Um mês antes, a magistrada fora executada na porta de sua casa com 21 tiros. Na ocasião, Cláudio comandava o 7º BPM, batalhão de São Gonçalo, na Região Metropolitana — mesmo município da Vara Criminal onde Patrícia Acioli atuava. A investigação da Polícia Civil e do MP concluiu que ele e um grupo de PMs sob seu comando, inconformados com a atuação implacável da magistrada contra policiais envolvidos em execuções, tramaram e consumaram o crime.

Entre policiais militares, a fama de Patrícia Acioli era a de juíza "linha-dura". Desde 1999, quando assumiu a 4ª Vara Criminal de São Gonçalo, ela começou a passar um pente-fino nas investigações de homicídios cometidos por policiais e notou que, em várias ocorrências, um padrão se repetia: casos com indícios claros de execução eram apresentados na delegacia como "autos de resistência" — ou seja, homicídios cometidos por policiais em legítima defesa. Nos anos anteriores a sua morte, a juíza foi responsável pela prisão de cerca de sessenta policiais ligados a milícias e grupos de extermínio na região. E mais: Acioli acreditava que os agentes que executavam criminosos recebiam uma autorização tácita de seus comandantes para matar. Numa entrevista ao jornal *O São Gonçalo*, uma das últimas que ela deu e que foi publicada depois de sua morte,[29] reclamou que só os policiais que apertavam o gatilho se sentavam no banco dos réus: "Na verdade, estes policiais cumprem determinações superiores. Mas se você conversar com eles, jamais vão dizer isso. E os superiores muito menos. Eles oficiosamente dão determinações que não constam em lugar nenhum por escrito. E, quando chamados às suas responsabilidades, eu digo os oficiais, os comandantes, dizem não, eu nunca mandei fazer isso, só mando cumprir a lei e fazer estritamente o que a lei determina".

A investigação do homicídio revelou que, quando assumiu o comando do 7º BPM, no final de 2010, o tenente-coronel Cláudio Luiz — acostumado, desde a época da Patamo 500, a receber elogios por essas mortes — passou a ignorar as determinações da juíza que tinham como objetivo justamente diminuir os homicídios cometidos por policiais da unidade. Ele inclusive colocou de volta nas ruas policiais que já tinham sido afastados porque estavam envolvidos em casos em que havia suspeita de execução. Segundo testemunhas contaram à Polícia Civil, Cláudio considerava a medida "uma palhaçada" e dizia a seus subordinados que era ele quem mandava em seu batalhão.

Meses depois, quando a juíza decretou a prisão do major que chefiava a área de inteligência do batalhão por uma execução, Cláudio Luiz transferiu para outra unidade a dupla de policiais que fazia a escolta de Patrícia Acioli. Mesmo ameaçada, a magistrada perdeu a proteção. No dia de seu assassinato, ela voltava para casa sozinha.

Num depoimento na Delegacia de Homicídios (DH), um dos PMs do batalhão envolvidos no plano para matar a juíza reconstituiu o diálogo que, segundo os investigadores, selou o destino da magistrada. A conversa se deu entre o tenente Daniel Benitez, que comandava um dos grupamentos operacionais do batalhão, e Cláudio Luiz. Na ocasião, Daniel expunha ao comandante seu descontentamento com um policial civil que investigava o batalhão: "Coronel, ele é um covarde, tô com vontade de quebrar ele!". Cláudio disse que "covardia se combate com covardia", o que levou Daniel a perguntar se o mesmo raciocínio "se estende à juíza Patrícia Acioli". "Aí você me faria um grande favor", retrucou Cláudio, que temia ser preso a qualquer momento pela magistrada.[30] Daniel Benitez foi um dos três agentes que dispararam contra Acioli.

A investigação do assassinato também confirmou que brutalidade policial e corrupção andam juntas: dois policiais envolvidos no homicídio afirmaram aos investigadores que agentes do batalhão costumavam liberar criminosos capturados em troca de pagamento. O montante — chamado de "espólio" pelos PMs — era dividido entre todo o grupamento e o comandante do batalhão. Segundo o relatório final do inquérito, Cláudio Luiz e seus subordinados transformaram "a atividade policial em um balcão de negócios, com os quais lucravam ilicitamente uma quantia em torno de 12 mil reais por semana em propinas fixas, além de extorsões a traficantes e venda de armas, drogas e dinheiro arrecadados em operações".

Cláudio Luiz Silva de Oliveira, Daniel Benitez e outros nove policiais foram condenados em duas instâncias pelo homicídio de Patrícia Acioli. O ex-comandante recebeu a maior pena: 34 anos e seis meses de prisão. Em maio de 2023, após mais de uma década preso e recebendo salário todo mês, ele foi finalmente demitido da PM.

O último integrante da Patamo 500 a ir parar atrás das grades foi Ronnie Lessa: em março de 2019, já aposentado, ele teve a prisão decretada pelos homicídios da vereadora Marielle Franco e de seu motorista, Anderson Gomes. Pouco depois das quatro da manhã, Lessa foi capturado pela polícia saindo do condomínio de frente para a praia em que morava, o Vivendas da Barra — onde também residia o ex-presidente Jair Bolsonaro; as casas de ambos ficam a um quarteirão de distância. Na coletiva de imprensa feita para anunciar a prisão, as promotoras responsáveis pela investigação apresentaram Lessa como matador de aluguel: um sargento que aprendeu a matar dentro da Polícia Militar e passou a vender para o crime organizado o conhecimento que obteve na caserna.

As provas que levaram Lessa à prisão foram os rastros que deixou na internet. Nos meses anteriores ao homicídio, ele pesquisou no Google uma praça onde ficava o curso de inglês de Marielle, o nome de uma universidade onde a vereadora participaria de uma aula na semana anterior ao crime e o endereço do antigo apartamento dela, onde morava o ex-marido. Lessa também buscou na mesma ferramenta a arma do crime, a submetralhadora HK MP5, e acessórios que, segundo as promotoras, teriam sido usados na execução, como um silenciador e um aparelho chamado "Jammer", que bloqueia sinais de celular na região onde é instalado, impedindo o rastreamento pelas autoridades. O padrão de uso da internet também entregou Lessa: antes do crime, ele fazia dezenas de buscas diárias; depois, as pesquisas cessaram.

A busca mais comprometedora, no entanto, só veio à tona mais de cinco anos após os homicídios. Numa folha de papel apreendida em sua casa no dia da prisão, Lessa havia anotado a senha que usava para acessar uma plataforma paga de consulta a dados pessoais na internet. A partir da anotação, o Ministério Público conseguiu levantar, junto à empresa, as buscas feitas na conta. Às 16h39 de 12 de março de 2018, apenas dois dias antes dos homicídios, Lessa digitou os CPFs de Marielle e de sua filha, Luyara, com dezoito anos à época, no buscador da ferramenta. Era a peça que faltava no quebra-cabeças.

Em junho de 2023, a descoberta levou a uma reviravolta. A Polícia Federal (PF) — que entrara na investigação por determinação do presidente Luiz Inácio Lula da Silva logo após sua posse, em janeiro do mesmo ano — apresentou a nova evidência ao ex-PM

Élcio de Queiroz, amigo de Lessa acusado de atuar como motorista do carro usado no homicídio. Preso havia mais de quatro anos e se sentindo enganado pelo comparsa, que teria garantido que nunca tinha feito buscas por Marielle, Élcio assinou um acordo de delação premiada com a PF, confessou sua participação no crime e confirmou que Ronnie Lessa foi o autor dos disparos que mataram Marielle e Anderson. Ele negou saber quem havia ordenado a execução, mas entregou informações sobre supostos intermediários que teriam indicado Lessa para o serviço. Até o fechamento deste livro, no entanto, o mandante não havia sido identificado, e a dupla aguardava, presa, pelo julgamento do caso.

A delação também revelou que, duas décadas após o fim da Patamo 500, Ronnie Lessa seguia exercendo influência na região do 9º BPM. Élcio contou à PF que seu amigo tinha o monopólio do sinal clandestino de internet, o popular gatonet, "em parte da comunidade do Jorge Turco", favela dominada pelo tráfico que foi alvo de dezenas de operações da patrulha de Lessa nos anos 1990. A fama de "matador" foi decisiva para sua entrada no mercado.

Em 2018, o ex-bombeiro Maxwell Simões Corrêa, o Suel, que dominava o gatonet em Rocha Miranda havia uma década, entrou em rota de colisão com traficantes da região. Para não perder seus pontos, resolveu chamar para ser seu sócio um policial bastante temido na área, com quem ninguém ousaria se meter: seu amigo Ronnie Lessa, que aceitou prontamente a oferta, entrou na sociedade e passou a receber uma parte do lucro com a instalação dos pontos clandestinos na favela. O tráfico parou de incomodar.

Suel seguiu controlando o gatonet em Rocha Miranda até julho de 2023, quando foi preso por envolvimento na morte de Marielle. Segundo Élcio de Queiroz, o ex-bombeiro monitorou os passos da vereadora antes da execução e ajudou no desmonte do veículo usado no crime.

Se as pegadas digitais de Lessa ajudaram a esclarecer os homicídios de Marielle e Anderson, também jogaram luz sobre outra parte nebulosa de seu passado. As buscas revelam indícios fortes de que o sargento começou a matar em troca de dinheiro muito antes: na época em que trabalhava como "adido" em delegacias da Polícia Civil.

2. Adidos

No Brasil, o papel das polícias é definido pela Constituição. Promulgado em 1988 e concebido em pleno processo de redemocratização, o documento organizou no artigo 144 as forças de segurança brasileiras e fixou os limites de atuação de cada uma. A Polícia Federal, subordinada à União, ficou incumbida, sobretudo, da investigação de crimes interestaduais e internacionais, como tráfico de drogas, ou relacionados a bens federais, como corrupção envolvendo verbas do governo. A Polícia Rodoviária Federal (PRF) deve patrulhar as rodovias federais do país. Por fim, coube aos estados um papel de protagonismo nessa área: cada unidade da federação tem uma Polícia Militar, responsável por prevenir crimes, e uma Polícia Civil, que deve apurá-los — ambas subordinadas a uma autoridade civil, o governador.

Se as responsabilidades da PM foram definidas na democracia, sua organização é uma herança da ditadura. A hierarquia interna e as patentes são estabelecidas, até hoje, por um decreto-lei de 1969, assinado por Artur da Costa e Silva, segundo presidente do regime de exceção. O texto divide os policiais militares em duas categorias, como no Exército: os oficiais — tenentes, capitães, majores, tenentes-coronéis e coronéis — são treinados para comandar e têm salários maiores; já os praças — soldados, cabos, sargentos e subtenentes — são a maioria dos agentes que fazem o patrulhamento nas ruas e, como estão na base da hierarquia, devem obediência aos oficiais.

As duas "castas" ingressam na corporação por vias diferentes e, atualmente, é impossível ascender de soldado a coronel: somente os oficiais que ingressam na PM depois de um curso de três anos (o equivalente a uma faculdade) podem chegar ao posto mais alto. O comando das corporações deve ser ocupado por um coronel, da ativa ou da reserva, escolhido pelo governador. Por serem militares, os PMs estão submetidos a uma legislação própria, o Código Penal Militar, e têm o direito de ser julgados pela Justiça Militar por crimes cometidos em serviço.

A Polícia Militar do Rio é a mais antiga do país:[1] sua fundação remonta a 1809, um ano após a chegada da família real, que veio fugida para o Brasil depois que Napoleão Bonaparte invadiu Portugal. Quando decidiu permanecer na colônia, d. João VI criou, com o objetivo de proteger a corte e seus integrantes, a Guarda Real da Polícia (GRP) — considerado o primeiro nome da PM do Rio. Até hoje, o brasão da corporação tem a sigla GRP acompanhada de uma coroa, símbolo do Império, e de pés de café e cana, principais produtos do país na época e símbolos da elite latifundiária. O fundador também batizou a escola que forma os oficiais: Academia de Polícia Militar Dom João VI.

O estado do Rio de Janeiro é repartido, seguindo critérios populacionais e de incidência criminal, em 39 áreas, e cada uma delas está sob a responsabilidade de um batalhão. Entre 2020 e o início de 2022, a PM tinha um efetivo que flutuava entre 40 mil e 44 mil militares,[2] distribuído majoritariamente entre os quartéis (uma minoria atua na área administrativa e nos dois hospitais da corporação). Cada batalhão é compartimentado em setores: administrativo, de inteligência, logístico, de comunicações e, o mais importante, operacional, responsável por espalhar os agentes pelo território e coordenar as ações de patrulhamento. Cada quartel também tem sua estratégia de policiamento, elaborada com base na "mancha criminal" — apontando as regiões com maiores concentrações de crimes — da área em que atua. Assim, há PMs que fazem rondas com viaturas por bancos e escolas; outros que ficam baseados em pontos específicos; as radiopatrulhas, que circulam pela área atendendo aos chamados do rádio da corporação; e as Patamos, acionadas em ocorrências mais graves. Os PMs só devem patrulhar dentro dos limites das unidades em que estão lotados e podem até ser punidos se saírem da área sem autorização.

Além dos batalhões "de área", a PM do Rio tem onze unidades de policiamento especializado. Por conta do filme *Tropa de elite*, o Bope é a mais conhecida delas. Concebido ao longo dos anos 1980 para atuar em ocorrências com reféns — que demandam um alto nível de precisão e, consequentemente, de treinamento de seus agentes —, o batalhão da caveira passou também a ser acionado, a partir da década seguinte, em operações contra o tráfico de drogas em favelas. Atualmente, sua principal atribuição é dar apoio a outras unidades em lugares conflagrados, como comunidades disputadas entre quadrilhas rivais. Outras unidades especiais da PM são o Batalhão de Choque, que atua no controle de multidões, e o Batalhão de Ações com Cães (BAC), voltado para a busca de armas, drogas e explosivos. PMs dessas unidades podem ser acionados para ocorrências em qualquer lugar do estado.

Se a Polícia Militar está nas ruas para prevenir, a Polícia Civil, por outro lado, tem como missão investigar os crimes. Na prática, a instituição deve produzir, coletar e organizar provas que indiquem a autoria de delitos. Em seguida, os elementos colhidos durante a investigação são encaminhados ao Ministério Público, que, no Brasil, é o responsável por avaliar as provas. Se considerar que há indícios claros do cometimento de um crime, o MP propõe uma ação penal contra os responsáveis. Para chegar aos autores dos delitos, a Polícia Civil pode usar técnicas investigativas que vão desde a coleta de depoimentos de testemunhas e a análise de vestígios deixados nas cenas dos crimes até a interceptação telefônica e buscas em endereços ligados aos suspeitos, mediante autorização da Justiça.

Como as PMs, as polícias civis também são divididas em "castas". Pela Constituição, elas são chefiadas por delegados. Estes devem ser formados em direito e presidir os inquéritos policiais — nomenclatura oficial do procedimento administrativo instaurado para apurar um crime. Ou seja, são eles que conduzem os rumos de uma investigação, requisitam perícias, lavram autos de prisão em flagrante e elaboram os relatórios que serão remetidos ao MP. Já os agentes policiais — comissários, inspetores, investigadores e oficiais de cartório — são seus subordinados e responsáveis por atender ao público nas delegacias e realizar as diligências que alimentam os inquéritos policiais, como a busca por testemunhas e imagens de câmeras de segurança que possam ter flagrado um crime ou a análise das ligações telefônicas de um suspeito.

A divisão em "castas" das polícias brasileiras não é uma regra geral: várias forças policiais espalhadas pelo mundo são estruturadas numa carreira única. Nos Estados Unidos e no Reino Unido, todos os policiais entram para a corporação na base da hierarquia, passam por cargos de supervisão e chefia à medida que avançam na carreira e podem chegar ao topo. Nesses países, também não há divisão de tarefas entre as polícias, ou seja, uma mesma corporação é responsável pela prevenção e apuração de crimes.

A Polícia Civil do Rio de Janeiro foi fundada no mesmo contexto da PM: com a chegada da família real portuguesa ao Brasil.

A Intendência Geral de Polícia da Corte, embrião da atual corporação, foi criada por d. João VI para tentar controlar possíveis levantes na colônia: segundo o portal da Polícia Civil do Rio, a instituição foi formada para que o monarca pudesse "dispor de um corpo policial principalmente político, que amparasse a Corte e elaborasse informes sobre o comportamento do povo e o preservasse do contágio das 'temíveis' ideias liberais que a Revolução Francesa irradiava pelo mundo".[3]

Em dezembro de 2020, a corporação tinha cerca de 9 mil policiais distribuídos entre 137 delegacias distritais espalhadas pelo estado, dezoito unidades especializadas, outras catorze de atendimento à mulher e órgãos da Polícia Técnico-Científica (aqui, vale uma observação: há estados, como Bahia e São Paulo, em que a polícia científica é autônoma; no Rio, ela é subordinada à Polícia Civil). As primeiras são as "delegacias de bairro", que absorvem a maior parte das ocorrências e servem como uma espécie de porta de entrada dos casos na instituição, já que são as unidades de atendimento direto ao cidadão vítima de um crime. Essas delegacias ficam responsáveis pela apuração de delitos de menor complexidade, como furtos em geral e roubos de veículos e a pedestres. Para se ter uma ideia, uma única distrital — como a 35ª DP (Campo Grande) — atende mais de 300 mil moradores e pode registrar mais de 8 mil ocorrências num mês, uma média de 260 por dia.[4]

O grande volume de ocorrências das distritais e a necessidade de priorizar investigações de crimes mais graves levaram à criação das delegacias especializadas. Frequentemente, casos mais sensíveis registrados nas "delegacias de bairro" são transferidos para as especializadas — isso acontece, por exemplo, quando há suspeita de uma organização criminosa envolvida. Nessas unidades, são conduzidos os inquéritos mais complexos, que demandam apuração mais longa e técnicas de investigação mais refinadas, como quebras de sigilo. Assassinatos, por exemplo, são apurados exclusivamente pelas DHs; quadrilhas especializadas em roubos de grande quantidade de dinheiro — como assaltos a banco e transportadoras de valores — são investigados pela Delegacia de Roubos e Furtos (DRF); e as milícias são os principais alvos da Delegacia de Repressão às Ações Criminosas Organizadas (Draco).

Apesar de a Polícia Civil não ter como finalidade o policiamento ostensivo, a corporação tem uma unidade operacional. Criada com o objetivo de apoiar as demais delegacias em ações de cumprimento de mandados judiciais em áreas mais sensíveis, a Coordenadoria de Recursos Especiais (Core), na prática, virou uma espécie de Bope da Polícia Civil: quase semanalmente, realiza operações em favelas — muitas delas, sem nem sequer serem de apoio a outras unidades ou sem mandados de prisão ou de busca para cumprir.

A operação policial mais letal da história do Rio, aliás, foi realizada pela Polícia Civil, com atuação decisiva da Core. Em maio de 2021, 27 pessoas foram mortas por policiais civis no Jacarezinho, Zona Norte do Rio, após o inspetor André Leonardo de Mello Frias, lotado na coordenadoria, ser assassinado por traficantes durante uma incursão na favela. Apesar de a ação contar com agentes de diversas especializadas, a maior parte dos envolvidos era lotada na Core. Depois de um ano de investigações, quatro agentes foram denunciados pelo MP pelos homicídios de três homens durante a operação: a apuração descartou a versão de tiroteio apresentada pelos policiais e concluiu que as vítimas haviam sido executadas, sem chance de defesa.

A rotina de operações pode até passar uma aparência de proatividade, mas em sua atividade-fim, que é elucidar crimes, a Polícia Civil do Rio patina: a taxa de esclarecimento de homicídios no estado é uma das mais baixas do país. O estudo "Onde mora a impunidade", realizado pelo Instituto Sou da Paz em 2022, comparou dados de resolução de inquéritos de assassinatos e concluiu que o Rio tem o índice de elucidação mais baixo entre os dezenove estados pesquisados: somente 16% das investigações de assassinatos abertas em 2019 haviam resultado em denúncias formais contra o autor do crime até o final de 2020.[5] Pernambuco (55%), Paraíba (41%) e Piauí (24%) têm taxas de elucidação mais altas, mesmo com orçamentos menores.

Quando o assunto é letalidade policial, no entanto, a polícia do Rio está na parte de cima do ranking. Juntas, as polícias Civil e Militar mataram, em 2022, 1330 pessoas no estado, segundo dados do *17º Anuário Brasileiro de Segurança Pública*[6] — uma média de quase quatro mortes por dia. Entre 2017 e 2022, o Rio bateu a marca de mil homicídios em ações policiais em todos os anos. Nenhum outro estado brasileiro tem números tão altos nesse período. Nas últimas duas décadas, São Paulo, que tem quase o triplo da população do Rio e o maior efetivo policial do país, jamais registrou mil mortes pela polícia em um ano. Em 2022, as polícias paulistas mataram 419 pessoas, três vezes menos do que as corporações fluminenses.

Um detalhe curioso é que, apesar de ter a polícia mais letal, o Rio não é o estado mais violento do país. Em 2022, São Paulo registrou mais roubos do que o Rio (245 900 casos contra 108 393). Já a Bahia teve mais mortes violentas: 6659 contra 4485. Quando comparadas as taxas de assassinatos por 100 mil habitantes, dezesseis estados superaram o Rio naquele ano.

O número de homicídios em ações policiais no Rio é maior, inclusive, do que o registrado por vários países inteiros. Em 2022, 1242 pessoas foram mortas pela polícia nos Estados Unidos,[7] que tem mais de 20 mil corporações policiais espalhadas por seu território e uma população vinte vezes maior do que a do Rio. Já a

Colômbia — que sofre com a ação do tráfico de drogas e de grupos paramilitares — registrou 169 mortes por policiais e militares das Forças Armadas em 2017.[8]

Após a redemocratização, por mais de vinte anos as polícias fluminenses foram subordinadas a uma Secretaria de Segurança. Nesse intervalo, as duas corporações seguiram sendo comandadas por seus próprios representantes e desempenhavam, cada uma, a sua função constitucional. O secretário de Segurança, por sua vez, tinha um cargo gerencial, acima das polícias, e a ele cabia planejar as diretrizes do combate à violência no estado, fixar metas de produtividade das polícias e até promover ações de contrainteligência com objetivo de punir e demitir maus policiais. De 1995 a 2018, generais do Exército, delegados da Polícia Federal, um coronel da PM, um delegado da Polícia Civil, um jurista e um político ocuparam o posto. Em 2019, quando Wilson Witzel tomou posse como governador, a Secretaria de Segurança foi extinta, e cada uma das polícias ganhou status de secretaria.

Quando estavam sob o mesmo guarda-chuva, no entanto, as polícias fluminenses experimentaram um período de integração intensa. Seguindo a política de segurança vigente e estimulados por seus superiores, entre meados dos anos 1990 e a primeira década dos 2000, centenas de policiais militares — que, pela Constituição, deveriam se limitar ao policiamento ostensivo — passaram a ser cedidos à Polícia Civil para que usassem o conhecimento que haviam obtido patrulhando as ruas na investigação de crimes. Foi nessa época que o sargento Ronnie Lessa deixou a PM e foi trabalhar à paisana, dentro de delegacias especializadas. Junto com ele foram transferidos vários outros policiais militares que, nas décadas seguintes, frequentariam manchetes de jornais tanto por participarem de grandes operações em favelas quanto por serem acusados de crimes violentos.

SEQUESTRO NO LEBLON

Já passava das seis da tarde quando o jovem Rodrigo Magalhães Castro parou num sinal de trânsito na avenida Visconde de Albuquerque, no Leblon – bairro que ostenta o metro quadrado mais caro do Rio. Era 26 de março de 1993, e o estudante de administração estava quase chegando à Pontifícia Universidade Católica (PUC-Rio), onde teria aulas no período noturno. Dois homens se aproximaram do carro, mostraram que estavam armados e ordenaram que Rodrigo passasse para o banco de trás. Achando que estava sendo vítima de um assalto, ele obedeceu. Mas, assim que o carro entrou em movimento, recebeu nova ordem: deveria se deitar e fingir que estava dormindo.

Sem enxergar o caminho, o jovem foi levado para um local ermo, que não conseguiu reconhecer, e foi retirado do carro. Os criminosos colocaram um capuz em sua cabeça e o trancaram no porta-malas. Foi naquele momento que Rodrigo se deu conta de que não estava sendo assaltado: pelos próximos 71 dias, o estudante ficaria preso num cativeiro, em poder de uma quadrilha de sequestradores.[9] Ao longo desse período, nem sequer viu a luz do sol: passava dias e noites num quarto sem janela e, quando precisava ir ao banheiro, era obrigado a usar o capuz. No dia de seu aniversário, 9 de maio, os criminosos deram um calção de presente ao jovem, que passava os dias só de cueca.

Por uma pequena TV em cores instalada no cativeiro, Rodrigo viu seus pais fazendo vários apelos para que os sequestradores retomassem os contatos. A negociação para o pagamento do resgate começou dois dias depois do sequestro – quando a família recebeu um bilhete escrito pelo estudante, como prova de que ele estava vivo – e foi interrompida três vezes, quando integrantes da quadrilha desconfiaram de que policiais estavam por trás das tratativas. Nesses períodos, os sequestradores passavam cerca de quinze dias sem fazer novos contatos. Para forçar o pagamento, o bando enviou aos pais do jovem uma foto em que ele aparecia acorrentado e com marcas vermelhas pelo corpo. Finalmente, na madrugada de 5 de junho, um sábado, Rodrigo foi libertado em Acari, a cem metros de uma base policial. A família não quis contar à imprensa quanto pagou por sua liberdade.

Nos anos 1990, histórias como a de Rodrigo Castro eram corriqueiras nos jornais do Rio. O estado vivia uma explosão de sequestros seguidos de extorsão — fenômeno que a imprensa batizou de "indústria dos sequestros". Em três anos, os casos tinham triplicado: de 39 em 1989 para 124 em 1992,[10] quando foram registrados mais crimes desse tipo do que na década anterior inteira. Entre as vítimas, havia membros de famílias ricas, empresários — como Roberto Medina, que ficaria famoso como idealizador do Rock in Rio — e parentes de celebridades — como o pai do jogador Romário, que foi sequestrado às vésperas da Copa do Mundo de 1994.

Nos primeiros anos, a Polícia Civil alardeava que os sequestros eram exclusivamente fruto da ação de facções do tráfico. O discurso oficial, propagandeado pelos policiais da Divisão Antissequestro (DAS) em entrevistas à imprensa, era o de que "traficantes do CV e do Terceiro Comando montaram empresas informais, que forneciam homens, armas, planejavam o recebimento de resgates e contavam até com especialistas em negociar com as famílias".[11] A estratégia de combate aos sequestradores, no entanto, não foi capaz de resolver o problema: após uma queda do número de casos em 1993, os sequestros voltaram a crescer em 1994 (de 63 a noventa registros) e explodiram novamente em 1995, ano que chegou ao fim com a marca de 122 desses crimes registrados.

A pressão pública — sobretudo de setores ligados ao empresariado, que chegaram a ameaçar tirar fábricas do Rio se os casos não diminuíssem — levou a uma reviravolta na política de combate aos sequestros. Em maio de 1995, o recém-eleito governador Marcello Alencar nomeou como secretário de Segurança o general do Exército Nilton Cerqueira, figura conhecida nos porões da ditadura. Ex-chefe do Destacamento de Operações de Informações do Centro de Operações de Defesa Interna (Doi-Codi) de Salvador, Cerqueira coordenou, ao longo dos anos 1970, diversas ações que culminaram em assassinatos de militantes de esquerda, como a caçada ao ex-capitão Carlos Lamarca, líder do Movimento Revolucionário 8 de Outubro (MR-8), e a repressão à Guerrilha do Araguaia. Quando assumiu a pasta, no entanto, Cerqueira constatou que a origem do problema estava na própria polícia.

Uma frase do delegado Hélio Luz, escolhido pelo general como novo chefe da DAS — e, curiosamente, um quadro progressista da Polícia Civil, ligado, à época, ao Partido dos Trabalhadores (PT) —, resumia bem a nova diretriz do combate aos sequestros: "A partir de agora, a Antissequestro não sequestra mais".[12]

Sob nova direção, o quadro de policiais da DAS se renovou e vários agentes que eram lotados havia anos na unidade foram transferidos ou afastados. Em apenas dois meses, Hélio Luz foi alçado por Cerqueira ao posto de chefe de polícia. Durante a gestão da dupla, a Especializada recebeu investimentos e equipamentos mais modernos, e novas técnicas de investigação passaram a ser implementadas — como o uso de viaturas descaracterizadas pelos agentes.

No entanto, a mudança mais decisiva para o controle dos sequestros no Rio foi importada dos porões da ditadura: "O Cerqueira trouxe, para o enfrentamento aos sequestros, uma metodologia de trabalho usada pelo aparato do regime militar para combater a esquerda. Na ditadura militar, a repressão buscava 'talentos' que tivessem capilaridade e operacionalidade para exercer funções dentro do aparelho repressivo. Nos porões, policiais que tinham informações trabalhavam junto com os militares. Quando assumiu a Secretaria de Segurança, ele reproduziu essa metodologia para combater os sequestros. É aí que policiais militares passaram a trabalhar na DAS", me explicou o delegado Cláudio Ferraz.[13]

Hoje aposentado, Ferraz foi chefe de operações da Antissequestro no início dos anos 2000. Sua atuação mais emblemática na Polícia Civil, entretanto, foi sete anos depois, quando assumiu a Draco e passou a ser conhecido como "caçador de milícias": suas investigações levaram cerca de quatrocentos milicianos à cadeia, numa época em que o combate a essas organizações criminosas ainda engatinhava no Rio. Vários PMs que foram cedidos à Polícia Civil nos anos 1990 acabariam virando alvos de seus inquéritos na década seguinte.

Os "talentos" que a DAS buscava para combater os sequestros eram PMs operacionais, os agentes "de rua" que tinham construído, à base da bala, uma rede de contatos que os abastecia de informações. Ao contrário dos policiais civis, presos à burocracia das delegacias, esses PMs tinham liberdade para atuar nas ruas e acesso privilegiado ao submundo. Por outro lado, também era proveitoso para os agentes trabalhar na Polícia Civil: além das bonificações salariais, não estariam mais submetidos à rígida hierarquia e ao regulamento disciplinar da PM. Na nova função, não precisariam usar farda nem trabalhar em turnos de até 24 horas ininterruptas — e, o mais importante, não teriam de respeitar os limites geográficos do batalhão na hora de fazer rondas.

"Não há o que discutir acerca da contribuição que os adidos trouxeram no combate aos sequestros. Os resultados foram sentidos estatisticamente: houve redução brutal no crime de extorsão mediante sequestro. A estratégia deu certo porque esses PMs tinham o domínio da rua. Mas, na época, o outro lado da moeda foi ignorado: como eles conseguiam essas informações? Por que esses agentes tinham acesso privilegiado a informações? Com o tempo, começamos a perceber que o principal objetivo dos agentes que viraram adidos era participar de 'mineiras', trabalhar numa área de repressão para ter acesso a um segmento que abre oportunidade para inúmeras irregularidades e enriquecimento ilícito", me explicou Ferraz.

Por conta do verbo "adir", usado nos Diários Oficiais para relatar a transferência dos PMs para a Polícia Civil, esses agentes passaram a ser chamados de adidos. A partir de 1995, eles viraram o principal trunfo da DAS para descobrir a localização de cativeiros, conseguir dicas valiosas sobre que quadrilhas estavam por trás de quais crimes e, por fim, resgatar as vítimas. Nos anos seguintes, o número de sequestros caiu vertiginosamente: em 1998, foram apenas dezoito casos.

A experiência bem-sucedida levou à expansão do uso de adidos pela Polícia Civil: outras delegacias especializadas, como a de Repressão a Entorpecentes, a de Repressão a Armas e Explosivos e até as Delegacias de Homicídios, passaram a solicitar o empréstimo de adidos. No início dos anos 2000 — quando Ronnie Lessa passou a ser um desses agentes —, mais de uma centena de PMs dava expediente na Polícia Civil.

FALCON

Os adidos se aproximaram tanto do crime que, com o tempo, passaram a fazer parte dele. Da mesma maneira que Lessa, nos últimos quinze anos vários desses agentes foram presos sob as mais diversas acusações — integrar milícias, desviar armas apreendidas em operações e cometer homicídios. Um deles foi tão celebrado dentro da Polícia Civil que ganhou até apelido de herói: o sargento da PM Marcos Vieira Souza, o Falcon, numa referência ao personagem da franquia da série em desenho animado *Comandos em ação*, que fez sucesso nos anos 1980 e 1990. No desenho, um "agente especial" cruzava o país combatendo malfeitores. O Falcon da PM, por sua vez, tinha suas façanhas contadas na imprensa e em rodas de policiais nas delegacias da cidade.

A maior delas aconteceu no dia 28 de novembro de 2010, um domingo, quando as polícias do Rio, em conjunto com a PF e as Forças Armadas, ocuparam o Complexo do Alemão para a instalação de UPPs no conjunto de favelas. A operação foi saudada como "um ato histórico para a cidade".[14] Os jornais comemoraram a "libertação" do Alemão e a "retomada do território pelo Estado".[15] As fotos que ilustram as matérias publicadas no dia seguinte mostram o então sargento Marcos Falcon com o uniforme da Core da Polícia Civil hasteando, no ponto mais alto do conjunto de favelas, as bandeiras do Brasil e do estado do Rio de Janeiro.

"Não se pode desafiar o Estado. Não se desafiam as autoridades. [A ocupação] é uma vitória que, no meu entender, está sendo conquistada por causa da união das polícias, das autoridades, dos setores de inteligência e da população do Complexo do Alemão", disse Falcon à imprensa. A entrevista e as imagens correram o Brasil e o mundo: o adido tinha virado um símbolo da "pacificação".[16]

Falcon entrou na PM ainda na década de 1980. Trabalhou no Bope por seis anos antes de ser "recrutado" pela Polícia Civil: em 1994, fez parte da primeira leva de policiais militares cedida para a DAS em meio à explosão de sequestros. Num depoimento à Justiça em 2011, Falcon contou que passou a trabalhar na Polícia Civil "exatamente por ser morador de Madureira, onde viviam sequestradores que aterrorizavam a cidade do Rio de Janeiro". Nesse relato, ele ainda disse, orgulhoso, que "prendeu mais de cinquenta sequestradores quando trabalhou na DAS", e que "a tomada do Alemão se deu com base em informações por ele conseguidas e repassadas para a PF".

Na Polícia Civil, Falcon até hoje é considerado uma lenda, pela capacidade de obter informações do submundo. O delegado Fernando Moraes, que foi seu chefe na DAS no final dos anos 1990, não mediu elogios: quando depôs sobre Falcon à Justiça, disse que "chefiou cerca de 160 policiais e pode afirmar que, se confiou em dez, confiou em muitos, sendo que um dos primeiros é o sargento Marcos Vieira, a quem nunca teve dúvidas de confiar altas importâncias pagas como resgate de vítimas apreendidas, a entrega de um preso, de armas, e inclusive de lhe dar as costas em qualquer situação". No início dos anos 2000, Falcon saiu da DAS, mas seguiu na Polícia Civil: foi transferido para a Core, unidade operacional da instituição.

Na prática, o PM deixou de trabalhar para uma só delegacia para ser "colaborador" de várias ao mesmo tempo — todos queriam ter acesso às dicas de que ele dispunha sobre criminosos. Foi nesse período que Falcon virou informante da Polícia Federal. À Justiça, o delegado Victor Carvalho — que chefiava a Delegacia de Repressão a Entorpecentes (DRE) da PF quando as forças de segurança ocuparam o Alemão — contou que "as informações que possibilitaram a invasão do complexo tinham sido repassadas por Falcon três semanas antes". E mais: Falcon teria sido "de fundamental importância" para a "inteligência da investigação", pois a qualquer dúvida sobre o apelido dos traficantes, por exemplo, o adido prontamente esclarecia o "quem é quem" do crime.

A ficha de Falcon na polícia, no entanto, não tem só elogios. Quando trabalhava na DAS, foi acusado de sequestrar e matar um cabo do Corpo de Fuzileiros Navais. A história remonta ao dia 5 de dezembro de 1995, quando o militar Anderson de Lemos Suzart pegou uma carona com um colega, o sargento do Exército Gilson da Silva, quando ia para casa, em Madureira. Por volta das seis da tarde, os dois chegavam ao endereço do fuzileiro quando o Fusca marrom de Gilson foi interceptado por um Voyage branco, com homens armados no interior. Achando que estava sendo vítima de um assalto, Gilson acelerou e os ocupantes do Voyage atiraram. Ele foi baleado na cabeça e perdeu o controle do carro, que bateu num poste. O sargento seria socorrido e sobreviveria após ser levado ao hospital, mas Anderson, que saíra ileso do acidente, foi rendido e colocado no porta-malas do Voyage, que arrancou em disparada. O fuzileiro nunca mais foi visto. Um dos atiradores foi reconhecido por testemunhas. Era Marcos Falcon.[17]

Quem investigou o crime foi a própria família de Anderson: cansados de esperar por informações da polícia sobre seu paradeiro, parentes percorreram Madureira atrás de pistas que pudessem levá-los até ele.[18] Perto do local onde o jovem foi capturado, encontraram moradores que tinham visto toda a cena e reconhecido os criminosos: policiais que cultivavam certa fama na região por integrarem um grupo de extermínio. Dois eram detetives da delegacia do bairro, a 29ª DP, justamente a responsável por investigar o crime; já o terceiro era Falcon, PM morador de Madureira que trabalhava colhendo informações sobre criminosos e repassando-as à Polícia Civil. Segundo os relatos que a família reuniu, o ataque que terminou no assassinato do fuzileiro foi fruto de um engano: Anderson e Gilson foram confundidos por seus algozes com traficantes que costumavam percorrer pontos de vendas de drogas para recolher dinheiro com um Fusca idêntico ao que usavam. Para as testemunhas, o objetivo dos policiais era "mineirar" as vítimas — capturá-las e, depois, negociar sua liberdade por dinheiro.

A família da vítima nunca desistiu de lutar por justiça. Em cartas ao jornal *O Globo*, o pai e a viúva de Anderson cobraram respostas da polícia, da Marinha e do Ministério Público. "Apesar de policiais já estarem indiciados por terem sido reconhecidos como autores do crime, nenhuma medida séria foi tomada. O Ministério Público tem os fatos e as testemunhas, e hoje faz um ano, e os autores do crime continuam soltos sem terem sofrido punição nenhuma, enquanto minha família encontra-se destruída de agonia por não saber onde está meu filho", escreveu Wilson Suzart, pai de Anderson, num texto publicado na seção "Carta dos leitores" em 16 de dezembro de 1996. A pressão da família deu resultado: a investigação saiu das mãos da 29ª DP (onde trabalhavam dois dos suspeitos) e foi encaminhada à Corregedoria de Polícia, que apurava crimes em que havia indícios de envolvimento de policiais.

Só em 2002 Marcos Falcon e os policiais civis Jerry Cândido de Almeida e Gerson Rodrigues Castilho foram denunciados à Justiça pelo sequestro e homicídio do fuzileiro naval. Três anos depois, quando o crime estava prestes a completar dez anos, o trio foi absolvido pelo júri popular.[19] Os réus nunca chegaram a ser presos e, durante todo o desenrolar do processo, continuaram trabalhando normalmente. O corpo de Suzart jamais foi encontrado.

Essa foi a primeira vez que Falcon foi acusado de integrar um grupo de extermínio. Em 2008, seu nome estaria estampado no relatório final da Comissão Parlamentar de Inquérito (CPI) das Milícias, instaurada pela Assembleia Legislativa do Rio de Janeiro e presidida pelo então deputado estadual Marcelo Freixo. No documento — elaborado com base em relatos coletados pela ONG Disque Denúncia, que atua desde a década de 1990 em parceria com as forças de segurança do Rio, em informações compartilhadas pelas polícias Civil e Militar e em entrevistas com diversas autoridades e milicianos —, o PM Marcos Vieira Souza é apontado como "líder" da milícia que atuava nos bairros de Campinho e Oswaldo Cruz, vizinhos de Madureira: "Estaria cedido para Polícia Civil e cobraria a segurança de moradores na área de Madureira próximo ao Clube Brasil Novo, seria o líder da milícia em Oswaldo Cruz, onde atuaria com outro grupo de policiais que se reuniriam no centro social 'Quem Ousa Vence'", menciona o relatório.[20]

De fato, Falcon chegou a admitir, três anos depois da publicação do relatório, que era "colaborador" de um centro social — imóvel geralmente utilizado para a distribuição de cestas básicas e para atender às mais diversas demandas da população de certa região. Esse tipo de prática, que tem fins eleitorais, é muito comum em áreas dominadas por milícias. À Justiça, Falcon afirmou que conseguiu a cessão do terreno pelo Governo do estado, mas negou "auferir rendas daquela atividade e também qualquer tipo de pretensão a disputa de eleições".[21] Para conseguir a liberação da área pelo poder público, Falcon contou com a ajuda de seu então chefe, Fernando Moraes, delegado titular da DAS. Segundo o próprio Moraes, em 1999, quando ambos trabalhavam na DAS, Falcon o procurou pedindo ajuda para "revitalizar um terreno abandonado que era habitado por traficantes e viciados no bairro em que ele residia". O delegado topou a empreitada e "conseguiu com o secretário de Esportes do município a limpeza do local e a criação de um campo de futebol, que passou a ser gerido por Falcon".[22] Ali funciona há mais de duas décadas o "Campo do Falcon", uma quadra de futebol usada para campeonatos esportivos, distribuição de cestas básicas, shows e comícios políticos.

O relatório da CPI também detalha como atuaria a milícia "liderada" por Falcon. A taxa "de segurança" cobrada dos moradores chegava a vinte reais, e comerciantes tinham que pagar 35.

O grupo paramilitar também controlaria o sinal de TV a cabo clandestino — a instalação custava cinquenta reais, e a mensalidade, 35 reais —, o gás e teria até instituído uma comissão de 30% sobre a venda de imóveis na região.[23] O documento serviu de base para investigações que levaram vários milicianos à cadeia nos anos posteriores à sua publicação. Falcon, no entanto, não foi incomodado: seguiu trabalhando na Polícia Civil e, em 2010, chegaria ao auge de sua carreira ao hastear a bandeira do Brasil no Alemão.

Menos de cinco meses depois da ocupação do complexo de favelas, o PM foi preso em flagrante. Em 14 de abril de 2011, foi detido ao chegar à sede da Draco, delegacia responsável por investigar milícias no Rio. Naquele dia, Falcon e mais três homens escoltavam o miliciano Paulo Ferreira Júnior, o Paulinho do Gás, que estava foragido e, na véspera, havia procurado o adido para que intermediasse sua rendição. No momento em que Falcon e Paulinho entravam na especializada, policiais da Draco abordaram o grupo e revistaram o carro que estavam usando naquele dia, uma caminhonete Pajero blindada.

Os três homens que acompanhavam Falcon eram civis — um deles estava armado, mesmo sem ter nenhuma autorização. Dentro do veículo, os agentes acharam cinco armas, munição, um silenciador de fuzil, dois facões, um taco de beisebol, um binóculo, gás de pimenta e 33 mil reais.[24] Também foram encontrados dentro da Pajero documentos vazados de uma investigação da Delegacia de Homicídios sobre um assassinato ocorrido em Madureira. Num deles, uma testemunha afirmava que o crime havia sido cometido por milicianos e que o chefe do grupo era Falcon.[25] Os quatro homens foram autuados em flagrante: "O comportamento de uma pessoa que vem à delegacia com homens armados é a certeza da impunidade", disse à imprensa, naquele dia, o então corregedor da Polícia Civil Gilson Emiliano.[26]

Falcon passou apenas três meses na cadeia. Em julho de 2011 foi posto em liberdade e, no ano seguinte, absolvido. O MP recorreu da sentença, mas em julho de 2015 a absolvição foi mantida pela 1ª Câmara Criminal do Tribunal de Justiça do Rio. "Ficou claro diante dos depoimentos colhidos que Marcos Vieira, policial militar adido na Polícia Civil, participou de várias investigações, colaborando positivamente com vários departamentos policiais, federais e estaduais, em operações de grande relevo, justificando, assim, vários dos armamentos encontrados em seu veículo", escreveu em seu voto o desembargador Antônio Jayme Boente, relator do caso.[27] Até hoje, nunca foi explicada a presença, no carro de Falcon, do depoimento que o acusava de chefiar uma milícia.

Com base na absolvição, Falcon, que havia sido expulso da PM após ser preso, conseguiu ser reintegrado à corporação. Logo depois se aposentou como subtenente. Com o fim da carreira como policial, passou a se dedicar integralmente à Portela, sua escola de samba do coração. Em abril de 2016, foi eleito presidente da agremiação, prometendo que levaria a escola — que não vencia o Carnaval carioca havia 33 anos — novamente ao título. A chegada ao poder na Portela abriu caminho para que ele começasse a planejar sua carreira política: no segundo semestre daquele ano, Falcon anunciou sua candidatura a vereador do Rio.

A principal base de apoio do PM na política não eram os policiais, mas sim o mundo do samba. Depois que se aposentou, Falcon deu uma repaginada em sua imagem: de policial valentão, temido em Madureira, virou o protetor da Velha Guarda da Portela. O casamento com um dos maiores símbolos atuais da festa, a porta-bandeira da Beija-Flor Selminha Sorriso, até ajudaria na mudança, mas a aproximação de baluartes da Portela, como Monarco e tia Surica, é que levaria Falcon à elite do Carnaval. Em 2011, ele foi alçado ao cargo de diretor cultural da escola, responsável pela programação do barracão e por organizar eventos com a participação dos sambistas históricos da agremiação. Como a azul e branco vivia uma crise financeira e colecionava maus resultados nos desfiles, Falcon logo passou à oposição, e em 2013 foi eleito vice-presidente da Portela com o apoio da Velha Guarda.

O cabeça de sua chapa era o sambista Serginho Procópio, mas nos bastidores quem mandava era Falcon, que investiu pesado para reerguer a escola. De candidata ao rebaixamento, a Águia voltou a brigar pelo título — e o PM, prestigiado como nunca, expandiu seus domínios. Além de ser o mandachuva da Portela, Falcon foi eleito, em 2015, presidente da associação responsável por gerir o Carnaval da estrada Intendente Magalhães, espécie de "Série B" do samba, com agremiações que sonham em desfilar na Sapucaí. Na elite do Carnaval e estimulado por sambistas, celebridades e políticos, era natural que Falcon tentasse se aventurar na política.

O subtenente aposentado já estava na reta final da corrida eleitoral quando foi executado a tiros dentro de seu comitê de campanha, em Oswaldo Cruz. Na tarde de 26 de setembro de 2016, dois homens desembarcaram de um carro, apontaram fuzis para dentro do imóvel, atiraram e fugiram. Foram cerca de trinta tiros, e sete acertaram Falcon nas costas, no rosto, nos braços e pernas. O lugar estava cheio de funcionários, mas só o candidato foi atingido. Apesar de geralmente circular cercado de seguranças, naquele dia não havia nenhum deles no comitê. O crime até hoje não foi esclarecido.

No dia seguinte, compareceram ao velório de Falcon, na quadra da Portela, baluartes do mundo do samba, oficiais da cúpula da PM do Rio e personalidades da política carioca, como o prefeito Eduardo Paes. No ano seguinte, a Portela venceu o Carnaval. No último carro alegórico da escola, anjos seguravam uma bandeira com o rosto de Falcon.

PEREIRA

Na madrugada de 5 de fevereiro de 2005, policiais da Divisão Antissequestro entraram silenciosamente numa área de mata fechada perto da cidade de Volta Redonda, no Sul Fluminense. Buscavam, em meio à vegetação, o cativeiro do psiquiatra Dirceu Galvão de França, então com setenta anos, e de seu motorista Carlos Manoel Lopes, de 48. Naquele dia, fazia exatamente uma semana que os dois haviam sido capturados no município vizinho de Barra Mansa. O caso provocava comoção porque o médico, muito conhecido na região, tinha problemas de saúde: um mês antes, Dirceu passara por uma cirurgia no coração para colocação de duas pontes de safena e, desde então, precisava tomar remédios diariamente.

Como havia o risco de a vítima morrer em poder dos criminosos, a DAS decidiu empreender uma ação arriscada. Agentes se passaram por parentes para negociar o pagamento do resgate de cerca de 650 mil reais e, no local e hora marcados para a entrega, capturaram os criminosos. Em poder dos policiais, três sequestradores confessaram o crime e disseram que o cativeiro estava escondido no meio da floresta. Dirceu e seu motorista foram encontrados sob uma barraca de praia, acorrentados a uma árvore. O médico contou à imprensa na manhã seguinte que achou que morreria no cativeiro: "Eu já estava perdendo as esperanças".[28]

Um dos policiais que participou da elaboração do plano de captura dos criminosos e depois passou mais de duas horas no meio da mata, no escuro, procurando as vítimas foi o sargento Geraldo Antônio Pereira — que, assim como seu amigo e confidente Marcos Falcon, foi um dos PMs adidos que marcou época na DAS.

A atuação no sequestro em Volta Redonda rendeu a Pereira elogios na Assembleia Legislativa do Rio. Segundo o então deputado estadual José Nader, do Partido Trabalhista Brasileiro (PTB), a "conduta desenvolvida com profissionalismo e competência" pelo adido havia sido fundamental para a libertação das vítimas. E não só: "A dedicação excepcional deste militar, importando, muitas vezes, risco da própria vida no cumprimento de suas funções, transcende ao que é normalmente exigível do serviço policial",[29] escreveu o deputado para justificar a Moção de Aplauso e Louvor com a qual Pereira foi agraciado em dezembro de 2007. Essa não foi a primeira homenagem que ele recebeu da Alerj: dois anos antes, o agente já havia sido aplaudido "pela eficiência revelada no desempenho de suas funções e pelos relevantes serviços prestados à população do Estado do Rio de Janeiro".[30]

Quando elogiaram Pereira, os deputados ignoraram sua trajetória truculenta. Em 1997, um cinegrafista amador flagrou o então cabo e outros cinco PMs fardados espancando onze moradores da Cidade de Deus. Na filmagem, os policiais aparecem dando joelhadas, tapas no rosto e golpes nas orelhas das vítimas — nove homens e duas mulheres — alinhadas na frente de um muro na favela. Um cinto e um pedaço de madeira também foram usados na sessão de tortura, que começou após os agentes, todos lotados no batalhão que patrulhava a região, o 18º BPM (Jacarepaguá), entrarem num bar gritando que ali funcionava uma boca de fumo. Antes de começarem as agressões, os PMs mandaram os moradores se deitarem no chão e esvaziarem os bolsos. Todo o dinheiro achado pelos agentes foi roubado.[31] As imagens, reveladas pelo *Jornal Nacional*, rodaram o Brasil e o episódio passou a ser conhecido como "Muro da Vergonha".

Um dos torturados, um guarda-vidas de dezenove anos, conseguiu reconhecer seu algoz. O PM que dera golpes simultâneos em suas orelhas — prática conhecida como "telefone" no meio policial —, causando o rompimento de seu tímpano e a perda de

25% da audição, era o cabo Geraldo Pereira. O reconhecimento não foi tarefa difícil: entre os seis acusados, Pereira era o policial mais temido na favela e tinha até um apelido entre os moradores: Rambinho.[32]

No dia seguinte à exibição das imagens na TV, o então governador do Rio, Marcello Alencar, entrou em rota de colisão com o comando da PM ao defender a expulsão imediata, sem direito a defesa, dos agentes da corporação. "Os policiais agiram com covardia e indignidade. Temos dúvidas se esses atos não são doentios, sádicos", disse Alencar.[33] A declaração não foi bem recebida nos quartéis; afinal, vários daqueles agentes eram "operacionais", considerados heróis por seus pares. Pereira, por exemplo, havia sido agraciado com a "gratificação faroeste" apenas dez meses antes do caso por ter "participado de operação que culminou com a prisão e morte de importantes traficantes de tóxicos". A bonificação de 50% de seus vencimentos foi suspensa pelo governador quando o escândalo do "Muro da Vergonha" veio à tona.

Apesar de ter sido filmado agredindo as vítimas, Pereira nunca admitiu o crime. "Apenas dei cobertura aos colegas. Não me recordo de ter batido no rapaz", disse ele em audiência na Justiça.[34] Ao todo, o cabo só permaneceu três meses preso: em julho de 1997 foi libertado. No ano seguinte, Pereira foi condenado pela Auditoria de Justiça Militar a um ano e dez meses de prisão pelo crime de constrangimento ilegal — ele nem sequer respondeu por lesão corporal nem tortura. O único juiz civil que integrava o Conselho Especial de Justiça defendia uma pena de cinco anos, mas a decisão dos demais membros do colegiado, todos coronéis, prevaleceu. Pereira não seria preso novamente: os oficiais também decidiram suspender sua pena, já que ele não era reincidente.[35]

A sentença abriu caminho para o policial permanecer na corporação. Um mês após a sessão de tortura vir à tona, ele chegou a ser expulso pelo comandante da PM, mas, com a pena suspensa, entrou na Justiça e conseguiu ser reintegrado.[36] No retorno à tropa, Pereira foi promovido a sargento e, logo em seguida – buscando atuar de forma mais discreta depois do escândalo da Cidade de Deus –, aceitou um convite para ser cedido à Polícia Civil.

Na Delegacia Antissequestro, Pereira e Falcon trabalharam lado a lado por quase uma década, se tornaram amigos e viveram o auge de suas carreiras. Com seus nomes fora do noticiário, a dupla participou de dezenas de resgates de vítimas de sequestros e colecionou elogios de seus chefes na Polícia Civil e homenagens no meio político. Foi nessa época – meados dos anos 2000 – que Pereira recebeu duas moções de aplauso na Alerj, e Falcon foi agraciado com as medalhas Tiradentes e Pedro Ernesto, maiores honrarias dos Poderes Legislativos do estado e da cidade do Rio de Janeiro. Enquanto cresciam profissionalmente, ambos expandiam seus tentáculos pelo submundo do crime.

Ao contrário de Falcon, Pereira jamais foi acusado formalmente de conexão com o crime organizado. Depois do caso do "Muro da Vergonha", o sargento nunca mais sentou no banco dos réus – apesar da fama que angariou no meio policial e dos fortes indícios coletados pela polícia e pelo MP contra ele em diversas investigações. O primeiro deles surgiu durante a CPI das Milícias, em 2008: o nome de um certo "PM Pereira"[37] foi citado em denúncias recebidas pelos parlamentares como integrante da milícia que dominava Curicica, região onde Pereira de fato morou durante a maior parte de sua carreira. Como não eram muito detalhados, os relatos colhidos pela CPI não chegaram a inquéritos policiais.

Em 2010, no entanto, o nome do adido foi novamente relacionado à milícia – dessa vez, numa série de depoimentos explosivos prestados ao MP e à Polícia Federal. Na ocasião, um homem procurou promotores do Grupo de Atuação Especial de

Combate ao Crime Organizado (Gaeco) para denunciar crimes cometidos por policiais lotados em delegacias especializadas da Polícia Civil. A testemunha afirmou que atuara como informante para diversas dessas unidades ao longo de quinze anos e resolvera procurar a Promotoria depois que teve um parente morto por um policial. Entre julho e dezembro daquele ano, ele prestou três depoimentos — o primeiro no MP, os dois seguintes na Delegacia de Repressão ao Tráfico de Armas da PF, acionada para auxiliar na investigação. Ao longo dos relatos, o denunciante citou o nome de dezenas de policiais civis e militares — o sargento Pereira, no entanto, foi o alvo das acusações mais graves.

Segundo a testemunha, Pereira conciliava o trabalho na DAS com o controle das milícias de Jacarepaguá. "Ele domina a área toda ali. Jacarepaguá é tudo dele. A atuação dele é como se fosse o dono mesmo, cobra uma mensalidade dos comerciantes e dos moradores para ter acesso a internet, gatonet...".[38] E ainda estimou o lucro do PM com os serviços explorados na região: "Vai pra ele limpo de 2 a 2,5 milhões de reais, o resto é dividido entre o pessoal da quadrilha dele". O informante — que conheceu Pereira quando colaborou "com um trabalho de sequestro" na DAS — também deu detalhes sobre a rotina e os bens do acusado: disse que Pereira morava num condomínio de luxo na Barra da Tijuca, circulava pela cidade numa caminhonete "F-250 blindada" e costumava andar "com vinte homens em volta dele, todos PMs, fortemente armados", e sempre com "dois ou três fuzis" a tiracolo.

A testemunha descreveu Pereira como "extremamente violento" e responsável "por vários homicídios na capital". Os investigadores perguntaram como o adido mantinha suas atividades criminosas acobertadas e por que nunca havia sido investigado. "Contato, da política, com as delegacias da área, é um cara bem articulado, bem perigoso mesmo. Tem conhecimento com autoridades, eu acho absurdo a Justiça não esbarrar com esse cara", respondeu. Em outro relato, ele acrescentaria que Pereira gastava cerca de 500 mil reais todo mês para que não houvesse "nenhuma interferência policial na área controlada por sua milícia".

Esses depoimentos foram o ponto de partida da investigação que, em fevereiro de 2011, culminou na Operação Guilhotina. Ao todo, quarenta pessoas — entre policiais militares, civis, informantes e milicianos — foram presas sob a acusação de vender armas e drogas apreendidas e vazar informações sobre operações para traficantes, milicianos e bicheiros. Os principais alvos da operação eram agentes — delegados, inspetores e PMs adidos — lotados em delegacias especializadas.

Os promotores avaliaram que não havia provas suficientes para denunciar o sargento Geraldo Pereira, mas a ação repercutiu em sua carreira. Diante das graves acusações de corrupção envolvendo os adidos, a Polícia Civil decidiu acabar com o empréstimo de policiais militares. Assim, Pereira foi obrigado a voltar para sua corporação de origem e dali a seis meses se aposentou.

Depois da Operação Guilhotina, o nome de Pereira desapareceu das investigações da polícia. Para as autoridades, era como se ele tivesse sumido sem deixar rastros — mesmo que, entre os moradores de Jacarepaguá, o PM aposentado e sua influência sobre o bairro fossem assuntos corriqueiros. Pereira só apareceria novamente nos registros policiais em 17 de maio de 2016, quando foi executado a tiros na frente de sua academia de ginástica no Recreio dos Bandeirantes.

Por volta das sete da manhã, ele chegava ao estabelecimento quando foi emboscado por três homens encapuzados e armados com fuzis, que já o aguardavam escondidos dentro de um carro estacionado estrategicamente em frente à entrada. Os atiradores desembarcaram e fizeram dezenas de disparos — oito atingiram

Pereira. Os guarda-costas que o acompanhavam até reagiram com tiros de pistola, mas já era tarde: o alvo foi baleado e já estava morto quando chegou ao hospital onde foi socorrido. Apenas quatro meses depois, seu amigo Falcon foi assassinado.

Somente após ser executado, a real dimensão do poder de Pereira no submundo veio à tona. O responsável por revelar os segredos do PM foi um antigo comparsa, o miliciano Orlando Oliveira de Araújo, o Orlando Curicica.

O REI DO CRIME

Pouco mais de um mês depois da morte da vereadora Marielle Franco, Orlando Curicica foi apontado como um dos mentores da execução. O PM Rodrigo Ferreira, o Ferreirinha, rival do miliciano pelo controle de favelas de Jacarepaguá, procurou a Delegacia de Homicídios e contou que Curicica e o vereador Marcello Siciliano (do Partido Progressistas, PP) haviam tramado o crime juntos. Uma investigação da Polícia Federal comprovaria, meses depois, que o depoimento-bomba era na verdade uma farsa. Ferreirinha só queria se livrar de Curicica para tomar o território que ele dominava. Já o grupo que arquitetou o plano e intermediou sua ida à DH era chefiado, segundo o Ministério Público Federal (MPF), pelo ex-deputado estadual e conselheiro do Tribunal de Contas do Rio de Janeiro (TCE-RJ) Domingos Brazão, que tinha dois objetivos ao criar a versão fajuta: prejudicar um desafeto, Siciliano, com quem disputava o eleitorado de Jacarepaguá; e evitar que a investigação do assassinato de Marielle respingasse nele próprio. Brazão já teve rusgas com a legenda da vereadora, o Partido Socialismo e Liberdade (Psol), que foi contra sua nomeação como conselheiro do TCE-RJ. Até hoje ele nega ter participado da trama.[39]

Mas em setembro de 2018, quando as promotoras Simone Sibilio e Letícia Emile, responsáveis por investigar o assassinato, foram até a Penitenciária Federal de Mossoró, no Rio Grande do Norte, para ouvi-lo sobre o crime, Curicica ainda não havia se livrado das acusações — e achava que seria condenado por um crime que não cometera. Por isso, resolveu compartilhar o que sabia sobre quadrilhas organizadas de pistoleiros e homicídios até então não esclarecidos no Rio. Seu relato começou pelo crime sobre o qual tinha mais informações: a execução de Pereira.[40]

Ele contou que o sargento fora seu mentor no mundo do crime, por suas mãos Orlando assumira a milícia de Curicica. Os dois haviam se conhecido anos antes, dentro da Divisão Antissequestro, onde Orlando — ex-PM expulso da corporação por envolvimento com roubos de carga — costumava trabalhar como informante. A relação de ambos se fortaleceu quando Pereira contratou Orlando para ser seu segurança: "Eu trabalhava de carteira assinada numa empresa em Duque de Caxias, trabalhava com vendas. O Pereira por acaso foi visitar a empresa, me viu e perguntou se eu não queria trabalhar na segurança pessoal dele", explicou o miliciano.

Orlando revelou que, quando foi contratado, Pereira havia acabado de expandir seus negócios em Jacarepaguá para além das atividades tipicamente exploradas pela milícia. Além de cobrar taxas de moradores e comerciantes, ter o monopólio da venda de gás e explorar serviços de TV a cabo e internet, o adido também espalhou seus tentáculos para um negócio dominado, havia décadas, por poucas famílias em todo o estado: a exploração do jogo do bicho, de bingos e de máquinas caça-níqueis. Ou seja, Pereira virou uma espécie de Rei do Crime de Jacarepaguá — no bairro, qualquer atividade ilegal precisava do seu aval.

Quando foi chamado para ser segurança de Pereira, Orlando imaginou que o chefe estivesse precisando se defender de alguma ameaça. "Eu falei pra ele: 'Pô, mas pra tu tá me chamando não é porque tu vai fazer churrasco toda semana, é algum problema'. Mas como o salário era atrativo, fui trabalhar com ele", disse o miliciano. O "problema" que Orlando antevia era justamente a disputa pelo controle do jogo ilegal em Jacarepaguá.

Para entrar no novo negócio, Pereira precisava da autorização dos bicheiros que tinham dividido o estado entre si para manter o monopólio sobre a jogatina. Nessa divisão, Jacarepaguá fazia parte do território de Rogério Andrade, sobrinho e herdeiro do espólio criminoso do lendário Castor de Andrade, capo dos capos do bicho no Rio, morto na década de 1990. Pereira negociou sua entrada no ramo com Andrade e ambos decidiram que o adido arrendaria o jogo na região — ou seja, exploraria mediante o pagamento de um aluguel ao bicheiro.

A sociedade deu certo por um tempo, mas acabou num racha entre as duas partes: por conta de operações da Polícia Federal que culminaram na apreensão de máquinas e causaram prejuízos para a quadrilha, Pereira quebrou o acordo e não repassou a Andrade a íntegra do valor acertado. "O Rogério ficou insatisfeito porque a PF deu uns baques muito grandes na área de Jacarepaguá e Recreio. Pegou máquinas e bingo. Então o Pereira descontou o prejuízo do valor arrendado da área. E o Rogério Andrade não ficou satisfeito, devolveu o dinheiro e falou: 'Ou vem o que tem que vir ou não manda nada!'. Aquilo revoltou o Pereira, virou um estresse, uma guerra verbal entre um e outro", contou Curicica às promotoras.

Logo depois da briga, Orlando começou a ouvir pelo bairro rumores de que seu chefe seria morto por pistoleiros profissionais contratados pelo bicheiro. Até o local do crime estaria definido: a academia que Pereira mantinha no Recreio dos Bandeirantes. Orlando disse que alertou o chefe: "Eu tive com ele duas vezes pessoalmente e falei: 'Vão te matar na academia', mas ele não acreditava. Ele achava que não... E acabou acontecendo, ele acabou sendo morto na academia".

Após o homicídio de Pereira, a milícia de Jacarepaguá passou para as mãos de Orlando, braço direito do antigo chefe. Já o jogo ilegal foi parar nas mãos de outro sócio de Andrade.

O assassinato na academia, entretanto, não foi o único mencionado por Orlando ao longo das 98 páginas do depoimento que prestou no presídio federal. Segundo ele, essa execução estaria diretamente conectada a outra, levada a cabo apenas quatro meses depois e nos mesmos moldes: o homicídio de Marcos Falcon em seu comitê de campanha. Ao mencionar esse crime, Orlando foi mais cauteloso: inicialmente, disse apenas que o grupo de pistoleiros responsável por matar os dois amigos era o mesmo. As promotoras perguntaram de bate-pronto: e o mandante? "Mesmo mandante, por motivos diferentes", respondeu Orlando.

"Você poderia dizer quem foi o mandante?", insistiu a promotora Simone Sibilio. O miliciano perguntou se estava sendo gravado e, em seguida, a gravação foi interrompida.

No inquérito sobre o homicídio de Falcon, há uma pista que corrobora a tese de Orlando de que os casos estão conectados: parentes contaram, em depoimento à polícia, que após a morte de Pereira, o presidente da Portela teria dito a amigos mais chegados: "O próximo sou eu".[41] A polícia trabalha com a hipótese de que Pereira teria procurado seu amigo Falcon para ajudá-lo na guerra contra Rogério Andrade poucos meses antes de ser assassinado. Os dois estariam tramando, juntos, um ataque contra o bicheiro quando Pereira foi executado na academia. Até hoje, no entanto, os inquéritos sobre os homicídios dos dois adidos seguem sem solução. Ninguém foi preso por nenhum dos dois crimes.

O boletim interno da Polícia Militar do Rio do dia 29 de janeiro de 2003 anunciou a decisão da corporação de "adir" Ronnie Lessa à Polícia Civil. Daí em diante, ele nunca mais voltaria a usar farda. Nos anos seguintes, trabalhou na Delegacia de Roubos e Furtos de Cargas (DRFC), na Divisão de Capturas e Polícia Interestadual (DC-Polinter) — responsável pelo cumprimento de mandados de prisão de foragidos — e na Delegacia de Homicídios da Baixada Fluminense (DHBF) — onde chegou até a participar de investigações de assassinatos relacionadas a grupos de extermínio que atuavam na região. O PM, no entanto, teria sua passagem mais marcante dentro da Civil na Drae, a unidade mais atuante em operações em favelas — e, curiosamente, a delegacia mais afetada, no início da década seguinte, pela Operação Guilhotina, que mirava policiais civis e adidos que roubavam materiais apreendidos.

Não foi a capacidade investigativa nem o talento para atrair informantes que notabilizou Lessa no período em que deu expediente em delegacias: até hoje, ele é lembrado pelos colegas por sua performance em campo. Nas incursões em favelas, sempre se colocava à disposição para ser o "ponta", primeiro policial da equipe e o mais exposto a ataques. Além da coragem, a precisão dos disparos e a capacidade de manusear qualquer tipo de armamento com agilidade também impressionavam seus pares. Não são raras as fotografias de operações policiais que estamparam capas de jornais do Rio em que Lessa aparece em ação, às vezes encapuzado, portando um fuzil ou uma pistola em cada mão.

Um de seus feitos mais celebrados na Drae aconteceu no Complexo do Alemão, em meados dos anos 2000. Na ocasião, quatro policiais civis que faziam uma ronda pelo conjunto de favelas em uma viatura foram encurralados por traficantes. Pelo sistema de comunicação do carro, os agentes pediram apoio das delegacias próximas. Nos trinta minutos seguintes, mais de cem policiais de várias unidades diferentes chegaram ao local para tentar ajudar a equipe em perigo, mas sem sucesso. Uma chuva de tiros disparada do alto pelos criminosos não permitia o avanço dos policiais, que tentavam se proteger atrás de muros.

De repente, uma caminhonete da Drae, sem nenhum tipo de blindagem, apareceu no final da rua, avançando em alta velocidade na direção dos agentes em risco. Um dos ocupantes colocou o corpo para fora e começou a disparar com um fuzil na direção dos traficantes — que, por alguns segundos, tiveram que parar de atirar para se resguardar. O tempo foi suficiente para que as demais equipes conseguissem progredir, e os quatro policiais encurralados saíram da favela vivos. Lessa, o comandante da equipe composta exclusivamente de PMs cedidos à Polícia Civil que estava na caminhonete, teve sua tarde de herói. "Ele se sentia um soldado em plena Guerra do Vietnã",[42] resumiu, anos depois, um contemporâneo do sargento na Drae.

Como adido, a fama da atuação de Lessa no gatilho se expandiu — e chegou aos ouvidos de quem estava disposto a pagar muito dinheiro para usufruir desse talento. Mais de uma década depois, vieram à tona indícios de que a carreira de matador de aluguel do sargento teve início justamente quando ele trabalhava em delegacias especializadas.

Em meio à investigação dos assassinatos de Marielle e Anderson, os agentes do MP e da Polícia Civil — que estavam atrás de provas que pudessem ajudar a solucionar o caso — lançaram mão de uma técnica de investigação inovadora: a quebra de sigilo da nuvem dos suspeitos. A tecnologia de armazenamento de dados na internet funciona como uma espécie de repositório de rastros da vida on-line: além dos arquivos enviados pelo usuário — imagens, e-mails e arquivos de texto —, a nuvem também reúne uma série de informações pessoais, como o histórico de localização do usuário (caso mantenha o GPS do celular ligado), os sites visitados e as pesquisas feitas em buscadores como o Google.

Ao vasculhar o passado de Lessa na internet, as promotoras do Gaeco e os agentes da DH se depararam com coincidências muito suspeitas: dias antes de execuções bárbaras — crimes com assinatura profissional, em que o atirador faz dezenas de disparos em movimento e foge sem deixar rastros —, o adido pesquisava no Google dados pessoais das vítimas. Num desses casos, o alvo foi um político.

Ary Brum foi deputado estadual por seis mandatos consecutivos e, em meados dos anos 2000, passou a ocupar um cargo de assessor no governo de Sérgio Cabral (ambos do Movimento Democrático Brasileiro, MDB). O auge da carreira de Brum na política fluminense, no entanto, havia sido na década de 1990, quando ainda ocupava uma cadeira na Alerj. Na ocasião, ele denunciou um deputado por suborno após gravar uma conversa em que o colega prometia 80 mil reais para quem votasse a favor da privatização da Companhia Estadual de Águas e Esgotos (Cedae), empresa que presta serviços de saneamento no Rio. Em decorrência da acusação, Aluízio de Castro, o político denunciado por Brum, acabou cassado.

Em 22 de outubro de 2007, Lessa digitou no buscador o número do CPF de Ary Brum e clicou em "pesquisar".[43] Exatos 57 dias depois, na manhã de 18 de dezembro, Brum foi assassinado a tiros.

O modus operandi do crime foi praticamente idêntico ao que seria usado, mais de uma década depois, no homicídio de Marielle Franco: os criminosos emparelharam com o carro da vítima e o atirador fez os disparos com os dois veículos em movimento. No caso de 2007, Brum guiava um Santana, carro oficial do estado, pela Linha Vermelha — via expressa que dá acesso ao Aeroporto Internacional Tom Jobim, o Galeão, onde o político cumpriria uma agenda naquele dia. De repente, um Honda Fit com pelo menos dois ocupantes e um fuzil calibre 762 apoiado na janela do carona emparelhou com o Santana. O atirador fez 26 disparos: quinze deles acertaram Brum na cabeça, braços e tórax. Na época, o político era pré-candidato à Prefeitura de Cachoeiras de Macacu, na Região Serrana, seu principal reduto eleitoral. O corpo foi velado na Alerj, no dia seguinte ao crime.

Como a vítima era um político conhecido, a investigação avançou e chegou a um mandante. Segundo o inquérito, o assassinato de Ary Brum fora encomendado por um sócio, o empresário Lindenberg Sardinha Meira, que culpava Ary por um prejuízo de 800 mil reais. Os dois haviam se juntado para comprar cotas de um hospital particular, o Quarto Centenário, em Santa Teresa, no Rio. Estimulado por Brum, Lindenberg investiu pesado: fez reformas na unidade e passou a custear salários e alimentação dos funcionários. Pouco antes da data do crime, no entanto, o empresário se revoltou ao descobrir um rombo nas contas da empresa e se arrependeu do negócio. A polícia conseguiu imagens de câmeras de segurança que mostram Ary Brum entrando e saindo do escritório de Meira na véspera do assassinato. O relatório da investigação aponta que os dois brigaram durante esse encontro e, em seguida, o empresário teria ordenado que seus seguranças, todos policiais, matassem o sócio.

Lindenberg Meira foi denunciado pelo MP e virou réu pelo homicídio. Mais de uma década depois, no entanto, acabou absolvido por falta de provas. Os atiradores nunca foram identificados. Na época, os investigadores não tinham a menor ideia de que

Ronnie Lessa havia feito buscas por Ary Brum dois meses antes do crime. Contudo, no inquérito do caso havia diversas menções ao seu nome.[44] E pior: havia indícios de que Lessa participara do homicídio — solenemente ignorados pela polícia.

Primeiro, a investigação concluiu, a partir de provas colhidas na cena do crime, que o atirador era, muito possivelmente, um policial ou militar com capacidade técnica no manejo de armas e experiente em operações táticas. Isso porque o relatório final apontava que, "apesar de terem sido efetuados diversos disparos de arma de fogo de grosso calibre, no local do fato não foi arrecadado nenhum estojo de munição" — ou seja, a parte do projétil que a arma expele no momento do tiro. O assassino sabia que os estojos seriam usados em confrontos balísticos que poderiam levar a polícia à arma do crime e, por isso, usou algum método para impedir que eles saíssem do veículo. O documento, assinado pelo delegado Tullio Pelosi, também menciona a forma como os disparos foram feitos — "mesmo com a grande reação de recuo da arma, todos os tiros foram agrupados e na direção da vítima" — para então concluir que o atirador "possui capacidade técnica e intelectual nesta atividade nefasta".

Dois meses depois do crime, o nome de Lessa foi mencionado pela primeira vez no inquérito. Uma denúncia anônima[45] apontou o "empresário Meira" como mandante do crime e "policiais que prestam segurança pessoal a ele" como executores. Segundo o documento, "o grupo de assassinos contratados por Meira é liderado pelo PM Roni Lessa, matador profissional" — o nome do adido foi escrito de forma errada. O denunciante registrou que os homicídios cometidos pelo adido "são executados com um fuzil AK-47" e ainda orientou a polícia: "Se comparar os cartuchos poderá confirmar que há relação das mortes com a mesma arma usada por Lessa". Por fim, também explicou que a equipe de segurança de Meira garantia a impunidade de seus crimes mediante "pagamentos mensais a delegacias".

A denúncia foi levada a sério e gerou repercussões instantâneas no inquérito. Na época, Lessa dava expediente na Delegacia de Homicídios da Baixada Fluminense, espécie de coirmã da unidade que apurava o assassinato de Ary Brum, a DH da Capital. Um mês após a denúncia chegar à polícia, a DHBF sofreu uma verdadeira devassa: dezenove fuzis que faziam parte de seu acervo foram apreendidos para perícia, sete deles do modelo AK-47. Os investigadores estavam atrás da arma citada na denúncia. Nos meses seguintes, confrontos balísticos foram feitos entre os fuzis e fragmentos de projéteis apreendidos no local do crime e no corpo da vítima. Os peritos, entretanto, não conseguiram concluir se as armas haviam sido responsáveis pelos disparos.

No final de janeiro de 2008 — ou seja, apenas um mês depois do crime —, a polícia conseguiu a prova de que o homem acusado de ser o mandante do crime e Lessa de fato se conheciam. No depoimento que prestou à Polícia Civil, Lindenberg Meira afirmou que seis PMs integravam sua escolta pessoal, revezando-se em duas equipes de três agentes que o acompanhavam em turnos de 24 horas. Perguntado se um policial militar chamado Ronnie Lessa fazia parte de sua equipe de segurança, Meira respondeu que "não, que tal pessoa nunca lhe fez segurança", mas acrescentou que sabia que Lessa "está lotado na DHBF" — ou seja, o empresário conhecia o adido e até tinha informações precisas sobre sua rotina profissional.

Mesmo após o depoimento de Meira, a polícia nunca intimou Ronnie Lessa para depor sobre o crime. Os investigadores não tiveram a curiosidade de perguntar ao PM se ele conhecia o empresário e se já havia trabalhado para ele como segurança. O inquérito foi encerrado sem que a DH soubesse se Lessa tinha um álibi ou o que ele fazia na manhã em que Ary Brum foi executado.

As buscas de Lessa na internet, descobertas pelo Gaeco em 2018, também trouxeram à tona suspeitas da participação do PM em outros homicídios,[46] como o dos irmãos Ary e Humberto Barbosa Martins, em 6 de novembro de 2006. Os dois estavam dentro de um Golf e saíam de um posto de gasolina, no Centro do Rio, quando foram atacados a tiros. O carro foi atingido por onze disparos, e os atiradores conseguiram fugir.

A investigação concluiu que o mandante do crime foi o empresário Lindenberg Meira — justamente o acusado de matar Ary Brum —, motivado por uma disputa comercial. O alvo de Meira era somente um dos irmãos: Ary Martins (por coincidência, homônimo de Brum), que trabalhava numa empresa que vendia títulos de turismo e concorria com uma das principais firmas do empresário. Martins se recusava a fechar um escritório que estava causando prejuízo aos negócios de Meira, que resolveu retaliar.[47] Assim como no caso Ary Brum, após apontar o mandante, a polícia encerrou o inquérito. Na época, os investigadores não sabiam que Ronnie Lessa, que trabalhava cedido à Polícia Civil, pesquisara dados sobre Ary Barbosa Martins e sua mulher na internet nos dias 2 e 9 de outubro — ou seja, apenas um mês antes do duplo homicídio.

Há ainda um terceiro crime em que surgiram indícios da participação do adido. Em 18 de maio de 2007, Alexandre Farias Pereira, então presidente da Associação de Vendedores do Mercado Popular da Rua Uruguaiana — o popular "Camelódromo" do Centro do Rio —, foi executado a tiros quando passava de picape pela avenida Brigadeiro Lima e Silva, em Duque de Caxias, na Baixada Fluminense. O crime, claro, jamais foi esclarecido.

No dia em que Lessa foi preso pelos assassinatos de Marielle e Anderson, em 2019, a polícia encontrou em sua casa documentos que o relacionavam a esse crime. O PM guardava o depoimento que o filho da vítima havia prestado à Polícia Civil, documento sigiloso, que fazia parte de um inquérito policial em andamento e expunha a guerra pelo domínio do mercado popular no qual a vítima estava envolvida. Grampeado ao relato, havia um bilhete com os dizeres "Periquito mandou sarquear" — expressão que, no jargão policial, quer dizer pesquisar, levantar informações. O "Periquito" em questão era um dos suspeitos de ser mandante do crime: Djacir Alves de Lima, que rivalizava com a vítima pelo controle do Camelódromo e teria assumido a associação após o homicídio. Lessa jamais conseguiu explicar como e por que teve acesso ao depoimento sigiloso e qual era seu interesse no caso.

Mais de uma década depois dessa série de crimes não esclarecidos, o PM foi preso pelos assassinatos de Marielle e Anderson. Numa coletiva de imprensa, as promotoras do Gaeco o apresentaram como matador de aluguel profissional, um dos mais letais do Rio. Na ocasião, no entanto, Ronnie Lessa ostentava uma ficha criminal irretocavelmente limpa: ele nunca havia sequer respondido na Justiça por homicídio. Como um pistoleiro conhecido no submundo conseguiu passar mais de dez anos matando sem ser incomodado?

Parte da resposta para essa pergunta os investigadores encontraram no celular do PM. Um dos arquivos de áudio que Lessa guardava no aparelho era a gravação de um encontro com comparsas pouco antes de ser preso.[48] No diálogo, ele conversa com amigos sobre a investigação do homicídio de Marielle e sobre o fato de ele próprio ter sido intimado a prestar depoimento — uma verdadeira aula sobre como se livrar de crimes.

"Eles também têm a tua antena. Eles já te pesquisaram antes de te chamar. Eles querem saber se tu vai cair em contradição", conta Lessa aos comparsas na gravação, mencionando uma técnica de investigação em que a polícia descobre a localização de um suspeito por meio da quebra de seu sigilo telefônico. Ele ainda prossegue detalhando como a polícia busca contradições: "Aí [os policiais] perguntam assim: tu tava aonde? 'Ah, eu tava em casa.' E você, na verdade, não estava em casa porra nenhuma. Porque eles já sabem, pô!". Ronnie Lessa conseguia se livrar de investigações porque aprendeu, nos mínimos detalhes, como a polícia funcionava e quais eram suas vulnerabilidades. E esse conhecimento foi provido pelo próprio Estado, ao longo das duas décadas em que ele deu expediente em batalhões e delegacias.

A formação policial, apesar de ajudar a explicar como Lessa passou anos impune, é apenas parte da resposta — até porque o sargento aposentado não descobriu a fórmula do assassinato perfeito. Muito pelo contrário: indícios de sua participação em crimes, como o homicídio de Ary Brum, abundavam, mas foram ignorados pela polícia e pelo MP, que nem sequer se deram ao trabalho de puxar o fio da meada.

O sistema de Justiça Criminal falhou ao deixar Lessa atuar nas sombras. E ele não é exceção: segundo um estudo do MPRJ, pouco mais de 1% dos 4550 homicídios cometidos em 2018 no Rio tiveram sentença no Tribunal do Júri até janeiro de 2021.[49] A regra é a impunidade. Mas o caso de Lessa, um matador de aluguel ficha limpa, é paradigmático. Se não fosse a pressão popular pela solução do caso Marielle, ele provavelmente ainda estaria matando impunemente, abaixo do radar da polícia, do MP e da Justiça.

Para agentes que atuaram na investigação do homicídio da vereadora, o PM começou a matar sob encomenda na mesma época em que "combatia o crime" em delegacias especializadas. Lessa passou a vender o conhecimento que obteve dentro da polícia para um mercado disposto a pagar pela morte. A impunidade alimentou sua fama e alavancou sua carreira no submundo — e seus serviços passaram a ser cobiçados por clientes cada vez mais poderosos.

3. A tropa do bicho

A rua Mirinduba, em Bento Ribeiro, é daquelas típicas vias residenciais do subúrbio carioca: dos dois lados da calçada, casas simples de um andar e muros coloridos intercaladas por pequenos comércios — padarias, mercearias, uma oficina mecânica, um depósito de bebidas — e meia dúzia de bares. Uma praça com parquinho infantil e campo de futebol corta a via ao meio. Ao entardecer, os moradores costumam abrir cadeiras de praia e sentar na calçada para ver o movimento dos carros e jogar conversa fora. A maioria se conhece, são vizinhos há décadas. A calmaria só é interrompida por eventuais assaltos, principalmente à noite, quando ladrões de carro se aproveitam da falta de iluminação pública para surpreender motoristas desprevenidos.

Em outubro de 2021, percorri os pouco mais de novecentos metros da rua para perguntar aos moradores se eles se lembravam de um evento que havia acontecido ali doze anos antes — e que levou a Mirinduba para as páginas policiais dos jornais. Não tinha muita esperança de que a visita rendesse frutos, afinal, muito tempo já havia se passado. Estava completamente enganado: todas as pessoas com quem conversei naquele dia lembravam com detalhes a "madrugada da bomba".

"Não tem como esquecer. Foi muito impactante, né? O barulho foi muito alto, a rua toda acordou. A explosão foi tão forte que destruiu meu portão. A gente não sabia o que tinha acontecido e saiu de casa para ver. O carro explodiu na frente da minha casa", me contou uma moradora.

"Você quer saber da bomba do Lessa? O carro explodiu na frente daquele portão, mas seguiu andando mais uns cem metros até bater no poste. Tá vendo aquele ponto de ônibus? Então, foi ali que ele ficou", me explicou um homem enquanto lavava seu carro na calçada.

A "bomba do Lessa" explodiu na rua Mirinduba na madrugada de 2 de outubro de 2009. Naquela sexta-feira, o expediente do sargento da PM Ronnie Lessa acabou tarde. Por volta da meia-noite, ele estacionou a viatura que usava no pátio do 9º BPM — o mesmo quartel que abrigou a Patamo 500 — depois de mais um dia de incursões por favelas do Rio a serviço da Delegacia de Repressão a Armas e Explosivos. Na frente do batalhão, entrou em seu carro particular, um Toyota Hilux prata blindado, e tomou o caminho de casa.

Quinhentos metros adiante, Lessa parou num dos poucos bares que ainda estavam abertos na rua Mirinduba, pediu um refrigerante no balcão, pagou e voltou para o carro. Quando pisou no acelerador, uma bomba acionada por telefone celular explodiu.[1] O artefato plástico, do tipo C4 — usado em diversos atentados ao longo dos últimos trinta anos, como o que matou mais de duzentas pessoas numa discoteca em Bali em 2002 —, foi colocado sob o assoalho do veículo, próximo ao banco do motorista, e fixado ali com um ímã. Com a detonação, o policial perdeu a consciência, e a caminhonete desgovernada percorreu 150 metros até bater em um poste, deixando um rastro de sangue e combustível pela via.

Uma técnica de enfermagem, que acordou com o estrondo, foi a primeira pessoa a chegar ao carro e prestar os primeiros socorros. "Eu escutei um estouro e fui verificar. Vi o PM deitado no chão com a perna bastante ferida. Tentei deixá-lo lúcido e conversei com ele até a chegada da ambulância. Parecia uma cena de filme de terror", contou ela à imprensa.[2] Naquela noite, Lessa só recobrou os sentidos no Hospital Municipal Salgado Filho. Durante a semana, depois de ser transferido para uma unidade de saúde particular, sua perna esquerda foi amputada por complicações decorrentes dos ferimentos causados pela bomba.

O atentado trouxe à tona um lado de Lessa até então oculto. A ficha do adido era imaculada. Sem acusações formais que o desabonassem, era tido, dentro e fora da polícia, como um herói que ajudava o Rio na luta contra o crime, apesar dos indícios em contrário de alguns inquéritos que acabaram engavetados. A explosão, por si só, mesmo que nunca tenha sido completamente esclarecida, manchou a imagem de mocinho que ele cultivava. Afinal de contas, traficantes e ladrões, principais alvos da atuação de Lessa como policial, não usavam bombas para se livrar de seus desafetos. O sofisticado modus operandi do ataque trazia as digitais da máfia que controla o jogo do bicho e as máquinas caça-níqueis na cidade. Por isso, desde a madrugada da explosão, a polícia só trabalhou com uma linha de investigação para o atentado: acerto de contas entre quadrilhas rivais de bicheiros.

O envolvimento de Lessa com os capos que controlavam o jogo ilegal ficou ainda mais evidente seis meses após a explosão. Em abril de 2010, uma bomba com mecanismo de acionamento idêntico à usada no ataque a Lessa — plantada embaixo do banco do motorista com um ímã — explodiu o Toyota Corolla blindado de um dos bicheiros mais poderosos do Rio, Rogério Andrade. O atentado aconteceu na avenida das Américas, via mais movimentada do Recreio dos Bandeirantes, bairro da Zona Oeste repleto de condomínios fechados onde vivem vários jogadores de futebol, cantores e atores famosos. O impacto foi tão forte que arrancou o teto do veículo, arremessou o para-brisa a cerca de setenta metros e incendiou vários carros ao redor — num deles estava a equipe de segurança de Andrade, formada por cinco PMs da ativa. Naquele dia, no entanto, o contraventor havia deixado seu filho Diogo Andrade, de dezessete anos, dirigir. Rogério sofreu uma fratura na face e sobreviveu. Diogo morreu na hora.

O método idêntico dos atentados contra o PM e o bicheiro não era uma coincidência. Para a polícia, a mesma pessoa estava por trás da montagem das duas bombas: o sargento do Exército e traficante de armas Volber Roberto da Silva Filho, de 38 anos, considerado à época o maior especialista em montagem de explosivos do Rio. Volber, no entanto, jamais respondeu pelos crimes. Em julho daquele mesmo ano, ele foi morto numa operação da Polícia Civil dentro de um motel na Zona Oeste. Segundo a versão oficial, o militar teria resistido à prisão e trocado tiros com a polícia. A equipe de agentes que invadiu seu quarto era formada por PMs adidos que haviam trabalhado com Ronnie Lessa. Ao divulgar o resultado da ocorrência, o então titular da Delegacia de Homicídios, Felipe Ettore, afirmou que Volber era o principal suspeito de fornecer as bombas dos dois ataques.[3] Mais de uma década depois, no depoimento que deu à Justiça sobre o caso Marielle, o próprio Lessa disse que foi Volber quem "colocou uma bomba em seu carro".[4]

Os elos entre os dois ataques não se limitavam apenas ao fornecedor dos explosivos. Ambos os atentados fizeram parte do capítulo mais sangrento da guerra familiar pelo espólio criminoso do chefão do bicho carioca Castor de Andrade. O conflito entre Rogério Andrade, sobrinho de Castor, e Fernando Iggnácio, casado com a filha do chefão, começou no final da década de 1990, com a morte do capo, e viveu uma escalada de violência quando completou uma década. Os dois protagonistas arregimentaram verdadeiras tropas de policiais, que tinham a missão não só de defendê-los, mas também de bolar planos para atacar o outro lado. Assim, atentados a pontos de jogo, quebra-quebra de máquinas, traições, sabotagens e execuções passaram a povoar as páginas dos jornais.

Nesse contexto, portanto, os dois ataques a bomba não foram episódios isolados: para policiais que investigaram a guerra na contravenção, o atentado contra o PM foi um ato preparatório para o crime contra o bicheiro. O interessado na morte de Andrade havia tratado, meses antes, de tirar Lessa do caminho. Se até hoje o mandante dos crimes é um mistério, os atentados tornaram evidente a proximidade de Ronnie Lessa com o chefão do bicho. Atualmente, promotores do Gaeco consideram 2009, o ano da explosão, um marco de quando o PM passou a trabalhar como segurança de Andrade.

Os indícios de envolvimento de Lessa com a máfia do jogo do bicho, entretanto, foram ignorados pela Polícia Militar na investigação interna da explosão. A averiguação 254/2502/2009, finalizada em apenas dois meses com base somente no depoimento do próprio sargento, apontou que não houve, por parte de Lessa, "cometimento de crime de qualquer natureza e nem tampouco transgressão da disciplina, imprudência, negligência ou desídia".[5] Por fim, a apuração concluiu que seus ferimentos eram decorrentes de um "ato de serviço" — o que equiparava Lessa a PMs baleados durante seus turnos de trabalho, em tiroteios com criminosos.

Coincidência ou não, o oficial escolhido pela PM para conduzir a investigação era um velho amigo de Lessa: o tenente-coronel

Cláudio Luiz Silva de Oliveira, seu comandante na Patamo 500 — que apenas dois anos depois seria preso pelo assassinato da juíza Patrícia Acioli. Como o relatório final de Cláudio Luiz nem sequer mencionava as evidências de que o crime estava relacionado a uma guerra entre bicheiros, ele serviu como base para que Lessa desse entrada em um pedido de transferência para a reserva remunerada por invalidez permanente. Em 2012, a PM o aposentou como se ele tivesse sido ferido em combate ao crime, e não por seu envolvimento com o crime: como militar da reserva, o sargento passou a ter direito a receber mais de 8 mil reais brutos do estado todo mês.[6] No lugar da perna esquerda, estraçalhada pela bomba, Lessa passou a usar uma prótese. Sua carreira na polícia havia acabado, mas a trajetória paralela no submundo estava só começando.

O ESPÓLIO DO CASTOR

Em 1996, Castor de Andrade obteve o direito de cumprir em casa a pena de seis anos de prisão a que fora condenado em 1993 por formação de quadrilha e bando armado. Castor apresentou um atestado médico indicando problemas cardíacos e convenceu o ministro Adhemar Maciel, do Superior Tribunal de Justiça (STJ), de que não teria tratamento adequado na prisão. No entanto, por volta das seis da tarde de 11 de abril de 1997, quando começou a passar mal, o bicheiro e presidente de honra da Mocidade Independente de Padre Miguel jogava biriba no apartamento de uma amiga no Leblon — a mais de seis quilômetros do bairro do Leme, onde morava.[7]

O médico da família foi acionado e se dirigiu ao local, mas já encontrou o contraventor inconsciente. Castor de Andrade sofreu um ataque cardíaco dentro da ambulância, a caminho de um hospital particular na região, e morreu aos 71 anos. Além do apartamento na orla, uma mansão no balneário de Angra dos Reis, na Costa Verde, um iate, um emaranhado de empresas usadas para lavar dinheiro e milhões de reais e dólares espalhados por diversas contas no Brasil e no exterior, o bicheiro também deixou para seus herdeiros seu bem mais valioso: o controle do jogo ilegal num naco da Zona Oeste carioca — um império que ele mesmo recebera do pai, também banqueiro do bicho, e tratara de expandir à força por cerca de meio século.

Com tanto poder em jogo, a sucessão de Castor não se deu de forma célere nem amistosa. Foram mais de duas décadas de uma guerra fratricida, com atentados espalhados pela cidade e cerca de uma centena de homicídios.[8] O policial federal Anderson Arias, atualmente aposentado, entrou para a corporação em 1997 e, ao longo de sua carreira, acompanhou de perto a disputa pelo trono. Ele me explicou como as peças estavam posicionadas no tabuleiro da contravenção quando o chefão morreu: "A contravenção no Rio é dividida segundo critérios geográficos. Cada região do Grande Rio tem um chefe, que controla o jogo ilegal em sua área. Castor de Andrade era o chefe na Zona Oeste, principalmente em Bangu e em seu entorno, Padre Miguel, Realengo e Sulacap".[9]

A partilha do território foi uma medida adotada pela cúpula do jogo do bicho no Rio ao longo das décadas de 1970 e 1980. Em meio a uma série de assassinatos causados por disputas locais, os chefes resolveram se sentar à mesa e estabelecer critérios claros para evitar novas guerras entre seus membros — afinal, elas atraíam a polícia e prejudicavam os negócios.[10] "Quando um dos chefes morre", me disse Anderson Arias, "a sucessão é feita, espelhando os métodos da máfia italiana, pela questão sanguínea. Portanto, o sucessor natural de Castor era seu filho homem, Paulinho Andrade. Só que, na década de 1990, o jogo do bicho passava por uma transformação: as máquinas caça-níqueis estavam começando a se popularizar. E esse novo negócio tornou mais complexo o testamento do Castor".

Na prática, Bangu foi partido ao meio. Paulinho Andrade ficou com os pontos de jogo do bicho. Bonachão, até então ele não tivera papel muito relevante nos negócios da família. O pai não achava que o filho — que vivia na quadra da Mocidade Independente de Padre Miguel — tivesse tino para administrar seu império, mas era natural que o primeiro na linha de sucessão tivesse direito ao quinhão mais valorizado por Castor. Já as maquininhas passariam a ser controladas pelo genro de Castor, Fernando Iggnácio. O gesto era quase um agradecimento do sogro, já que, quase uma década antes, fora o marido de sua filha Carmen Lúcia quem o convencera a entrar no novo negócio, ignorado pelos grandes bicheiros da época, e introduzir as primeiras máquinas no Rio.

Castor, um membro da velha guarda da contravenção, não tinha uma noção certa acerca do potencial dos caça-níqueis, que logo virariam uma febre na cidade. Em meados da primeira década dos anos 2000, a PF estimou que cada máquina rendia 4 mil reais por dia aos chefões do jogo. Segundo cálculos da corporação, como Iggnácio chegou a administrar cerca de 10 mil equipamentos, o novo negócio movimentaria cerca de 40 milhões diariamente — o que justificava a compra dos caça-níqueis no exterior e seu contrabando para dentro do país. Enquanto o jogo do bicho entrava em crise com o envelhecimento de seu público-alvo, as maquininhas estavam na crista da onda.

Um integrante de destaque na linha sucessória, no entanto, ficou de fora do testamento: Rogério Andrade, sobrinho e braço direito do capo. Preparado desde a adolescência para suceder ao chefão, Rogério, ao contrário de seus concorrentes, já tinha um papel gerencial na quadrilha de Castor antes da morte do chefe. Ao longo de boa parte da década de 1990, ele chegou a atuar como representante dos interesses do tio em São Paulo e administrava os pontos de jogo que Castor mantinha no litoral norte do estado.[11] Por isso Rogério não ficou nada satisfeito quando soube que não fora contemplado nem sequer com um bocado daquele império.

"O Rogério não aceitou ser subordinado ao Paulinho, que era um cara mais ligado à parte 'glamorosa' da contravenção — ensaios da escola de samba, jogos do Bangu — do que à administração do negócio. Numa reunião da cúpula, o Paulinho até chegou a ser avisado do inconformismo de Rogério com a situação e foi alertado sobre as consequências disso, mas não acreditou que algo fosse acontecer. Ele estava errado", me contou Anderson Arias.

Em outubro de 1998, pouco mais de um ano após a morte de Castor, Paulinho Andrade foi assassinado dentro de seu carro quando esperava um sinal de trânsito abrir na Barra da Tijuca. Ele havia acabado de sair de um escritório que mantinha no bairro e voltava para casa no banco do carona de seu Jeep Cherokee, dirigido por um motorista. O pistoleiro aproveitou o momento em que o carro parou no cruzamento, saiu furtivamente de uma praça ao lado da pista, se aproximou pelo lado direito, exatamente onde estava Paulinho, e atirou treze vezes com uma pistola 9 mm. O motorista até tentou arrancar, mas também foi atingido e perdeu o controle do veículo.[12] Paulinho Andrade e seu motorista morreram ali mesmo.

Em plena hora do rush de uma quarta-feira, quando as ruas da Barra estavam cheias de trabalhadores voltando para suas casas, o atirador fugiu pelo meio da pista, parou um caminhão que passava pela avenida das Américas, disse que era policial e mandou o motorista acelerar. Quilômetros adiante, saltou em frente a um ponto de ônibus e se perdeu em meio aos pedestres.

Nos dias seguintes ao crime, especulações sobre uma guerra interna na família de Castor já apareciam nos jornais. Rogério Andrade veio a público dizer que os boatos eram "um absurdo": "Como é que podemos fazer uma coisa dessas se a família vive numa harmonia só? Ao contrário do que especulam, estamos correndo atrás para saber quem pode ter feito tal covardia", disse à imprensa, chorando, no dia do enterro do primo.[13]

Apenas dois meses depois, a Justiça decretaria a prisão de Rogério. O ex-PM Jadir Simeone Duarte, após ser reconhecido por testemunhas oculares como o atirador, foi capturado e acabou admitindo que havia sido contratado pelo bicheiro para matar Paulinho.

À Justiça, o pistoleiro disse que conhecera Rogério anos antes, quando trabalhava no batalhão de Bangu, o 14º BPM. Na ocasião, sua equipe recebera, por meio de um oficial da unidade, um recado de Rogério para que parassem de apreender máquinas caça-níqueis na região. Pouco depois do aviso, no Natal, o bicheiro teria ido pessoalmente ao local de trabalho do policial a fim de distribuir presentes para ele e seus colegas. A partir daí, a relação entre os dois foi se estreitando, e Jadir virou guarda-costas do contraventor.

Em seu depoimento, o pistoleiro revelou os motivos de Rogério Andrade: Paulinho "estava causando vários problemas, pois não estava repassando o dinheiro do bicho para a família, estava enviando o dinheiro para o exterior, não estava pagando o 13º dos funcionários e também havia comprado um helicóptero para uso pessoal".[14] Com base nesse relato, Rogério Andrade chegou a ser condenado a dezenove anos e dez meses de prisão em 2002.

O julgamento, entretanto, foi anulado pelo STJ em 2008 por uma falha técnica: as perguntas da juíza aos jurados foram feitas numa ordem que prejudicou a defesa, segundo o voto do ministro Félix Fischer, acompanhado por todos os demais magistrados da

Quinta Turma.[15] Em 2013, um segundo júri – sem contar com a presença do pistoleiro Jadir, que morreu vítima de um infarto dentro da cadeia – inocentou o bicheiro.

O homicídio de Paulinho foi o estopim da guerra familiar. Com a morte do filho de Castor, ficou claro que a convivência pacífica entre os dois herdeiros seria inviável: tanto Fernando Iggnácio quanto Rogério Andrade se consideravam os sucessores legítimos do espólio. E, por isso, ambos passaram a buscar, desenfreadamente, agentes de segurança dispostos não só a integrar suas escoltas, mas também a empreender ataques contra os inimigos.

"Num primeiro momento, agentes públicos eram contratados para a segurança pessoal dos chefes e também eram pagos para não reprimir o jogo ilegal. Com a eclosão da guerra, há um segundo momento: a disputa territorial pelo espólio geográfico e comercial causa uma demanda por mais agentes da área de segurança, o que leva a uma escalada. Os chefes precisavam de fortes esquemas para se defender, mas também tinham que atacar o outro, para tirar ele do espaço que ocupava. Então, chegamos a um novo estágio, em que os policiais começaram a praticar atos de violência em favor dos seus contraventores contratantes", me explicou o agente federal Anderson Arias.

Claro que Rogério e Iggnácio não inventaram a corrupção policial ligada ao jogo do bicho. O pagamento sistemático a agentes públicos foi condição fundamental para a existência e a popularização do jogo ilegal no Rio ao longo do século XX. Castor de Andrade, inclusive, foi "o pioneiro na contratação de policiais que passaram a atuar como 'seguranças', a princípio, nos momentos de folga, depois não apenas neles".[16] Seus herdeiros, entretanto, estreitaram ainda mais essa relação.

Um levantamento feito pelo jornal *O Globo* em 2006, por exemplo, identificou 32 agentes de segurança – entre policiais, bombeiros e militares – que trabalhavam diretamente para Rogério Andrade.[17] Como essa tropa tinha acesso a informações internas da polícia, o bicheiro podia seguir vivendo uma vida normal, com direito a banquetes em churrascarias e idas frequentes a boates badaladas e academias de ginástica, mesmo estando foragido. Na guerra familiar, esse contingente também passou a formar verdadeiras gangues de pistoleiros profissionais, o que desencadeou uma onda de assassinatos e atentados pela cidade. A maioria dos crimes tinha um traço em comum: a participação de policiais como vítimas ou autores.

Em junho de 2006, o comerciante Pedro Pereira e um policial que fazia sua segurança, o soldado da PM Rogério Ost Kapisch, foram executados a tiros em Padre Miguel, uma das regiões sob disputa. A dupla trafegava pelo bairro num Fiesta acompanhada por mais dois seguranças (um bombeiro e um agente prisional), quando o veículo foi interceptado por um Golf, de onde saíram três homens armados de fuzis e pistolas. O Fiesta foi atingido por mais de quarenta disparos e os dois ocupantes dos bancos da frente – Pereira e Kapisch – morreram na hora. No mesmo dia, a polícia desvendou a motivação do crime: Pedro Pereira havia comprado um bar com dinheiro de Fernando Iggnácio, seu parceiro de negócios, numa área dominada por Rogério Andrade. Os suspeitos dos disparos eram três PMs que trabalhavam para Rogério, dois deles lotados no batalhão que patrulhava a região onde aconteceu o crime.[18]

Um mês antes, no mesmo bairro, o cabo da PM Cristiano Clemente de Lima foi morto a tiros na frente de um bar. Segundo testemunhas, Cristiano integrava um grupo de homens ligados a Fernando Iggnácio que tirava do estabelecimento máquinas de caça-níqueis pertencentes a Rogério de Andrade. Em agosto, o corpo do soldado da PM Marcelo Guedes da Silva foi encontrado, com sinais de tortura, no porta-malas de um carro, em Santíssimo. Dentro do carro, a polícia encontrou duas máquinas caça-níqueis com o selo de uma empresa criada por Iggnácio para explorar jogos ilegais na região.

A guerra entre os Andrade envolveu de tal forma a força policial que a máquina de investigação e inteligência do Estado passou a ser usada a serviço dos contraventores. Em 2006, a Polícia Federal passou sete meses monitorando ligações telefônicas[19] das quadrilhas rivais e descobriu que Rogério Andrade utilizava a estrutura da Polícia Civil para fomentar investigações contra o grupo de Iggnácio. Certa feita, o próprio sobrinho de Castor orientou funcionários de seus pontos de jogo que haviam sido alvo de ataques a irem a delegacias da região e inventarem uma narrativa para colocar a polícia no rastro de seu desafeto: "É pra dizer que foi assaltado, que estava passando e foi assaltado, ou então falar que estava lá dentro fazendo uma fezinha e foi assaltado na condição de freguês", disse Rogério a um comparsa em agosto de 2006.[20] Essa investigação culminou na Operação Gladiador, com a denúncia de 43 réus à Justiça, entre bicheiros e policiais civis e militares, em dezembro daquele ano.

Outra conversa interceptada pelos federais trouxe à tona os prêmios em dinheiro que o sobrinho de Castor prometia pela captura do rival. Em outubro de 2006, dois policiais civis conversavam sobre a prisão de Fernando Iggnácio, ocorrida dias antes. Segundo um deles, a conta bancária de um dos agentes que participou da captura do bicheiro "engordou uns trezentinhos" — ou seja, 300 mil reais — só porque ele havia aparecido na capa dos jornais conduzindo Iggnácio. Em seguida, o mesmo policial disse que outro dos responsáveis pela operação ganhara ainda mais: "Engordou um pontinho, filho, um pontinho. Três zerinhos [1 milhão de reais]. Só naquilo ali, cara. No alemão, no inimigo" —

se referindo a Iggnácio. Segundo o juiz Vlamir Costa Magalhães, que condenou Andrade e Iggnácio com base nessa investigação, o diálogo "espelha o clima que pairava sobre o balcão de negócios vigente na Polícia Civil do Estado do Rio de Janeiro".[21]

Durante o período em que foi grampeado, Rogério também chegou a ser preso pela PF,[22] mas isso não teve impacto algum em sua influência na polícia. Dentro da carceragem da Polinter, em Campo Grande, ele seguia dando ordens a seus capangas pelo celular, usava o aparelho de fax da polícia para enviar e receber documentos e recepcionava prostitutas de luxo em sua cela. Numa das ligações interceptadas, uma cafetina chegou a aconselhá-lo a parar de ficar dando "festinhas" na prisão e contratar uma prostituta por vez. As mordomias na carceragem, administrada pela Polícia Civil, eram bancadas, claro, por generosas propinas. Em outra ligação, um comparsa que iria visitar Rogério na cadeia recebeu o aviso, de outro integrante da quadrilha, de que o acesso ao local era irrestrito: "Os polícia são tudo nosso agora, pode chegar à vontade". Quando a Operação Gladiador foi deflagrada, as regalias vieram à tona e o bicheiro foi transferido para uma solitária no presídio de segurança máxima Laércio da Costa Pellegrino, popularmente conhecido como Bangu 1, no Complexo de Gericinó.

A guerra dos Andrade teve seu evento-síntese em setembro de 2008, quando Iggnácio e Rogério, já presos, discutiram no pátio do presídio Pedrolino Werling de Oliveira, Bangu 8, durante o banho de sol.[23] Rapidamente o bate-boca evoluiu para uma troca de socos e pontapés, assistida por presos célebres que compartilhavam o cárcere com a dupla, como o ex-banqueiro Salvatore Cacciola e o ex-deputado estadual Álvaro Lins. Os bicheiros chegaram a rolar pelo chão, acabaram com vários hematomas no rosto, mas ninguém se atreveu a interferir.

EMBOSCADA NO HELIPORTO

A disputa pelo espólio de Castor de Andrade chegou ao fim na tarde de 10 de novembro de 2020, uma terça-feira, quando o casal Fernando Iggnácio e Carmen Lúcia saiu de sua mansão de veraneio na Costa Verde fluminense em helicóptero guiado por um piloto particular. A aeronave pousou no HeliRio, heliporto no Recreio dos Bandeirantes frequentado por empresários, políticos e celebridades que moram na região, pouco depois de uma da tarde. Como sempre fazia, Iggnácio desembarcou sozinho para buscar o carro no estacionamento – e sua mulher ficou esperando, com as malas, na pista de pouso.

O bicheiro jamais voltaria. Antes que pudesse abrir a porta de seu Range Rover blindado, três homens encapuzados apoiaram fuzis em cima do muro do heliporto e começaram a disparar. Cinco tiros atingiram o genro de Castor, que morreu na hora. Os projéteis também acertaram vários carros estacionados e destruíram uma vidraça da recepção. Clientes e funcionários se deitaram no chão, assustados com o estrondo. Os atiradores fugiram correndo, à luz do dia, por um terreno baldio nos fundos do heliporto, e embarcaram num carro que os aguardava na rua de trás.

O ataque aconteceu poucos meses depois de o assassinato do filho de Rogério Andrade completar dez anos. O local da explosão da bomba fica a menos de um quilômetro do heliporto, na mesmíssima rua. Os dois crimes, no entanto, trilharam caminhos bem diferentes no sistema de Justiça Criminal. Até hoje, ninguém foi formalmente acusado de colocar o explosivo dentro do carro de Rogério. A polícia chegou a apurar a participação do bando de Iggnácio, mas nunca descartou a hipótese de fogo amigo: insatisfeita com Rogério Andrade, parte de sua equipe de segurança teria tentado dar uma espécie de "golpe" para tomar o poder.

Essa linha de raciocínio foi reforçada, sete meses depois, pela execução do chefe da segurança de Rogério: o sargento do Corpo de Bombeiros Antônio Carlos Macedo, morto a tiros quando trafegava em sua moto Harley-Davidson pela praia da Barra da Tijuca. Para alguns agentes, o bicheiro teria responsabilizado seu então braço direito pelo atentado — afinal, Macedo estivera com Rogério naquele dia, mas fora embora pouco antes de o explosivo ser acionado.[24] A conexão entre os dois crimes, contudo, nunca foi cabalmente comprovada — e o inquérito da explosão segue em aberto.

O ataque no heliporto, por outro lado, teve um desfecho bem diferente. Poucas horas após o crime, a polícia já tinha uma pista graças a um descuido dos atiradores. "Quando chegamos na cena do crime, minutos depois do homicídio, a prioridade era encontrar câmeras que pudessem ter flagrado os assassinos. Focamos todos os nossos esforços nisso. E, três horas depois, antes de escurecer, um policial da minha equipe me comunicou que tínhamos conseguido obter a imagem de uma câmera que mostrava o veículo usado pelos atiradores e eles desembarcando, camuflados e armados com fuzis, prontos para a prática do crime", me contou o delegado Moysés Santana, responsável pela investigação, numa entrevista em setembro de 2021.

A filmagem mostra que os atiradores desembarcaram de um veículo às 9h01, na rua dos fundos do heliporto, e esperaram até as 13h pela chegada do alvo atrás do muro que dava para um terreno baldio. Depois do crime, a mesma via serviu como rota de fuga. O vídeo também deixava claro o modelo do veículo: um Fox branco. De posse dessas informações, o delegado Santana juntou sua equipe e montou uma estratégia de investigação ainda no pátio do heliporto: a partir do dia seguinte, cerca de sessenta policiais — quase metade do efetivo da Delegacia de Homicídios — foram mobilizados para percorrer estabelecimentos comerciais, condomínios e casas do bairro atrás de câmeras que pudessem ter flagrado a passagem do Fox. O objetivo era refazer o trajeto dos pistoleiros e, o mais importante, descobrir para onde tinham ido.

"Foi um trabalho de formiguinha. Partimos do HeliRio sentido Campo Grande, câmera a câmera. Cada vez que víamos o carro passando, a gente avançava um pouco. Passamos uma semana inteira nessa missão. No sétimo dia, eu estava preocupado, a gente estava correndo contra o tempo. Câmeras de segurança gravam, no máximo, cinco a sete dias. Por isso, depois de uma semana do crime, não conseguiríamos mais imagens. Mas, no sétimo dia, um policial me ligou dizendo que tinha encontrado o destino final do veículo", relembrou Santana.

A busca pelas filmagens levou o delegado e seus agentes a um condomínio em Campo Grande, a 33 quilômetros da cena do crime. Além de flagrar o momento em que estacionavam o carro na rua, uma câmera mostrou o rosto dos quatro criminosos passando pela portaria. Vizinhos e funcionários logo identificaram um dos homens, que ia com frequência ao local porque sua namorada morava num dos apartamentos do bloco 7: o cabo da PM Rodrigo das Neves.

A ficha disciplinar[25] do cabo na corporação descreve seu comportamento como "mau", a pior classificação possível. Em seis anos como policial, Neves acumulou 25 punições e ficou onze dias preso administrativamente. As seguidas faltas e os atrasos levaram seu comandante a tirá-lo das ruas e designá-lo para uma das tarefas mais ingratas no batalhão, a faxina. No entanto, o que chamou a atenção dos investigadores foi o que o cabo fazia fora da PM: fotos espalhadas pelas redes sociais revelaram que Neves tinha um "bico" como segurança da escola de samba Mocidade

Independente de Padre Miguel, onde Castor de Andrade fez história na década de 1980 e cujo patrono era Rogério Andrade.

No mesmo dia em que a polícia chegou ao condomínio, a Justiça acatou o pedido do delegado Santana determinando a prisão do cabo e expedindo um mandado de busca para o apartamento de sua namorada. No local, foram encontrados quatro fuzis — dois deles, segundo o exame de comparação balística, tinham sido usados na execução de Fernando Iggnácio. Neves, no entanto, não foi encontrado. E, quando soube que estava sendo procurado, decidiu fugir e desertou da PM.

Duas semanas depois do homicídio, em 23 de novembro, o pai do agora foragido da Justiça foi à sede do batalhão de Bangu, o 14º BPM, fazer um pedido. O homem, um subtenente bombeiro reformado, queria que os policiais do quartel parassem de bater na porta de sua casa à procura do filho. Morador de uma das maiores favelas da região, a Vila Aliança, ele estava preocupado com "ameaças e cobranças" de traficantes por causa da presença frequente de policiais. Após o desabafo, o aposentado deixou escapar uma informação preciosa para os agentes do Serviço Reservado: ele disse que, "de fato, seu filho trabalhava como segurança do contraventor Rogério Andrade".[26] Era a primeira vez que o bicheiro, principal desafeto da vítima do crime, se conectava a um dos atiradores.

Rodrigo das Neves foi preso pela Delegacia de Homicídios em janeiro de 2021, numa pousada no município baiano de Canavieiras, para onde fugira de carro. Com ele, a polícia apreendeu um diário em que revelava ter topado participar do crime "por dinheiro e aventura".[27] Durante a viagem de volta ao Rio, ele ainda disse aos agentes que "o pagamento pelo crime foi dividido em duas etapas e que apenas recebeu a primeira".[28] Não revelou a quantia.

Seus três comparsas foram identificados ao longo de dezembro, depois que o *Fantástico*, da TV Globo, divulgou as imagens das câmeras de segurança do condomínio. A exibição gerou uma chuva de denúncias anônimas à DH, que passou a cruzar as informações recebidas com a lista de contatos de Neves, chegando então aos nomes de Ygor Rodrigues Santos da Cruz, o Farofa — que até então era conhecido no submundo como traficante de armas —, e de outros dois agentes oriundos da PM: os irmãos Otto Samuel D'Onofre Andrade Silva Cordeiro, policial militar de São Paulo, e Pedro Emanuel D'Onofre Andrade Silva Cordeiro, expulso da PM do Rio anos antes por envolvimento no homicídio de um homem após briga numa festa.

Os quatro tinham os contatos dos demais salvos nas agendas de seus celulares, e três deles estiveram juntos nas proximidades do heliporto nos dias anteriores à execução. Além disso, suas fotografias foram comparadas com as imagens obtidas pela polícia. Até as tatuagens batiam. Por fim, uma testemunha — um amigo em comum dos quatro — entregou aos agentes da DH a pista que faltava para que a investigação subisse um degrau em direção ao mandante. Em depoimento, ele relatou que um dos atiradores — no caso, Farofa — "tinha uma 'visão' para pegar a vítima" (ou seja, uma dica para matar Fernando Iggnácio) e trabalhava "para um homem conhecido como Araújo, cujo nome é Márcio".[29] A testemunha se referia ao sargento reformado da PM Márcio Araújo de Souza, chefe da segurança de Rogério Andrade na época do homicídio de seu desafeto.

Com base nesse depoimento, Araújo foi intimado a depor. O objetivo dos investigadores era detectar contradições, omissões e mentiras em seu relato — o que não demorou a acontecer. Araújo afirmou que só conhecia Rogério Andrade "através da mídia",[30] e não sabia quem eram os quatro homens identificados como autores do crime. A polícia, no entanto, já tinha nas mãos a prova de que ele não só conhecia Rogério como era, inclusive, seu segurança.

Imagens gravadas por uma câmera de segurança mostravam Araújo liderando a escolta do bicheiro na entrada de um hospital da Barra da Tijuca em setembro de 2017. Na ocasião, a mulher de Rogério, Fabíola Andrade, fora baleada num atentado ao bicheiro, e os dois chegaram à unidade de saúde cercados por um entourage de policiais militares à paisana. O vídeo foi mostrado a Araújo no fim de seu depoimento. Desconcertado, ele disse que "não se recordava o que estava fazendo naquele local".

Depois disso, a polícia também descobriu que Araújo conhecia pelo menos um dos executores do crime: seu número de celular estava gravado na agenda de Pedro Cordeiro, acusado de ser um dos pistoleiros. A prova que mais comprometeu Araújo, no entanto, foi fornecida por ele próprio. Depois que saiu da delegacia, sem desconfiar de que suas ligações estavam sendo monitoradas, ele contactou um pai de santo, seu confidente, e admitiu que havia mentido. "Foi tudo certo, não fizeram pressão. Me fizeram uma pergunta se eu conhecia meu 01 e eu disse que não. Mas, no final, eles me mostraram um vídeo de 2017 que mostra eu tirando o cara do hospital", afirmou o PM. O pai de santo retrucou que ele poderia ter dito que conhecia Rogério Andrade, afinal a polícia já sabia da relação entre os dois. "Não, meu padrinho. Eu estava com instrução para não", disse o sargento.[31]

Em março de 2021, a juíza Viviane Ramos de Faria, da 1ª Vara Criminal, baseada na teia de relacionamentos que levava os atiradores ao bicheiro, decretou a prisão de Rogério Andrade, Márcio Araújo e dos quatro pistoleiros pelo assassinato de Fernando Iggnácio. Mas Rogério nunca chegou a ser preso pelo crime. Depois de passar seis meses foragido, teve seu mandado de prisão derrubado pelo ministro do Supremo Tribunal Federal (STF) Kássio Nunes Marques. Para o magistrado, indicado à Corte pelo presidente Jair Bolsonaro, a juíza que havia decretado a prisão "não justificou, de maneira satisfatória, a real necessidade dessa medida excepcional".[32] Rogério ainda acumularia mais uma vitória no Supremo: em fevereiro de 2022, a Segunda Turma seguiu o voto do relator Nunes Marques e determinou o trancamento da ação penal contra o bicheiro. Na decisão, o ministro alegou que a acusação partia de "meras ilações".[33] Os demais réus não foram beneficiados e, até maio de 2023, ainda respondiam pelo homicídio.[34]

RELAÇÃO PROMÍSCUA

Em 25 de março de 2020, a pandemia de covid-19 começava a mudar a rotina dos brasileiros. Semanas antes, ocorrera a primeira morte em decorrência do coronavírus, e os governos estaduais e as prefeituras anunciaram as primeiras medidas de isolamento social para tentar conter o avanço da doença. Àquela altura, ainda não era possível prever que mais de 700 mil brasileiros seriam mortos pelo vírus, mas a população estava assustada e, principalmente nas capitais, as ruas ficaram vazias. Era um prenúncio de tempos difíceis para os mais diversos setores da economia — inclusive os ilegais. A máfia que domina o jogo do bicho e as máquinas caça-níqueis no Rio resolveu reduzir as despesas. Naquele dia 25, Márcio Araújo, chefe da segurança de Rogério Andrade, anunciou aos "colaboradores", via WhatsApp, as medidas tomadas pela cúpula.

"Fala meu chefe! Beleza? Não é nada demais não. É... vê se consegue entender. É... aquelas despesas, sabe? Geral, todo mundo.

Corte de 50% aí. Só enquanto houver esse problema. Pediu pra comunicar de um em um, entendeu? Cinquenta por cento aí, chefe. Só enquanto houver esse probleminha. O nosso público é um público é, assim, bem mais antigo e tá com um sério problema. Informe aí meu comando", disse Araújo, num áudio.[35] O destinatário era um major da PM que, à época, estava lotado num batalhão da Zona Norte. Para os promotores do Gaeco, Araújo estava comunicando que o corte atingira até as propinas pagas aos policiais para que a quadrilha de Rogério Andrade não fosse incomodada.

Logo em seguida, em outro áudio, Araújo pondera: os policiais militares não seriam os únicos prejudicados, os cortes também afetariam o pagamento da propina dos policiais civis. "Não é só aqui não, entendeu? Pessoal que joga lá no Botafogo também, no campo do Botafogo também. Geral. O senhor pode até fazer uma pesquisa. Eu creio que é só esse mês aí, entendeu? Só enquanto perdurar esse probleminha, sabe? Crise mundial. Não é nem nacional, crise mundial, entendeu?", justificou. A menção ao Botafogo, para o Ministério Público, é uma referência às cores das viaturas da Polícia Civil, pretas e brancas, como o uniforme do time. Ao final da conversa, o oficial respondeu de forma lacônica: "Beleza".

Com a prisão de Araújo pelo homicídio de Fernando Iggnácio — e a consequente quebra do sigilo de suas comunicações —, surgiram novas provas da relação promíscua entre a polícia e o jogo do bicho. Além do pagamento sistemático e generalizado de propinas a uma longa lista de batalhões e delegacias, as mensagens também deixam claro que a polícia não é um agente "passivo", simplesmente corrompido pelos contraventores, mas parte fundamental dos negócios.

Uma das conversas deixa evidente como vários agentes passaram suas carreiras inteiras na polícia fazendo jogo duplo: num dia batiam ponto no batalhão e trabalhavam patrulhando as ruas; no outro, agiam a serviço do crime. "Ô parceiro! Nós entramos aí em 98, parceiro! Nós vimos tudo acontecer",[36] se gabou o subtenente da PM Daniel Rodrigues Pinheiro, num áudio enviado a Araújo em março de 2020. Por muitos anos, Daniel foi o guarda-costas do capo e era diretamente subordinado ao chefe da segurança de Rogério Andrade na hierarquia da quadrilha. Na mensagem, ele se referia ao ano em que Rogério tomara a frente dos negócios da família, após a morte de Castor e o assassinato de Paulinho Andrade.

Na ocasião, Daniel Pinheiro citava a relação de décadas com o bicheiro para provar sua lealdade à quadrilha — dias antes, ele havia sido afastado por causa de seu irmão, o também PM Ademir Rodrigues Pinheiro, que teria desviado dinheiro da organização: "Meu irmão traiu o 01, traiu você. Porque você cansou de falar: 'Vamo botar teu irmão lá!'. E eu: 'Ah, vambora!'. E o cara fez o que fez. [...] Agora, porra, imagina se o 01 aí não tava... não tinha uma consideração? Irmão, vap! Porra, filho, vap em mim também! [...] Nunca que eu ia compactuar com uma porra dessa. Nunca. Nunca. Entendeu meu parceiro? Sou totalmente diferente dele, cê sabe disso", explicou Daniel, temendo alguma retaliação por parte de Rogério. No final da conversa, Márcio Araújo prometeu que tentaria interceder junto ao chefe. Deu certo. Dias depois, Daniel voltava a ocupar seu antigo cargo.

Os diálogos da dupla também escancararam o alcance dos tentáculos da contravenção dentro das corporações policiais. No mês seguinte, Araújo voltou a se comunicar com o subtenente Daniel pelo aplicativo de mensagens: "Hoje o amigo estava muito nervoso. Mas nós vamos resolver".[37]

O "amigo" era Rogério, que estava preocupado porque o filho, Gustavo, havia recebido uma convocação para depor na Delegacia de Homicídios e mandara um advogado tirar satisfação com os policiais da unidade.

"O problema foi que o advogado chegou na DH cheio de marra", explicou Araújo.

Daniel Pinheiro retrucou que só o pagamento de propina resolveria o imbróglio: "E você sabe! Só $".

A resposta de Araújo foi reveladora: "O delegado titular esculachou ele, [o advogado] tá querendo arrumar problema. Acha que porque está pagando pode falar o que quiser".

A cena descrita pelo sargento aconteceu na delegacia mais importante e com maior efetivo do estado, responsável por investigar todos os homicídios da capital — incluindo as inúmeras mortes relacionadas à máfia do jogo do bicho.

Depois que Rogério Andrade se livrou da acusação pelo homicídio de Fernando Iggnácio, a descoberta das conversas do PM Márcio Araújo deu novo fôlego às investigações contra ele. A partir das conexões do sargento aposentado, os promotores do Gaeco conseguiram identificar outros homens de confiança de Rogério e montar um esboço do organograma da quadrilha. Um dos gerentes era Márcio Garcia da Silva, o Mug, que cuidava da administração dos pontos de jogo nos bairros sob controle do bicheiro. Cabia a Mug fazer a contabilidade dos bingos clandestinos e das máquinas, garantir o funcionamento dos estabelecimentos e, claro, pagar à polícia para evitar contratempos. A apreensão — e posterior quebra de sigilo — de seu celular proporcionou aos investigadores uma visão privilegiada do submundo da cidade.

No fim da noite de 24 de maio de 2019, Mug estava preocupado. Ele havia sido informado de que a polícia estouraria um bingo em Curicica e precisava agir para evitar prejuízos.

"Atenção, me ligaram, e o cara queria saber de quem era a situação e... e os caras do '2' querendo fechar, entendeu? Vão lá para quebrar tudo", disse Mug num áudio ao comparsa Jeferson Tepedino Carvalho, o Feijão, que operava o bingo em questão.

Os "caras do 2", segundo o MP, são os integrantes do serviço reservado, a P-2, do 31º BPM, da Barra da Tijuca. Em resposta, Feijão escreveu que o bingo estava cheio de clientes e perguntou se deveria mesmo fechá-lo. Mug determinou o fechamento meio a contragosto: "Eu acho melhor tu fechar. Entendeu? Porque esses caras, tu sabe como é que eles são. Eles falam que não vão, que não sei o quê, e depois a gente vai pras conversas. Se o cara me ligar aqui dizendo que tá tudo certo, eu mando tu abrir de novo. Mas eu prefiro que tu feche. Valeu irmão?".

Feijão obedeceu, mas não escondeu o descontentamento pela noite perdida.

"Loja vazia, tudo apagado. Isso é uma sacanagem. Tô igual a um louco desde cedo arrumando tudo. Poxa, eu sou pequeno", reclamou.

Mug então tranquilizou o comparsa — tinha um "esqueminha" para que a situação não voltasse a acontecer: "Depois eu te apresento o pessoal da '2' que é daí e aí tu faz aquele esquema que eu te falei, entendeu? Levo aí para te apresentar e você fazer aquele esqueminha. Para você ter um seguro".

O "esqueminha" foi feito naquela mesma noite. Cerca de quinze minutos depois do fechamento da casa, Mug chamou o comparsa para "encontrar os caras" num posto de gasolina na Barra da Tijuca.

"Vou sair pra encontrar essa turma. Se você quiser vir, tiver perto, mete o pé pra cá. Vou encontrar com eles ali pra ver o que a gente faz, valeu? Fica tranquilo."

Feijão respondeu que também iria ao local num carro de aplicativo. Uma hora depois, com a reunião já concluída, o operador do bingo perguntou se poderia abrir o estabelecimento no dia seguinte. "Normal", confirmou Mug. Para o MP, a conversa expõe um "acerto corruptivo com policiais militares, especialmente com o escopo de viabilizar a exploração da área" sob controle de Rogério Andrade.

Outras conversas encontradas no celular mostram a preocupação da máfia que opera o jogo ilegal em apagar seus rastros e esconder os acertos de propina. Em 4 de abril de 2018, Mug perguntou a um policial civil que integrava a quadrilha se ele conhecia "o pessoal que entrou na 30" — em referência à nova equipe que assumira a 30ª DP, em Marechal Hermes. O interlocutor mencionou o nome de um inspetor que havia sido transferido para a unidade, e Mug esclareceu o motivo do interesse: "Para continuar a levar as marmitas direitinho, para não ter problema... Entendeu?".

"Marmitas" — uma expressão recorrente entre os contraventores, presente em vários diálogos — são máquinas caça-níqueis inoperantes.

A entrega desses equipamentos quebrados nas delegacias é conveniente para os dois lados: os policiais mantêm as estatísticas de apreensões, se mostram ativos no combate ao jogo ilícito e evitam suspeitas quanto à proximidade com o crime e o recebimento de propinas; já os bicheiros evitam a perda de máquinas em bom estado.

Dias depois, Mug confirmou ao comparsa o acerto com a delegacia: "Já desenrolei tudo lá, está tudo certinho".

O gerente dos pontos de jogo ainda resumiria o esquema das "marmitas" em outra mensagem a um comparsa, de agosto de 2019: "A segurança me pediu para arrumar três marmitas em Marechal para fazer um teatro na 30ª DP".

A infiltração da máfia do jogo na segurança pública é tão profunda que os bicheiros exercem influência até sobre a transferência de policiais entre batalhões. Em maio de 2019, um sargento que era lotado no batalhão de Jacarepaguá, o 18º BPM, enviou seus dados — nome completo, registro na PM e situação médica — para Mug. Naquele mesmo dia, o gerente dos pontos encaminhou essas informações a um vereador com atuação na Zona Oeste pedindo ajuda para transferir o policial para Bangu: "Ele quer ir para o 14º Batalhão". Não se sabe se o pedido foi atendido, mas fica claro que não era incomum.

O conjunto de mensagens de Mug e Márcio Araújo praticamente fechou o cerco do Gaeco sobre Rogério Andrade, sua quadrilha e seus tentáculos. Os promotores, no entanto, encontraram ainda novas menções ao bicheiro e às atividades criminosas do bando em outro celular. Apreendido em março de 2019 dentro de uma casa no condomínio Vivendas da Barra, o aparelho pertencia a um antigo segurança do chefão, um policial militar de carreira premiada na corporação cuja conexão com Rogério se resumia, até então, a um atentado a bomba: o sargento aposentado Ronnie Lessa.

O BINGO DO LESSA

Em abril de 2018, no mês seguinte ao assassinato de Marielle Franco, a quadrilha de Rogério Andrade se articulava para instalar um bingo no Quebra-Mar, trecho da praia da Barra da Tijuca próximo ao canal da Joatinga. O chefão delegou a seu filho, Gustavo, a missão de tirar o projeto do papel e, para isso, o orientou para que se reunisse com um velho aliado, que conhecia bastante a região. No dia 21 daquele mês, o sargento Ronnie Lessa, frequentador assíduo dos bares da orla, contou a um amigo sobre o encontro com Gustavo: "Estive com o filho do R. O R vai botar lá no Quebra Mar. Vai pegar os dois restaurantes. E ele que mandou me procurar, disseram pra ele que só eu resolvia isso lá",[38] escreveu o PM, orgulhoso, usando a inicial R para se referir ao bicheiro. A mensagem, extraída do celular de Lessa, foi a primeira prova concreta obtida pelo MP conectando o PM aposentado ao chefão do bicho.

Em seguida, seu interlocutor o aconselhou: "Quando menos esperar vai cair no colo. Vê que só ajuda e não pede nada".

Lessa, então, contou que tinha conversado com o bicheiro pelo WhatsApp e que os dois marcaram um encontro para a semana seguinte.

"Falei com ele no zap ontem. Através do filho. Me agradeceu e quer me encontrar pessoalmente semana que vem. Não vai escapar não", escreveu, animado com a possibilidade de uma associação com o bicheiro.

A Barra da Tijuca nem sempre foi reduto da família Andrade. Na divisão da cidade feita pela cúpula do jogo, o território que coube a Castor se restringia a Bangu e alguns bairros vizinhos, como Realengo e Padre Miguel. A exploração do jogo na Barra era exclusividade de outro expoente da "velha guarda" da contravenção: Emil Pinheiro, que cultivou certa fama nos anos 1980 e início dos 1990, quando virou uma espécie de mecenas do Botafogo. Sua morte, em 2001, em decorrência de doença de Parkinson, coincidiu com o estopim da guerra entre Rogério e Fernando Iggnácio. Com Bangu em disputa, o sobrinho de Castor decidiu romper o acordo costurado décadas antes pelos capos para ter um pedaço da cidade para chamar de seu.

Com a anuência da família de Emil, que não tinha herdeiros, Rogério passou a controlar o jogo na região, destino de uma boa parte dos novos-ricos da cidade à época e, portanto, bastante cobiçada entre os contraventores. Depois, na base da bala, Rogério expandiu ainda mais seu domínio para outros bairros, como Jacarepaguá, Cascadura e Quintino. Hoje, na cidade do Rio de Janeiro, ninguém tem mais pontos de jogo do que ele.

Após a reunião com o filho do chefão, Ronnie Lessa deu sequência ao plano de abertura do bingo e passou a negociar a compra de um restaurante do Quebra-Mar. Os diálogos indicam que aquela não era uma transação ordinária, dentro da lei.

"Deleta essa conversa nossa aí. Deleta aí, que eu vou deletar daqui", pediu Lessa ao dono do estabelecimento em 24 de abril.

Dois dias depois, marcou um encontro com ele, mas pediu que o local só fosse definido na hora: "Regras da Itália", escreveu Lessa, se referindo ao modo como a máfia italiana conduzia suas negociações. Na sequência, um documento enviado pelo homem a Lessa mostra que a compra do restaurante fora concluída, mas não em nome do policial. Segundo o Ministério Público, o estabelecimento foi registrado em nome de um "personagem de baixa renda, pouca idade e sem nenhuma correlação com atividade empresarial",[39] ou seja, um "laranja".

Apesar de ter conduzido toda a negociação, Lessa não pôde pegar as chaves do estabelecimento: na fase final das tratativas, ele foi vítima de um crime misterioso bem em frente ao local onde funcionaria o bingo. Em 27 de abril — um mês e meio após os homicídios de Marielle e Anderson —, o PM aposentado chegava no Quebra-Mar para um almoço com amigos quando foi surpreendido por um homem armado com um revólver que havia acabado de saltar de uma moto. "Perdeu, perdeu!",[40] teria dito, segundo testemunhas relataram à polícia. Um dos companheiros de almoço de Lessa, o bombeiro Maxwell Simões Correa, que também chegava naquele momento, sacou sua arma e apontou para o homem, que respondeu atirando. Lessa foi atingido no pescoço e o bombeiro, no braço. Mas Maxwell ainda conseguiu revidar e acertou um tiro nas costas do criminoso, que conseguiu correr até a moto e fugir, levando o relógio de Lessa.

Esse homem foi identificado como Alessandro Carvalho Neves, de 24 anos, natural de São Paulo e ilustre desconhecido das forças policiais do Rio — antes do ataque a Lessa, nunca havia cometido um crime sequer na cidade. Alessandro foi encontrado, horas depois, internado no hospital Miguel Couto, e acabaria condenado a treze anos e quatro meses de prisão. A polícia nunca apurou a possibilidade de o crime ter sido queima de arquivo, e concluiu se tratar de um assalto.

Lessa passou duas semanas internado, mas seguiu acompanhando atentamente o processo de transformação do restaurante em bingo. "Já com as chaves?", perguntou via WhatsApp a Carlos Eduardo de Almeida da Silva, o Kadu, comparsa que deixara encarregado da obra, em 8 de maio, quando ainda estava no Centro de Terapia Intensiva.

"Já! Amanhã entregamos ao Gustavo", respondeu Kadu, citando o filho de Rogério Andrade.

Nos dois meses seguintes, Lessa foi frequentemente atualizado sobre o andamento da reforma, recebeu fotos do espaço em obras e opinou sobre mudanças no projeto arquitetônico. Certa vez, sobre o desejo do filho do chefão de criar uma sala de carteado no segundo andar do empreendimento, respondeu: "Podemos ver, fica show".

Na data marcada para a inauguração do bingo, 24 de julho de 2018, Lessa já estava plenamente recuperado. O evento de abertura teria "festival de frutos do mar" e sorteios de "500 reais por hora das 16h às 22h", conforme mostrava o vídeo de divulgação enviado aos clientes pelo WhatsApp e extraído do celular de Lessa.[41] A publicidade ainda informava que o Espaço Barra Gold, como foi batizado o empreendimento, tinha "cem máquinas de última geração" e terminava com o seguinte slogan: "Onde ética e entretenimento caminham lado a lado". O bingo, entretanto, não ficou nem 24 horas aberto. Na noite de inauguração, uma operação do batalhão da Barra da Tijuca, o 31º BPM, interditou a casa e apreendeu 78 máquinas.

O prejuízo não demoveu Lessa e seus comparsas da ideia de inaugurar um bingo no Quebra-Mar. Pelo contrário: nos meses seguintes, a quadrilha passou a se movimentar para recuperar o material apreendido — que, em tese, deveria ser destruído — e reabrir a casa. Em função de seu bom trânsito nas polícias Civil e Militar, Lessa foi escolhido como responsável por negociar a liberação das máquinas na delegacia da Barra da Tijuca, a 16ª DP, e também por fechar os "acertos" que garantiriam o funcionamento do estabelecimento no futuro. Assim, duas semanas depois da apreensão, o plano para a reabertura começou a ser posto em prática.

Inicialmente, Lessa recorreu a um delegado com quem tinha uma relação de confiança. Marcos Cipriano, que já havia chefiado uma série de delegacias especializadas, transitava com desenvoltura no meio político e costumava frequentar camarotes de bicheiros na Marquês de Sapucaí. Lessa pediu a Cipriano que intermediasse um contato com sua colega Adriana Belém, delegada à frente da 16ª DP.

Em 20 de agosto, Lessa já tinha uma conversa marcada com Adriana num restaurante ao lado da delegacia: "Fala, meu irmão! Olha só, ela me retornou aqui e marcou com a gente amanhã onze e meia lá no Concha Doce. Então está marcado já. Então, amanhã, às onze e meia, a gente se encontra lá no Concha Doce, do lado da delegacia".[42]

Além de Lessa e dos dois delegados, também participou do encontro o inspetor Jorge Luiz Camillo Alves, chefe de investigações da 16ª DP e braço direito de Adriana Belém, com quem Lessa trocou contatos naquele dia. Os dois delegados jamais admitiram ter falado com Lessa sobre as máquinas caça-níqueis, mas foi a partir dessa reunião que o sargento aposentado e Camillo passaram a combinar uma data para a retirada das máquinas da delegacia.

"Bom dia, irmão. Os caminhões estão aí, você precisava da presença de alguém? Ou é melhor só eles aí? Os garotos estão aí já. Aí depois, quando tu puder, me dá um retorno aí", disse Lessa num áudio enviado ao inspetor na manhã do dia 16 de outubro. Como num passe de mágica, as máquinas apreendidas "sumiram" da 16ª DP.

No dia seguinte, o inspetor Camillo cobrou o pagamento pelo serviço numa linguagem cifrada: "Bom dia, ainda sem resultado do exame".

Lessa logo encaminhou a mensagem a seu comparsa Kadu e pediu providências: "Olha o que o amigo da 16 me mandou. Ainda sem resultado dos exames. Está cobrando".

O interlocutor prometeu que resolveria o problema.

Ao mesmo tempo que negociava a recuperação das máquinas, Lessa também trabalhava para garantir que nenhuma nova operação atrapalhasse a reinauguração do bingo. Ao longo de agosto e setembro, lançou mão de toda a sua agenda de contatos para conseguir encontros com policiais militares e civis com atuação na Barra da Tijuca. Após contactar o delegado Marcos Cipriano, Lessa recebeu a confirmação de que a Polícia Civil colaboraria: "Resolvido. Local já liberado".[43] Já o acordo com a PM foi costurado a partir de diversas reuniões com oficiais do 31º BPM.

"A gente está cercando maneirão, está ficando bom", comentou Lessa com o PM Maurício da Conceição dos Santos Júnior, lotado no batalhão da Barra e responsável por marcar os encontros de Lessa com os comandantes.

O bingo foi reinaugurado, sem sobressaltos, no dia 22 de setembro, um sábado.

DE SEGURANÇA A SÓCIO

As mensagens extraídas do celular de Lessa revelaram que, mais de uma década depois do atentado a bomba, ele não só seguiu trabalhando para Rogério Andrade como também subiu na hierarquia da quadrilha. De segurança passou a sócio do bicheiro justamente nos meses seguintes ao homicídio da vereadora Marielle Franco. E não só: depois de ganhar autorização do chefão para explorar o bingo no Quebra-Mar, sua desenvoltura à frente do negócio agradou tanto que ele recebeu carta branca para explorar o jogo ilegal em outras áreas exploradas por Rogério.

O próprio Lessa deu detalhes da "promoção" a um amigo em 18 de setembro de 2018: "Estou vindo de um encontro com o R. Foi bem proveitoso".

O interlocutor perguntou então se ambos haviam falado "a respeito daquela situação da Freguesia" — área onde Lessa tinha interesse em abrir bingos.

"Em relação a TUDO. Está igual pinto no lixo pela parceria. Já mostrei na prática que funciona. Me deu o céu como limite. O negócio é expandir. Autonomia total",[44] respondeu.

O fato de Lessa ter virado uma espécie de homem de confiança de Andrade logo após a morte de Marielle Franco acendeu o sinal de alerta nos promotores do Gaeco que investigavam quem fora o mandante do assassinato. O crime teria alguma relação com a promoção de Lessa? E Rogério, mesmo sem ter motivos para determinar a execução, poderia ter atuado como intermediário, já que tinha ascendência sobre Lessa? Até o fechamento deste livro, essas perguntas seguem sem resposta.

Lessa, no entanto, não teve tempo para crescer na quadrilha: em março de 2019, foi preso pelos assassinatos de Marielle e Anderson e, desde então, segue encarcerado numa penitenciária federal. Os dados de seu celular e as quebras de sigilo do PM Márcio Araújo e do gerente de pontos de jogo Márcio Garcia da Silva forneceram ao Ministério Público as provas que desencadearam, em maio de 2022, a Operação Calígula, que desbaratou o esquema de distribuição de propinas pela quadrilha de Rogério Andrade. Ao todo, trinta pessoas — entre bicheiros e policiais — viraram réus por organização criminosa e corrupção. Foram presos, na ocasião, os delegados Marcos Cipriano e Adriana Belém, que atuaram na liberação das máquinas caça-níqueis. Na casa de Adriana, investigadores encontraram quase 2 milhões de reais em dinheiro. Já na de Cipriano, havia uma cópia da decisão que havia decretado sua prisão, uma prova de que a ação havia vazado.

Rogério Andrade conseguiu escapar. Avisado sobre a operação, o bicheiro adiou uma viagem à Costa Rica para não ser preso quando pisasse em solo brasileiro. Continuou foragido por três meses: em agosto, foi capturado junto com o filho Gustavo em uma casa de um condomínio de luxo em Itaipava, na Região Serrana do Rio. No imóvel, os investigadores encontraram um bilhete manuscrito com o aviso: "Tem duas DPs que estão cobrando a merenda que não seguiu. Deam [Delegacia de Atendimento à Mulher] Centro e Deam Campo Grande".[45]

Mesmo depois da operação, a máquina de propinas seguia funcionando normalmente.

4. O caminho das armas

O sol ainda não tinha despontado quando Ronnie Lessa saiu de casa, entrou em seu carro de luxo – um Infiniti FX35 branco blindado que valia cerca de 120 mil reais – e pisou no acelerador. O veículo serpenteou pelas ruas apertadas do condomínio onde vivia, o Vivendas da Barra, e parou na cancela que dava acesso à avenida Lúcio Costa, via que margeia as praias da Barra e do Recreio dos Bandeirantes. Enquanto esperava para sair, três policiais civis à paisana que haviam passado a madrugada na frente da portaria correram em direção ao carro, os fuzis apontados para o motorista: "Desce com as mãos pro alto!". Por volta das quatro da manhã do dia 12 de março de 2019, o sargento Ronnie Lessa desligou o carro, saiu com as mãos erguidas em cima da cabeça e foi preso pelos homicídios da vereadora Marielle Franco e de seu motorista, Anderson Gomes.

Dentro do veículo, os agentes encontraram três celulares – todos com o modo avião ativado e fitas adesivas cobrindo as câmeras, na tentativa de impedir que os aparelhos fossem rastreados. Já numa mochila encontrada no carro, havia 60 mil reais em dinheiro vivo,[1] uma pistola, 68 cartuchos e uma pasta recheada de documentos, incluindo o passaporte de Lessa. A operação havia vazado, e o PM estava tentando fugir quando foi preso.

Ao longo do dia, policiais civis e promotores do Gaeco fizeram buscas em vários endereços ligados a Lessa e a Élcio de Queiroz, o ex-PM acusado de dirigir o carro usado no assassinato e também preso naquela manhã. Um deles era um apartamento no primeiro andar de um prédio na rua Magalhães Couto, uma via apinhada de condomínios residenciais no Méier, subúrbio do Rio. O imóvel entrou no radar dos investigadores porque estava em nome de Alexandre Motta de Souza — amigo íntimo de Lessa sobre quem pairavam suspeitas de que fosse seu "laranja".

Alexandre fora parar no inquérito do caso Marielle apenas poucas semanas antes. Na ocasião, investigadores da DH à paisana seguiram Lessa até um condomínio em Angra dos Reis, onde ele passou o Carnaval com a família. Enquanto o PM se divertia numa lancha modelo Real 330, batizada de *Minimi* — nome da metralhadora leve de fabricação belga usada pelas Forças Especiais do Exército —, os policiais descobriram, pela nota fiscal, que a compra da embarcação por 261 mil reais fora feita em nome de Alexandre, morador de uma rua pacata no subúrbio que trabalhava com conserto e revenda de celulares pela internet. O perfil não batia. Seu endereço, então, foi parar na lista dos alvos de mandados de busca.

Ao chegarem ao apartamento, quatro policiais bateram na porta e, quando Alexandre atendeu, mostraram a ordem judicial. Perguntaram se havia armas no local, e ele respondeu "que era um cara pacífico".[2] No entanto, depois que começaram a revirar os cômodos, Alexandre admitiu que Lessa o procurara meses antes para pedir que guardasse algumas caixas. Dentro do guarda-roupa de um dos quartos, os policiais fizeram a maior apreensão de fuzis da história do Rio de Janeiro. Foram encontradas 117 armas calibre 5,56 desmontadas — num só dia, sem disparar nenhum tiro, a polícia apreendeu mais fuzis do que nos dois meses anteriores em todo o estado.[3] No momento em que encontraram o armamento, Alexandre se desesperou: "Eu não fiz nada, esse cara me botou de bucha. Eu confiei nele".[4]

A apreensão escancarou a atuação de Lessa como traficante de armas, até então desconhecida das forças de segurança. Ao longo da investigação do caso Marielle até surgiram pistas indicando que ele ganhava dinheiro negociando armamentos, mas nada conclusivo. Lessa fazia buscas diárias na internet relacionadas ao tema. De 2017 a 2019, ele escreveu 697 vezes a expressão "AR-15" no buscador.[5] Já o termo "AK-47" foi pesquisado em 165 ocasiões. A arma usada nos assassinatos de Marielle e Anderson, uma submetralhadora MP5, também foi alvo da curiosidade de Lessa em 39 oportunidades diferentes. Nos seus e-mails, foram encontradas diversas notas fiscais de armas e acessórios importados do exterior. No entanto, como ele era policial aposentado, integrava a categoria dos CACs (sigla para "caçadores, atiradores e colecionadores") e costumava frequentar clubes de tiro, havia dúvidas sobre a escala do negócio — completamente dissipadas no momento em que os policiais abriram o armário e acharam os 117 fuzis.

As peças — todas novas — estavam separadas metodicamente por tipo: ferrolhos numa caixa, coronhas em outra, gatilhos numa terceira, molas numa quarta. Um detalhe chamou a atenção dos investigadores: os únicos componentes que faltavam para a montagem completa das armas eram os canos — justamente a peça que Lessa queria aprender a fabricar de forma artesanal. Durante vários meses de 2017, o PM pesquisou na internet formas de fabricar canos para fuzis de calibre 5,56, escreveu no buscador nomes de ferramentas para a construção da arma e ainda visitou uma página com a ilustração do diagrama de um cano de fuzil.[6]

À Justiça, Lessa nunca admitiu ser traficante de armas: disse que as peças encontradas seriam, na verdade, usadas num "negócio de venda de *airsoft*[7] que iria montar com seu filho".[8] A versão, no entanto, foi derrubada pela perícia, que concluiu ser "possível montar arma de fogo do tipo fuzil apto a produzir disparos" com aquelas peças. Além disso, o laudo pericial atesta que uma das peças — o ferrolho — é usada exclusivamente "na montagem de arma de fogo do tipo fuzil".

A conclusão foi corroborada pelo então titular da Delegacia Especializada em Armas, Munições e Explosivos (Desarme) Marcus Amim, que, em depoimento à Justiça, atestou que os ferrolhos não são usados na montagem de equipamentos de *airsoft*. Além disso, apesar de as demais peças não serem exclusivas de fuzis, a versão de Lessa era frágil porque "financeiramente não compensaria comprar peças de qualidade e resistência suficientes para efetuar disparos com munição verdadeira para montar armas de *airsoft*". Ainda de acordo com o delegado, cada um dos fuzis poderia ser vendido por até 40 mil reais no mercado ilegal.

No guarda-roupa também foram encontrados dois quebra-chamas e três silenciadores — acessórios para armas de fogo que, apesar de bastante restritos no país, são apreendidos com frequência com criminosos. As duas peças têm o mesmo objetivo: modificam características do disparo e escondem a posição do atirador. O silenciador suprime o som, o quebra-chamas oculta o clarão produzido pelo disparo.

O Exército costuma coibir a compra desses itens por atiradores e colecionadores civis com o argumento de que qualquer desvio para o crime organizado pode ser fatal para agentes de segurança.[9] Até mesmo nas polícias e nas Forças Armadas, o uso desses equipamentos é restrito a grupos táticos bastante seletos, especializados em ações de muito risco. Lessa nunca explicou como conseguiu os acessórios e o que faria com eles.

Em setembro de 2022, o PM foi condenado a treze anos e seis meses de prisão pelo crime de comércio ilegal de arma de fogo. Para a juíza Alessandra Pinto, "a incrível quantidade de peças apreendidas que dariam para confeccionar 117 fuzis, a forma em que se encontravam acondicionadas, bem como as circunstâncias da apreensão deixam claro que os fuzis e os acessórios seriam destinados para venda".[10] Na mesma sentença, a magistrada absolveu Alexandre, o amigo de Lessa, sob o argumento de que o homem não sabia o que havia nas caixas.

O encontro dos fuzis foi somente o primeiro passo para desvendar o papel de Ronnie Lessa no mercado ilegal das armas. Enquanto o armamento ainda era contabilizado, os policiais que faziam as buscas na casa do PM encontraram um documento que abriria um novo flanco na apuração: o contrato de locação de um apartamento no bairro do Pechincha, na Zona Oeste do Rio de Janeiro, em nome de Lessa, datado de setembro de 2018. A Justiça autorizou uma busca no local, que foi realizada no dia seguinte, à tarde. Quando entraram, só havia um móvel no recinto: uma mesa de madeira adaptada para a montagem de fuzis com um torno mecânico a ela aparafusado. Também foram encontradas ferramentas para montagem e desmontagem de fuzis calibre 5,56, um cofre, várias caixas abertas e papéis amassados pelo chão — como se alguém tivesse retirado dali algum material às pressas. A polícia havia encontrado a oficina de armas de Lessa.

Horas depois, Lessa confessou ser armeiro. Numa conversa informal com a delegada Fernanda Noethen, dentro da DH, durante a formalização da prisão em flagrante, o policial admitiu que sabia montar armas e que, quatro meses antes, passara a distribuir armamento e acessórios por vários endereços porque temia ser alvo de operações relacionadas ao caso Marielle. O objetivo, segundo a delegada, era evitar que se encontrassem armas completamente montadas.

Até hoje, a polícia e o MP não sabem exatamente para quem seriam vendidos os fuzis que estavam naquele armário no Méier. Em junho de 2017, uma arma do mesmo calibre e montada com peças muito semelhantes foi apreendida no aeroporto do Rio, escondida dentro de aquecedores de piscina.[11] O fuzil integrava um carregamento que seria repassado a traficantes de favelas da Região Metropolitana do Rio. O mercado ilegal também seria, fatalmente, o destino das armas de Ronnie Lessa — afinal, as peças não podiam ser rastreadas, os órgãos de controle nem sequer tinham conhecimento de sua existência, e Lessa tampouco tinha autorização para vendê-las. Tudo indicava que o policial "operacional" que recorrentemente tirava armas de grosso calibre das mãos de traficantes — e foi seguidamente premiado na PM por isso — mudara de lado e passara a abastecer o crime organizado com fuzis.

TRAFICANTE INTERNACIONAL

Em 23 de fevereiro de 2017, uma encomenda com remetente de Hong Kong chamou a atenção de fiscais da Receita Federal que davam plantão no Aeroporto Internacional Tom Jobim, o Galeão. Aberto na alfândega, o pacote acomodava dezesseis quebra-chamas para fuzis AR-15, calibre 5,56. O que mais surpreendeu os servidores, no entanto, foi o destinatário: os equipamentos, usados com frequência por traficantes em confrontos em favelas e por pistoleiros em emboscadas, não iriam para uma loja de armas ou para um clube de tiro, mas sim para uma academia de ginástica chamada Supernova, na Zona Oeste. Ao final da inspeção, os produtos, que não tinham autorização prévia do Exército para entrar no país, foram apreendidos.

O caso foi encaminhado à Polícia Federal, que abriu um inquérito para descobrir quem havia tentado importar ilegalmente os equipamentos. Logo ficaria claro que não havia academia nenhuma no endereço indicado no pacote, mas sim um prédio residencial no bairro do Pechincha. A Supernova, na verdade, ficava a 3,5 quilômetros de distância do ponto de entrega dos quebra-chamas, dentro de Rio das Pedras, primeira favela a ser dominada por uma milícia no Rio, no final da década de 1990.

Quando os agentes federais levantaram informações sobre os donos do estabelecimento, descobriram que a Supernova tinha dois sócios, cada um com 50% das cotas: Ronnie Lessa e sua mulher, Elaine Figueiredo Lessa. A investigação patinou por quase dois anos, mas ganhou novo fôlego quando o PM reformado foi preso: curiosamente, o endereço escrito na encomenda era justamente o prédio onde funcionava a oficina de montagem de armas do sargento. Se a apreensão dos 117 fuzis desmontados trouxe à tona a atuação de Lessa no mercado clandestino das armas do Rio, a descoberta dos quebra-chamas levou a PF a concluir que ele não se restringia a transações domésticas, mas também trazia ilegalmente equipamentos bélicos do exterior para revender no Brasil — ou seja, era um traficante internacional de armas.

Assim, em julho de 2021, o PM e sua mulher viraram réus na Justiça Federal. Quando ouvido em audiência, em março do ano seguinte, Lessa admitiu ter sido o responsável pela compra dos quebra-chamas. No entanto, sustentou — seguindo a mesma linha da explicação que deu sobre os 117 fuzis — que os equipamentos não eram verdadeiros, mas sim réplicas: "O que eu queria era um material esteticamente bonito para vender. Aquilo é uma réplica, não é uma coisa funcional, é uma coisa bonita. Quanto mais próximo da realidade, melhor".[12]

A perícia novamente derrubou a versão de Lessa. Após testarem os acessórios em fuzis de verdade, os peritos da PF concluíram que eles "apresentam capacidade de diminuição do clarão do disparo, característica funcional de quebra-chamas"[13] — ou seja, serviriam perfeitamente para atiradores que quisessem disparar no escuro sem serem notados. Os advogados do PM, então, lançaram mão de uma novidade jurídica para tentar livrá-lo da acusação: uma medida tomada pouco antes pelo então presidente Jair Bolsonaro com o objetivo de facilitar o acesso da população a armas de fogo.

Em 12 de fevereiro de 2021, Bolsonaro publicou o decreto nº 10 627/2021, que retirou os quebra-chamas e vários outros equipamentos bélicos, como miras holográficas e carregadores de munição, da lista dos Produtos Controlados pelo Exército (PCE) — ou seja, materiais com alto poder destrutivo (como explosivos, armas e munição) que demandam autorização militar para serem manipulados, fabricados e comercializados. A medida foi comemorada por deputados e senadores da bancada da bala, por lobistas pró-armas, CACs e eleitores armamentistas do presidente, que não precisariam mais da chancela do Exército para adquirir esses produtos. Já ONGs que atuam no campo da segurança pública e partidos de oposição se manifestaram contra a mudança e entraram com uma ação no STF para anular o decreto, sob o argumento de que o aumento na circulação de armas, munição e acessórios dificultaria a fiscalização sobre esses produtos e facilitaria o desvio para criminosos.

Entretanto, essa não foi a única medida tomada por Bolsonaro para flexibilizar o controle de armas no Brasil. De acordo com um levantamento do Instituto Sou da Paz — ONG que atua, desde 1999, em políticas de prevenção da violência no Brasil —, ele foi responsável por um total de dezessete decretos, dezenove portarias, três instruções normativas e duas resoluções sobre o tema durante seu mandato. Além de tirar o controle do Exército sobre vários produtos, Bolsonaro ampliou a quantidade de calibres permitidos no país — tornando possível a compra de armas mais potentes por civis — e aumentou exponencialmente a quantidade de munição e armas que os colecionadores e atiradores desportivos podiam ter em seu acervo. As medidas eram uma promessa de campanha do ex-presidente, que chegou a declarar que "todo mundo tem que comprar fuzil".[14]

Em abril de 2021, a ministra Rosa Weber, do STF, atendeu ao pedido de ONGs e partidos políticos e suspendeu vários pontos dos decretos publicados por Bolsonaro. Para ela, o ex-presidente extrapolou as prerrogativas do Poder Executivo ao alterar, numa só canetada, trechos da legislação sobre armas aprovada pelo Congresso Nacional. Foram anulados pontos como a possibilidade da prática de tiro desportivo por adolescentes a partir dos catorze anos e a autorização para o porte simultâneo de até duas armas por civis. A decisão da ministra também recolocou vários produtos na lista dos PCE, como máquinas de recarga de munição e miras telescópicas. Os quebra-chamas, no entanto, não foram citados na decisão de Rosa Weber, e, assim, sua aquisição e seu uso continuaram fora do controle do Exército.

A brecha, então, foi usada pela defesa de Ronnie Lessa. Com base no trecho do decreto ainda em vigor, Bruno Castro da Rocha e Fernando Wagner Pacheco de Santana, advogados do PM e de sua mulher, pediram a absolvição do casal e o arquivamento do processo à Justiça Federal sob o argumento de que, "desde 12 de fevereiro de 2021, o quebra-chamas não é mais um PCE e pode ser livremente importado por qualquer pessoa".[15] O MPF rebateu, alegando que os quebra-chamas "somente podem ser produzidos, vendidos, importados e exportados por pessoas físicas ou jurídicas previamente autorizadas e registradas no Sistema Nacional de Armas, o que não é o caso dos réus, tampouco da academia de ginástica formalmente declarada por eles como importadora dos acessórios apreendidos".[16]

Prevaleceu a tese do Ministério Público, e Lessa ganhou mais uma condenação na Justiça. Em agosto de 2022, a juíza federal Adriana Alves dos Santos Cruz o sentenciou a cinco anos de prisão pelo tráfico internacional dos quebra-chamas. Elaine, a mulher do PM, foi absolvida por falta de provas de que tinha "ciência das atividades desenvolvidas por seu marido". A sentença foi mantida em segunda instância.

A compra dos quebra-chamas, no entanto, foi somente a primeira transação de material bélico de Lessa a ser detectada. Um levantamento feito pelo Laboratório de Tecnologia contra Lavagem de Dinheiro (LAB-LD) da Polícia Civil, a partir de dados bancários do PM e de parentes, revelou que, de 2014 a 2018, ele movimentara pouco mais de 630 mil reais para comprar acessórios utilizados na montagem de armas. Esse montante passou por três contas diferentes — uma no nome de Lessa, outra no de sua mulher e uma terceira no de sua sogra. Todas elas, entretanto, eram operadas pelo sargento, segundo os investigadores.

Com base em dados bancários e fiscais, os promotores do Gaeco concluíram que o patrimônio de Lessa decorria de suas atividades criminosas no submundo: matador de aluguel, integrante de uma quadrilha de bicheiros e, sobretudo, traficante de armas. Por isso, propuseram mais uma ação penal contra ele, dessa vez por lavagem de dinheiro — "o volume financeiro empregado por Ronnie Lessa para a aquisição de acessórios voltados à montagem de armas não deixa dúvidas acerca da destinação mercantil destes armamentos, tratando-se seguramente de uma das fontes de renda de origem criminosa que sustentava o luxuoso padrão de vida ostentado pelo acusado".[17]

Como sargento aposentado da PM, Lessa tinha rendimentos mensais de pouco mais de 7 mil reais. No entanto, entre 2014 e 2018 ele movimentou 5,7 milhões de reais em suas contas, quantia quase catorze vezes maior do que a soma de todos os seus vencimentos legais no período. A investigação também revelou que o patrimônio de Lessa, além de ser incompatível com seus rendimentos, era bem maior do que o formalmente declarado ao Estado, afinal, parte de seus bens foi registrada por "laranjas" — como a lancha *Minimi*, que estava em nome do amigo Alexandre, e até o imóvel de luxo avaliado na época em 850 mil reais onde o PM morava, no Vivendas da Barra, cuja propriedade, no papel, era de seu irmão. Por fim, a quebra do sigilo bancário de Lessa trouxe à tona um depósito de 100 mil reais em espécie que ele fez na boca do caixa em outubro de 2018, sete meses após o assassinato de Marielle. Até hoje, a origem desse dinheiro é um mistério.

Se as movimentações financeiras de Ronnie Lessa expuseram o montante gasto com a compra de material bélico, as mensagens encontradas em seu celular mostram que ele, de fato, adquiriu peças de armas em sites estrangeiros, conseguiu enganar as autoridades fiscalizadoras e introduziu ilegalmente os produtos no país. Diferentemente dos dezesseis quebra-chamas que ficaram retidos na alfândega, outras dez encomendas feitas entre 2017 e 2018 — todas de componentes usados na montagem de armas — passaram incólumes pelo controle da Receita e chegaram aos endereços do sargento.[18]

Para dissimular a natureza dos produtos e burlar a fiscalização, Lessa contava com a ajuda de sua filha Mohana, que morava em Atlanta, nos Estados Unidos, onde trabalhava como treinadora de um time de futebol infantil. Diálogos entre os dois mostram que o sargento orientava a filha a receber os artefatos em sua casa, trocá-los de embalagem e enviá-los para o Brasil "sob descrições evasivas, sem indicar exatamente qual seria o conteúdo da encomenda", segundo o MPF.

"Filha, faz dois saquinhos de cinco cada", pediu Lessa a Mohana numa conversa pelo WhatsApp em 20 de agosto de 2018.[19] O objetivo da instrução, de acordo com os investigadores, era retirar o material da embalagem original e dividi-lo entre pacotes menores para não chamar a atenção dos fiscais da Receita. Em seguida, o pai passou uma nova instrução: "Escreve *metal parts* (peças metálicas)" — uma descrição vaga, que não esclarecia exatamente qual o conteúdo do pacote.

Como Lessa acompanhava cada etapa das remessas e pedia que a filha enviasse fotos dos produtos para conferir as entregas, a polícia conseguiu concluir que se tratava de peças de armas reais.[20] O sargento não disfarçava a pressa que tinha pela chegada dos artefatos, fabricados na China, na Nova Zelândia e nos Estados Unidos. Em 5 de junho de 2018, Mohana perguntou se o pai tinha alguma preferência de transportadora.

"DHL, é mais rápida sempre", ele respondeu.

Com base nessas mensagens, Lessa virou réu, junto com a filha, num processo na Justiça Federal por contrabando.

Mohana, entretanto, não era seu único contato nos Estados Unidos. Outra investigação da PF, que já estava em curso enquanto Lessa era investigado pelo assassinato de Marielle, conseguiu identificar conexões do PM com uma quadrilha de traficantes de armas brasileiros naturalizados americanos que vivem na Flórida. O grupo é acusado de enviar para o Brasil, em aviões e contêineres de navios, peças de armas compradas legalmente nos Estados Unidos escondidas dentro de utensílios domésticos, caixas de som e luvas de boxe. Até ser preso, Lessa não só mantinha contato com um dos integrantes do bando, João Marcelo de Oliveira Lopes, o Careca, como também fez transferências bancárias vultosas para a conta bancária dele.

Numa conversa de junho de 2018 encontrada pela PF no celular de Careca, Lessa pediu o número da conta e do CPF do comparsa, que logo enviou os dados.[21] Poucas horas depois, o PM mandou fotos de oito diferentes comprovantes de depósitos em dinheiro, totalizando 80 mil reais. Depois que Careca agradeceu, o sargento ainda remeteu uma prestação de contas, indicando que já havia pagado 200 mil reais ao interlocutor. Segundo os investigadores, os valores eram referentes a uma encomenda feita por Lessa de peças para a montagem de fuzis de calibre 5,56 — do mesmo modelo daquelas apreendidas dentro do guarda-roupa.

O nome do sargento foi mencionado em outras conversas encontradas no aparelho. Dois dias depois de Lessa ser preso, em março de 2019, a mãe de Careca, Ilma Lustosa de Oliveira, enviou um áudio ao filho.

"Marcelo, esse Ronnie Lessa foi o que esteve aqui em casa, que me pegou pelo pescoço e me botou na frente dele pra sair aqui de casa, não foi? Agora que eu tô conhecendo ele", disse a senhora de 88 anos, moradora de uma casa simples em Vila Isabel, na Zona Norte do Rio, que chamava a atenção dos vizinhos pela quantidade de câmeras de vigilância instaladas na fachada.

Careca confirmou que era mesmo Lessa e pediu para a mãe apagar a mensagem. A investigação da PF concluiu que a idosa tinha participação no esquema: ela recebia as peças de armas enviadas dos Estados Unidos pelo filho e por seus comparsas, guardava os pacotes e os entregava aos compradores em sua casa. Ronnie Lessa, segundo a própria Ilma, era um deles — e usara a idosa como escudo para não ser visto ao sair do local.

Havia ainda uma foto de Ilma — que, curiosamente, é irmã do general do Exército Iris Lustosa de Oliveira, apontado pela Comissão Nacional da Verdade (CNV) como responsável por crimes durante a ditadura militar[22] — posando com um fuzil enviado pelo filho. Em março de 2022, foram apreendidas duas pistolas e uma espingarda em sua casa, e ela acabou presa.[23]

Já Careca, que vive numa mansão em Boca Ratón, na Flórida, conseguiu escapar das autoridades brasileiras. No entanto, em outra troca de mensagens extraída de seu celular, policiais federais encontraram uma prova valiosa, que contraria a versão de Lessa de que os fuzis desmontados encontrados no guarda-roupa seriam de *airsoft*. Dias depois da apreensão, um interlocutor comentou com Careca que circulava a informação de que eram réplicas: "Ainda queimaram o produto dele, dizendo que era fuzil réplica, falsificado, similar ao original".

O traficante achou graça: "Réplica? Fica na frente pra ver kkkk".

Com base nos diálogos, a PF concluiu que a quadrilha de Careca fornecia armamento para "traficantes de drogas, milicianos e assassinos de aluguel" no Rio.[24] Para Ronnie Lessa, entretanto, o grupo funcionava como mais um canal de fornecimento de peças para montagem de armas — e, claro, posterior revenda. Apesar de diferentes investigações terem identificado conexões do PM no mercado ilegal de armas, até hoje não se sabe quem eram seus clientes e o volume de armamentos que ele vendeu nos últimos anos. Fato é que o acusado de matar Marielle usou o conhecimento adquirido dentro da estrutura do Estado para alimentar e fortalecer o crime. Lessa aprendeu a montar armas na Polícia Militar e teve contato com as redes de comércio ilegal de armamentos quando trabalhava como adido na Delegacia de Repressão a Armas e Explosivos, responsável por investigar justamente quem leva os fuzis até criminosos nas favelas.

Atuando em nome do Estado, o sargento construiu seu portfólio de conexões no submundo do crime, sem o qual ele não teria conseguido se tornar o traficante que movimentava uma quantidade considerável de peças, acessórios e armas com conexões dentro e fora do país. Tudo isso abaixo do radar da polícia — afinal, toda a logística de compra e venda só veio à tona depois que ele foi preso. Se não fosse o caso Marielle, talvez Lessa ainda estivesse na ativa.

No mercado de armas do Rio, porém, a trajetória trilhada pelo sargento não é exatamente incomum: não são raros os casos de policiais que abandonam a farda e passam a fornecer armamentos para os criminosos que, anos antes, haviam jurado combater.

"MUNIÇÃO GANHA POUCO, MAS GANHA SEMPRE"

Era só uma abordagem policial rotineira. Pouco depois da hora do almoço de 28 de agosto de 2017, policiais rodoviários federais pararam, num bloqueio na Via Dutra, que liga o Rio a São Paulo, um Renault Logan branco que estava a caminho da capital fluminense. Depois de encostar ao lado da pista, na altura de Piraí, o soldado da PM Bruno Cesar da Silva de Jesus, o BC, desembarcou munido de sua carteira de motorista, mas não se identificou como policial. Enquanto checava os documentos, um dos agentes da PRF notou que o motorista estava nervoso — suava e falava muito depressa — e resolveu perguntar de onde ele estava vindo.

BC, então, finalmente se apresentou como PM e disse que trabalhava no batalhão do Centro do Rio, o 5º BPM. Explicou que estava de folga e havia ido a um "retiro espiritual" em Cachoeira Paulista, no interior de São Paulo. Segundo seu relato, saíra do Rio porque estava abalado com as frequentes notícias de assassinatos de colegas de farda por criminosos. Em poucos segundos, o agente rodoviário descobriu que o soldado estava mentindo: no sistema da PRF, um banco de dados alimentado com fotografias das placas de carro que circulam por estradas federais do país todo, constava que o veículo alugado de BC tinha saído, na verdade, de Guaíra — cidade do Paraná que faz fronteira com o Paraguai e é conhecida, no meio policial, como rota do tráfico de armas e munições adquiridas no país vizinho. Uma varredura, então, foi feita no Logan — e 3450 cartuchos de 9 mm, calibre que não é usado pela polícia, foram encontrados embaixo do forro do porta-malas.

O soldado foi preso em flagrante por comércio ilegal de munição, mas o caso não terminou ali. Dentro do carro, também foram apreendidos dois celulares, encaminhados para a Polícia Federal e em seguida analisados com autorização da Justiça. Nos meses seguintes, as mensagens extraídas dos aparelhos revelariam que BC era integrante de uma quadrilha de PMs que controlava uma rota de tráfico de munição da Tríplice Fronteira para o Rio.[25] A partir das conversas, concluiu-se que os agentes formavam uma rede que financiava viagens ao Paraguai e à Argentina, ali comprava cartuchos, fazia o transporte em compartimentos escondidos dentro de carros alugados e, por fim, vendia os produtos tanto para milicianos quanto para traficantes cariocas — ou seja, os PMs forneciam aos criminosos os projéteis que seriam disparados contra a própria polícia.

Três semanas antes de ser preso, BC contou a um colega de farda, o sargento Thiago Santos da Silva, seus planos para voltar ao tráfico de cartuchos, do qual havia se afastado temporariamente por falta de dinheiro para comprar as cargas.

"Vim pra negociar mato. Tenho que fazer dinheiro agora pra voltar pra munição", explicou.[26]

"Mato" é uma referência a maconha: BC queria juntar dinheiro vendendo maconha para conseguir voltar ao comércio de projéteis, mais caros. Thiago, no entanto, não gostou do que leu.

"Mato é ilusão. Munição ganha pouco, mas ganha sempre", respondeu, para em seguida fazer uma encomenda: "Cem caixas de 9. Quanto fica?" — se referindo à munição calibre 9 mm.

"Vou fazer aquele mesmo valor que sempre fiz", afirmou BC.

O valor total da encomenda foi acordado em 23,5 mil reais.

Cinco dias depois, o sargento Thiago voltou a entrar em contato com BC — dessa vez interessado em entrar no negócio.

"Estou querendo viajar. Quero ver se você me bota na fita aí ou me indica um motorista."

BC perguntou se o amigo estava pensando em "trabalhar de carro", ou seja, usar veículos alugados para ir e voltar ao Rio.

"Acho melhor. [Vou] Trabalhar com bélico, nada de mato", respondeu o sargento.

BC prometeu ajudar o amigo: "Isso aí, te adianto aí no que precisar".

Outro interlocutor frequente de BC era um ex-colega de farda. Jorge Diego Andrade Alves se desligou por vontade própria da corporação em setembro de 2015 e, no ano seguinte, foi detido numa blitz pela polícia argentina logo após cruzar a fronteira do país vizinho pela Ponte Internacional da Fraternidade. No carro que dirigia foram encontrados mais de 20 mil cartuchos acondicionados num fundo falso. Em 16 de agosto de 2017, de dentro de sua cela na Prisión Regional del Norte, na província do Chaco, no norte da Argentina — onde cumpria a pena de cinco anos a que fora condenado —, o ex-PM entrou em contato com BC para anunciar uma novidade: ele havia conseguido um avião para traficar armas e drogas para o Rio.

"Chega em quatro horas sem risco de perder. Não precisa de pista para aterrissar. Ele joga a mercadoria do alto mesmo. Só precisa de um espaço do tamanho de um campo de futebol. Todo mundo que fica milionário com essa porra de tráfico trabalha com avião", explicou Jorge Diego.

Inicialmente, BC ficou animado: "Porra, avião é pica rs".

Depois passou a ponderar que o transporte de grande quantidade de drogas seria mais rentável em caminhões: "Coisa grande é só caminhão mesmo".

O ex-PM explicou que seu plano, depois que saísse da cadeia, era usar aviões para "mandar para a Argentina, para o Uruguai e para o Rio também".

Um mês antes, a dupla já matutava sobre como conseguiria ampliar seu leque de atividades no submundo.

"Vê com seus contatos quanto sai 100 quilos de cafeína e 20 quilos de lidocaína pra trazer junto com seu frete de maconha", pediu Jorge Diego em 20 de julho de 2017.

"Qual a ideia?", questionou BC.

O objetivo era começar a traficar cocaína: "A cafeína e a lido fazem parte do plano do pó, que faremos mais pra frente. Tem que ter isso pra fazer a mistura. Só preciso de um bom estoque da mistura do pó. Cem quilos de cafeína já dá pra uns 180 quilos de pó. E dá pra trazer junto com a maconha. Com esse estoque no Rio, o resto fica fácil de fazer. É só mandar o pó de alto grau de pureza, misturar e vender".

BC ficou animado com a resposta: "Irmão, se aprofunda ao máximo nesse estudo aí. Porque, se der certo, fudeu".

Os antigos colegas de farda chegaram até a tramar o assassinato de um comparsa que não pagara uma dívida.

"Infelizmente vai ter que começar a morrer gente, sinceramente, não queria dessa forma", escreveu BC.

“Cortar logo o mal todo pela raiz. Esse é o nosso trabalho, irmão. Infelizmente, não tem jeito. Parece que nos obriga a sermos ruins”, respondeu Jorge Diego, de dentro do presídio.

“Mano, qualquer um que a gente quiser arriar daqui pra frente, é só pagar. E vai ser assim daqui pra frente pra mim”, completou BC.

Outro diálogo encontrado no celular do soldado — com mais um PM — mostra como funcionava a logística de venda de drogas e munição quando os produtos chegavam ao Rio. No final de julho de 2017, BC estava na fronteira e foi contactado, via WhatsApp, pelo também soldado Carlos Alberto de Campos Macedo, seu então colega de batalhão. Carlos Alberto estava no Rio e queria saber se o comparsa podia intermediar a compra de uma carga de maconha no Paraguai — e trazê-la para o Rio. BC aceitou, e os dois passaram a combinar a operação.

“Quando as coisas chegarem, vamos no Complexo. É só fechar um cara que pague certinho. Esse amigo do Complexo é um forte candidato pra isso”, afirmou Carlos Alberto, garantindo que já tinha um comprador.

Da fronteira, o colega aprovou o plano: “Aí que você entra né irmão, você tem mais contato em favela do que eu”. Não há menção sobre qual complexo de favelas foi o destino da droga.

A conexão da quadrilha de PMs com a milícia foi descoberta no mesmo dia em que BC foi preso na Dutra. Enquanto era abordado, alguns quilômetros adiante outra equipe da PRF parou um Toyota Corolla branco com três ocupantes. Como um deles era natural de Guaíra — mesma cidade do Paraná de onde BC havia saído —, os agentes, que já haviam sido informados da apreensão de munição, suspeitaram que poderiam ser comparsas do PM e levaram todos para a delegacia. Em depoimento, o paranaense Bruno Inácio Rodrigues admitiu que conhecera o soldado na fronteira e fora contratado por ele para acompanhá-lo até o Rio, "como treinamento para conhecer a rota e poder fazer futuros transportes de munição".[27] Segundo o relato, os outros ocupantes do carro atuavam como "batedores", ou seja, deveriam alertar BC sobre barreiras policiais. O homem, entretanto, não sabia que um de seus companheiros de viagem não era somente um olheiro, mas sim um dos chefes de uma das milícias mais antigas do Rio: André Costa Bastos, o André Boto.

Apontado pela polícia como um dos cabeças do grupo paramilitar que domina Curicica, Boto também integrava a quadrilha de traficantes de munição com seu irmão, o cabo da PM Adriano Costa Bastos. Segundo a PF, Boto era o "principal articulador do esquema de tráfico de cartuchos para o Rio" e viajava recorrentemente para cidades da fronteira com o Paraguai a fim de "entrar em contato com fornecedores locais, negociar e supervisionar o transporte das mercadorias".[28] Já Adriano era responsável por receber e guardar os cartuchos quando chegavam ao Rio. Para os investigadores, boa parte da munição traficada pela quadrilha abasteceu a milícia chefiada por Boto.

Os paramilitares não eram os únicos clientes do grupo: a munição também era vendida para traficantes de drogas de diferentes facções. Essa conexão veio à tona a partir do depoimento de um delator: após ser preso na via Dutra trazendo 19 mil cartuchos, o homem, um comerciante, resolveu colaborar com a polícia em troca de uma pena menor. Cooptado pelo grupo por conta de uma dívida que contraíra com Adriano — que trabalhava como segurança de sua confecção de roupas —, ele aceitou pagar o que devia fazendo cinco viagens até a fronteira para trazer os cartuchos.[29] Durante seu depoimento, reconheceu por foto diversos integrantes, como BC, Boto e Adriano, e afirmou que a munição, depois que chegava ao Rio, era assim distribuída: parte ficava com a milícia e a outra era dividida entre dois vendedores — um deles, responsável por negociar com traficantes do CV e do Terceiro Comando Puro (TCP), e o outro, com criminosos da facção Amigos dos Amigos (ADA).

Em novembro de 2021, a Justiça Federal condenou seis integrantes da quadrilha — entre eles, três policiais — pelos crimes de organização criminosa e tráfico internacional de munição. BC recebeu uma pena de dezesseis anos e acabou expulso da PM. Até o fechamento deste livro, André Boto, sentenciado a dezenove anos de prisão, seguia encarcerado no Complexo de Gericinó, em Bangu — de onde, segundo o MP, comanda sua milícia à distância. Já seu irmão, o cabo Adriano Bastos, continuava na PM e cumpria pena de dezoito anos no presídio da corporação, em Niterói. Os demais integrantes identificados pela PF não foram denunciados pelo MP.

"NO SOARES NINGUÉM DÁ VOLTA"

No final de julho de 2017, BC e Jorge Diego conversavam pelo WhatsApp sobre seus concorrentes no mercado de armas. O soldado reclamava de traições e dívidas quando Jorge desabafou:

"Eu já tinha te falado isso irmão, no Soares ninguém dá volta. Em mim e você, é bagunça. Ou a gente muda isso ou vamos sempre se foder."[30]

O traficante em quem "ninguém dá volta" é, segundo a Polícia Civil do Rio, um dos maiores fornecedores de munição para o crime organizado fluminense e um dos homens mais temidos do ramo: o sargento Thiago Soares Andrade Silva, o Batata, mais um que saiu das fileiras da PM para fazer carreira no submundo do crime do Rio.

Perto de Batata, BC e Jorge Diego são quase amadores. Uma investigação da Desarme identificou que a quadrilha chefiada pelo sargento lotado no 14º BPM (Bangu) transportou pelo menos nove grandes carregamentos de cartuchos da fronteira para o Rio somente entre 2017 e 2018. Quatro deles foram interceptados na estrada antes de chegar ao destino final, cada um com pelo menos 6 mil cartuchos.[31] Os outros cinco, jamais apreendidos, foram descobertos por meio dos depoimentos de integrantes do bando. A polícia estima que, a cada quinze dias, subordinados de Batata chegavam ao Rio com novos carregamentos de projéteis.

Foi uma das cargas interceptadas que acabou trazendo à luz a atuação de Batata no mercado clandestino de munição — até então, nem mesmo a disparidade entre seu salário de 4 mil reais e a vida de luxo que levava, com direito a carro blindado e férias em praias paradisíacas, haviam despertado suspeitas na PM. Em 11 de fevereiro de 2018, policiais rodoviários encontraram 6330 cartuchos para pistola dentro de um "compartimento oculto" na carroceria de um Fiat Uno. Os dois ocupantes do carro, naturais de Mato Grosso do Sul, foram abordados na Dutra, logo após ultrapassarem a divisa com São Paulo e entrarem no estado do Rio. Na delegacia, a dupla admitiu que havia sido contratada para alugar o carro na fronteira, levá-lo a uma oficina para que o esconderijo dos projéteis fosse construído, e então trazer os cartuchos — que seriam entregues em um posto de gasolina na Barra da Tijuca.

Não era a primeira vez que um dos homens trazia munição daquela maneira: Ronei Daniel Alves, poucos meses antes, percorrera o mesmo trajeto e entregara os cartuchos a três homens no ponto de encontro. Um deles, reconhecido por foto, era o sargento Thiago Batata, que se identificou como policial e — percebendo a surpresa do viajante — disse para Ronei ficar tranquilo, "pois nada iria acontecer".

Outras provas contra Batata apareceram em mensagens extraídas de celulares apreendidos de outros integrantes. Numa delas, um dos sul-mato-grossenses cooptados pelo grupo, ao ser questionado por um interlocutor se "estaria levando arma e bala para o CV", respondeu que o comprador, na verdade, era um "polícia lá do Rio".[32] Em outro diálogo, encontrado no aparelho de Roger dos Santos Macedo — apontado como braço direito de Batata e reconhecido como um dos receptadores dos projéteis no posto de gasolina —, o sargento encomenda munição.

"Vê se tem bala, arruma umas aí pra pagar, pelo menos umas cinco caixas", orientou.

Roger respondeu que não seria possível obter os cartuchos porque o fornecedor "tá viajando já".[33]

A Desarme descobriu também que Batata formou sua quadrilha a partir dos contatos que cultivou quando serviu ao Exército, antes de passar no concurso para a PM. Ele e mais três comparsas foram contemporâneos na Brigada Paraquedista no início dos anos 2000. Gabriel de Lima Nunes e Bruno Jerônimo Guerra eram os responsáveis por trazer os carregamentos de munição e definir a logística do transporte, como o aluguel de carros e o trajeto. Já Leonardo Santos Carvalho, o Léo PQD, era o mais experiente no ramo dentre os colegas: segundo uma testemunha, ele começou a traficar armas e munição em 2004, quando ainda era militar.[34] Após ser preso duas vezes com cargas ilegais entre 2014 e 2017 e ter cumprido penas em presídios de São Paulo e do Paraná, voltou ao Rio, onde se associou a Batata — e, assim, os dois passaram a dividir a chefia do grupo.

Em dezembro de 2018, Batata, os três ex-paraquedistas e mais dez integrantes do grupo foram denunciados à Justiça pelos crimes de organização criminosa e comércio ilegal de arma de fogo. A investigação concluiu que o PM atuava como "financiador do esquema e responsável pela segurança do bando, cobertura perante autoridades e por arregimentar compradores para os carregamentos".[35] Parte dos projéteis contrabandeados tinha como destino uma milícia com atuação na favela da Carobinha, na Zona Oeste do Rio, cujo chefe era próximo de Batata — inclusive, ele comprara o carro blindado que usava da mãe do miliciano.

Quando soube que havia uma ordem de prisão em seu nome, o sargento fugiu e passou a ser considerado desertor pela PM. Após três meses foragido, foi capturado em Cabo Frio, na Região dos Lagos, em março de 2019. Em 2021, Batata foi condenado a 22 anos e seis meses de prisão — e logo em seguida expulso da corporação. Menos de um ano depois, recebeu autorização da Justiça para cumprir a pena em regime domiciliar.

A atuação de policiais militares no mercado ilegal de armas do Rio, contudo, não se restringe ao transporte e à venda de material bélico. Outro serviço bastante valorizado é a manutenção e o reparo de armamentos. Se, de um lado, a atividade demanda mão de obra muito especializada, difícil de encontrar — são poucos os policiais e militares das Forças Armadas que têm conhecimento suficiente para montar armas —, de outro lado, os reparos evitam gastos com a compra de armas novas. Paga-se muito bem a quem se arrisca a cuidar do arsenal do crime.

Um dos acusados de oferecer a criminosos o serviço de conserto de armas — que aprendeu na PM — foi o sargento Alex Bonfim de Lima Silva, conhecido na Baixada Fluminense como Alex Armeiro. Ele foi flagrado combinando detalhes sobre o reparo e a entrega de armas a serem usadas por um grupo paramilitar que domina quatro bairros de São João de Meriti. Os diálogos, de junho de 2020, foram encontrados pela polícia no celular de Curisco,[36] cobrador da milícia, conhecido por ameaçar e até agredir moradores que atrasavam o pagamento da "taxa de segurança".

“Fala comigo, irmão! Conseguiu pegar lá?”, perguntou Curisco.[37]

Alex já sabia qual era o assunto: “Peguei sim. Amanhã eu vou comprar o tirante do gatilho e mola [peças usadas na montagem de armas]. Assim que resolver, te ligo”.

No dia seguinte, o sargento retomou a conversa e avisou que o “veículo” estava pronto — um código para se referir à arma que fora consertada. Curisco ainda perguntou se ele tinha conseguido “trocar a empunhadura” e, em seguida, marcou de pegar o material no batalhão da cidade vizinha de Belford Roxo, onde Alex batia ponto à época: “Vou dar um pulinho no 39º BPM”.

Pouco depois, compartilhou com o miliciano sua localização, ao lado do quartel. “Chegando”, respondeu Curisco. Cerca de uma hora depois, o miliciano aprovou o resultado do trabalho: “Irmão, ficou 100%”.

“Qualquer coisa, só chamar”, se despediu Alex.

No dia seguinte, pela manhã, Curisco fez um novo pedido: “Você não consegue carregador para essa Beretta?”.

“Vou desenrolar”, prometeu o sargento armeiro.

A conversa não continuou: no dia seguinte, Curisco foi preso em flagrante pela Polícia Civil quando fazia cobranças entre moradores de São João de Meriti, armado com uma pistola. Em seu celular, apreendido, os investigadores encontraram outra conversa que mencionava o armeiro. Uma semana antes, Curisco havia pedido o contato de Alex a um comparsa, Cristiano Militão de Souza, o Cabelinho, apontado como um dos olheiros da milícia, responsável por monitorar a movimentação policial nos bairros dominados pelo grupo.

“Não tenho, o Alex tinha que dar duas paradinhas pra mim, mas ele perdeu”, respondeu Cabelinho.

Depois disso, num segundo áudio, o olheiro explicou o que eram as tais “paradinhas”: “A gente levava as armas pro Alex confiando na palavra dele, mas ele levou uma 'foda'. Os caras tão me agoniando por causa disso".

Segundo a polícia, Alex perdera as armas que haviam sido levadas para reparo por Cabelinho — o que estaria motivando as cobranças dos chefes do grupo. Com base nas conversas, o sargento foi preso em setembro de 2021 sob a acusação de integrar a milícia.

A polícia só depois descobriria que havia uma explicação para a facilidade com que Alex adquiria armas, peças, acessórios e munição. Não era só o fato de ele ser policial. Afinal, agentes de segurança — apesar de possuírem porte de arma — não são autorizados a comprar uma variedade grande de armamentos, nem uma quantidade expressiva de munição. É que o armeiro fazia parte dos CACs, categoria que teve acesso a material bélico ampliado durante o governo de Jair Bolsonaro, conforme já expliquei. Três anos antes de ser preso, o PM emitiu seu certificado de CAC sob o número 232278. O documento só veio à tona porque a defesa de Alex o apresentou à Justiça numa tentativa de recuperar armas que haviam sido apreendidas.

Antes das medidas de Bolsonaro, um atirador experiente, por exemplo — com histórico de participações em competições —, podia ter, no máximo, dezesseis armas e comprar 40 mil cartuchos por ano. Com as mudanças, até um atirador iniciante pode ter sessenta armas e comprar 180 mil projéteis por ano, quantidade suficiente para abastecer uma tropa inteira. Para efeitos de comparação, durante todo o ano de 2021, as forças policiais do Rio apreenderam 110 mil projéteis com criminosos.[38] O número de calibres a que os CACs têm acesso também foi ampliado, o que possibilitou a compra de armas com alto poder de fogo, como fuzis, pela categoria.[39] A política armamentista de Bolsonaro levou a uma explosão no número de CACs no Brasil: eles passaram de 117 mil em 2018 para mais de 783 mil em 2022, segundo o *Anuário Brasileiro de Segurança Pública*.[40] Já o arsenal nas mãos da categoria subiu de 350 mil armas em 2018 para mais de 1 milhão.[41]

Para o advogado Bruno Langeani, gerente do Instituto Sou da Paz e especialista em controle de armas, os decretos de Bolsonaro ajudaram a armar o crime organizado.

"Antes das medidas, as quadrilhas tinham dois principais canais de fornecimento de fuzis: o tráfico internacional de armas e desvios de forças de segurança, ambos arriscados. Com as mudanças, criou-se uma brecha para acessar armas de guerra, pois um único cidadão pode comprar até trinta fuzis. O custo é em moeda nacional, com transporte documentado pelo Exército e possibilidade de receber em casa, sem riscos", me explicou Langeani.[42]

Ao longo do governo Bolsonaro, veio à tona uma série de casos de CACs acusados de ligação com o crime — como o do PM armeiro Alex. Em Minas Gerais, em 2022, um integrante do Primeiro Comando da Capital (PCC) conseguiu emitir um certificado de CAC e comprar um fuzil. No mesmo ano, um colecionador de armas carioca foi preso por fornecer munição — que adquiria legalmente — ao CV. Já no Rio Grande do Sul, um fuzil usado num assalto a banco em dezembro de 2021 havia sido comprado também por meios legais por um atirador cooptado pela quadrilha.

As medidas tomadas pelo governo Bolsonaro certamente impactariam os negócios de outro célebre integrante do submundo: o PM Ronnie Lessa, detentor de um certificado de atirador e colecionador. A partir de 2019, Lessa poderia comprar até trinta fuzis legalmente, em vez de ter de montá-los na clandestinidade com peças vindas do exterior. No entanto, antes que os decretos fossem assinados, ele foi preso pelos homicídios de Marielle e Anderson — e teve seu registro de CAC cassado pelo Exército.

Em janeiro de 2023, Luiz Inácio Lula da Silva assumiu a Presidência e, cumprindo uma promessa de campanha, revogou decretos de seu antecessor que facilitavam o acesso a armas e munições.[43]

O SUMIÇO DA SUBMETRALHADORA

Precisamente às 2h27 da madrugada de 13 de março de 2019, um Palio branco embicou na frente do condomínio onde ficava a oficina de armas do PM, armeiro e CAC Ronnie Lessa, no Pechincha. O sargento havia sido preso na madrugada anterior, e a Polícia Civil e o Gaeco só chegariam ao imóvel dali a algumas horas. O carro entrou na garagem e dois homens, trajando blusas pretas de manga comprida com a inscrição "Polícia" e com bonés, desembarcaram e se dirigiram à portaria. Um deles, armado com uma pistola, se identificou como policial para o porteiro e explicou: "Temos uma denúncia de drogas no apartamento 108, bloco 2, e você vai com a gente abrir o apartamento, a gente vai arrombar".[44]

O funcionário argumentou que teria de acionar a síndica, pois era esse o procedimento-padrão do condomínio. Os homens ficaram contrariados, mas aceitaram esperar quando o porteiro informou que o marido da síndica era policial rodoviário federal. O casal, então, foi acordado pelo interfone e desceu para a portaria, ambos desconfiados. O grupo repetiu a mesma história, mas o agente rodoviário — que estranhou a postura intimidatória de um dos homens, que mexia insistentemente na arma — ponderou: eles tinham alguma ordem judicial para acessar o apartamento?

Diante da negativa dos "policiais", o morador deu um ultimato. Se eles quisessem ingressar no imóvel, teriam que mostrar suas identificações funcionais da PM — que seriam devidamente anotadas para o caso de se constatar alguma irregularidade. Os homens, então, desistiram de subir, deram meia-volta, entraram no carro e foram embora.

De acordo com o Ministério Público do Rio, essa foi somente a primeira tentativa do dia de impedir a apreensão das armas que Ronnie Lessa guardava na oficina.

A segunda — e bem-sucedida — aconteceu pouco depois. Às 13h23, um Honda HRV entrou na garagem do condomínio. O motorista era o cunhado de Lessa, Bruno Pereira Figueiredo, e o carona era José Márcio Mantovano, o Márcio Gordo, amigo do PM, que foi o único a desembarcar e entrar no condomínio. Márcio Gordo foi direto para a oficina, abriu a porta e de lá retirou uma grande caixa. As imagens de câmeras de segurança do prédio mostram a dificuldade que ele teve para carregar o objeto, por conta do peso. De posse do material, a dupla deixou o condomínio.[45] Pouco depois, os agentes da DH e do Gaeco chegaram — e encontraram o apartamento vazio.

A arma usada para matar Marielle e Anderson jamais foi encontrada. Para promotores e agentes que investigaram o caso, ela estava na oficina de Lessa, dentro da caixa retirada por Márcio Gordo. E não faltam indícios para embasar essa tese.

Segundo peritos da Polícia Civil, a arma utilizada no crime foi uma submetralhadora alemã HK MP5 — modelo fabricado desde os anos 1960 e usado por unidades de elite de forças militares e policiais em cerca de cinquenta países. A conclusão dos especialistas baseou-se numa comparação feita entre os cartuchos recolhidos no local do crime e uma série de outros disparados por várias armas diferentes durante testes balísticos.[46] O padrão encontrado na munição ejetada pela arma do assassino era praticamente idêntico ao produzido pela submetralhadora.

Coincidência ou não, nos meses que antecederam o homicídio, o sargento pesquisara insistentemente na internet acessórios específicos para a MP5, como silenciadores, freios de boca (que diminuem o coice da arma) e adaptadores.[47] Lessa também fez, no mesmo período, buscas por ferramentas que, segundo a análise dos investigadores, poderiam ser usadas para construir um supressor de ruído artesanal para a submetralhadora — o que bate com depoimentos de testemunhas oculares do crime, que relataram "disparos abafados", como se algum aparelho para conter o som dos tiros tivesse sido acoplado à arma. As pesquisas indicavam que Lessa tinha pelo menos um exemplar da MP5, e os investigadores cultivavam a esperança de encontrá-la em algum de seus imóveis.

Como jamais foi apreendida, muitas perguntas sobre a submetralhadora continuam sem resposta. De onde veio? Como Lessa conseguiu adquiri-la? Quem a forneceu? Terá sido desviada de alguma força de segurança, já que é um modelo que faz parte do arsenal de várias polícias?[48]

A mesma aura de mistério cerca a munição utilizada. Oito cartuchos de calibre 9 mm recolhidos na cena do crime foram fabricados pela Companhia Brasileira de Cartuchos, que detém o monopólio da venda de munição no Brasil, e faziam parte do lote UZZ-18, comprado pela Polícia Federal em dezembro de 2006. Ou seja, poucos dias depois do crime, a polícia já sabia que a vereadora fora morta com munição desviada do Estado.

A tentativa de rastrear a origem dos projéteis, entretanto, levou os investigadores a um beco sem saída. O lote a que pertenciam tinha um total de 2,4 milhões de cartuchos de vários calibres — o que fere uma portaria do Exército, que estipula em 10 mil o número máximo de projéteis em lotes comprados por órgãos públicos no Brasil.[49] A medida tem como objetivo justamente coibir desvios, já que lotes menores são mais fáceis de rastrear porque são destinados a poucas unidades. No caso do UZZ-18, cartuchos foram encaminhados a superintendências da PF no país inteiro.

Para piorar, o assassinato de Marielle não foi o primeiro crime em que munição desse lote foi usada. Em julho de 2017, um cartucho do mesmo tipo foi apreendido após o roubo de uma agência dos Correios em Serra Branca, no interior da Paraíba.[50] Na ocasião, um bando explodiu o cofre do estabelecimento e, na fuga, entrou em confronto com a PM. Projéteis iguais também já haviam sido utilizados em duas chacinas com participação de policiais militares na Região Metropolitana de São Paulo entre 2012 e 2015.[51]

No Rio, a Polícia Civil mapeou dezessete ocorrências diferentes, desde 2013, em que cartuchos do lote foram apreendidos.[52] Um dos casos foi um duplo homicídio em São Gonçalo durante um tiroteio entre facções rivais do tráfico, ocorrido em julho de 2015. No final das contas, a polícia concluiu que era impossível descobrir a origem do desvio e como os projéteis haviam abastecido criminosos de vários estados e organizações criminosas diferentes.

Quanto ao atual paradeiro da HK MP5, polícia e MP têm um palpite: algum ponto do oceano Atlântico. Depois que Márcio Gordo retirou a caixa da oficina de Lessa, o material foi entregue a outro amigo do PM,[53] o professor de artes marciais Josinaldo Lucas Freitas, o Djaca — que recebeu a missão de jogar o conteúdo no mar. No mesmo dia, Djaca alugou os serviços de um barqueiro no Quebra-Mar, na Barra da Tijuca, e embarcou com a caixa rumo às ilhas Tijucas, situadas a quatro quilômetros da praia. Ao chegar no ponto combinado, o lutador abriu a caixa e — conforme o dono do barco contou à polícia — retirou "seis armas de fogo de grosso calibre". Todas as armas foram arremessadas no mar e afundaram no mesmo instante.[54]

Apesar de a polícia, o Corpo de Bombeiros e a Marinha terem feito buscas na região por vários dias, nada foi encontrado. Em julho de 2021, Márcio Gordo, Djaca, Bruno Figueiredo e a mulher de Lessa, Elaine Figueiredo – apontada como autora do plano para tirar as armas da oficina – foram condenados a quatro anos de prisão pela ocultação e destruição das provas dos assassinatos da vereadora Marielle Franco e do motorista Anderson Gomes.

5. Os galácticos

Em 29 de agosto de 2019, a página oficial do Bope no Facebook fez uma postagem algo nostálgica. "Só os fortes sobreviveram", dizia a legenda da foto em que apareciam dezoito homens de caras amarradas encarando a câmera — metade de pé e metade agachada, como um time de futebol. A maioria vestia camisas verde-escuras com números na altura do peito; só cinco integrantes, posicionados nas pontas, usavam roupas camufladas. Duas hashtags orgulhosas acompanhavam a imagem: #nossahistória e #orgulhodepertencer. Frases como "Completos de corpo e alma!", "Heróis anônimos!" e "Força e Honra!" indicam o tom dos outros comentários.

Os "heróis" integravam a turma do Curso de Operações Especiais (Coesp) do ano 2000 e, no dia em que foram fotografados, estavam numa área de mata em Itatiaia, na Região Serrana do Rio, onde cumpriam a etapa de "Montanha" do programa de instruções que dá acesso ao Bope. Retratado no filme *Tropa de elite*, o Coesp leva os aspirantes a "caveira" ao limite físico e mental: ao longo de quatro meses, o curso simula situações de combate com privação de sono e comida. Nas primeiras semanas — conhecidas como "Inferno" —, os alunos chegam a ser agredidos pelos instrutores, que comemoram cada desistência. Em 2021, mais de cem policiais se inscreveram e quase metade ficou pelo caminho antes mesmo do início do curso, ainda na fase de seleção. No final, apenas doze novos "caveiras" se formaram. Desde 1978, ano de fundação da tropa de elite, somente quatrocentos policiais conseguiram "sobreviver" ao Coesp — e a turma de 2000, louvada na postagem, é considerada até hoje uma das melhores que já passou pelo batalhão.

Dentro do Bope, aqueles policiais perfilados no matagal são conhecidos como "galácticos", uma referência à forma como era chamado, na época, o time do Real Madrid, que reunia os maiores craques do mundo, como Ronaldo Fenômeno, Zidane e Beckham. Vários deles tiveram carreiras repletas de honrarias e chegaram ao seleto grupo de oficiais que formam a cúpula da corporação. O coronel Alberto Pinheiro Neto — primeiro à direita, de pé —, principal instrutor da turma, foi alçado ao cargo de comandante-geral da PM em 2015 pelo então secretário de Segurança José Mariano Beltrame. Antes, entre 2007 e 2009, chefiou o Bope. Um dos formandos também comandou o batalhão dos "caveiras" entre 2019 e 2021: o tenente-coronel Maurílio Nunes, que na época da foto ainda era apenas um aspirante. Outro que virou comandante foi o tenente-coronel Aristheu de Góes Lopes, que assumiu em 2021 o batalhão com maior contingente de policiais do estado, o 7º BPM (São Gonçalo).

O mais promissor dos "galácticos", entretanto, não teve uma carreira de destaque na corporação: pelo contrário, usou o que aprendeu no Bope para virar um dos homens mais temidos do Rio e criar o Escritório do Crime, a quadrilha de matadores de aluguel que ocuparia as manchetes dos jornais nas décadas seguintes. Na foto, um dos policiais ajoelhados é Adriano Magalhães da Nóbrega — ou capitão Adriano, como passou a ser conhecido anos depois. Mesmo expulso da PM, ele manteve a patente no submundo do crime.

Adriano entrou na corporação em 1996, quando tinha apenas dezenove anos. A escolha não foi difícil: ele alimentava o sonho de ser policial — e, sobretudo, "caveira" — desde a primeira vez que testemunhou de perto uma ação da tropa de elite, ainda no início da adolescência. O próprio Adriano contou essa história a outros oficiais do batalhão quando era aspirante. Aconteceu no início dos anos 1990: em uma madrugada, o Bope havia sido acionado para uma operação nas proximidades do Jacarezinho, na Zona Norte. Ao saírem do túnel Noel Rosa, que dá acesso à favela, os agentes, ainda embarcados nas viaturas, foram alvo de tiros de traficantes. As equipes estacionaram e começaram a perseguir os criminosos a pé pelo Sampaio, um bairro que faz limite com a favela. Da janela de uma das casas simples da região, uma idosa assistia à movimentação, indiferente aos tiros — o que levantou suspeitas dos "caveiras", que foram ao local checar se a mulher não seria olheira do tráfico.

"Os policiais bateram na porta e quem atendeu foi o neto daquela senhora, o jovem Adriano da Nóbrega, que ainda era estudante na época. Ele explicou que a avó ficou apreensiva com os tiros e foi para a janela ver o que estava acontecendo. Negou que a família tivesse envolvimento com o tráfico e deixou o Bope entrar. Os policiais fizeram buscas, agradeceram ao jovem e saíram. Não teve esculacho, não teve agressão. Cinco anos depois, já na PM, Adriano procurou o policial que havia chefiado as buscas em sua casa, contou a história e disse que foi naquele dia, ao ver os 'caveiras' em ação, que decidiu entrar na polícia para trabalhar no Bope", me contou Rodrigo Pimentel, capitão reformado do Bope e um dos oficiais que escutaram a história do próprio Adriano.[1]

Na Academia de Polícia Militar Dom João VI, que frequentou de março de 1996 a dezembro de 1998, o agora aspirante se destacava pelo porte físico e pelas habilidades atléticas. Alto, forte e ágil, Adriano logo ganhou dos colegas o apelido de Maromba — e, por seu desempenho acima da média em instruções que demandavam vigor atlético, como corridas e escaladas, se aproximou dos oficiais do Bope e logo passou a ser cotado para uma vaga no Coesp. No entanto, como alunos não eram aceitos no curso dos "caveiras", Adriano teve de terminar sua formação como oficial para, depois, se candidatar a uma vaga. O ingresso no Bope também era uma garantia financeira: a gratificação paga aos agentes ajudaria Adriano a arcar com as contas da casa onde morava com a mãe e a avó.

Por isso, enquanto não podia entrar no Bope, ele complementava seu salário de aspirante fazendo "bicos" de segurança particular, que são proibidos pela corporação. No início da carreira, Adriano chegou a trabalhar como guarda-costas para empresários e até numa casa de shows na Lapa, reduto boêmio no Centro do Rio. A atividade paralela acabou descoberta pela PM em dezembro de 2000, quando uma produtora, voltando para casa depois de um show, foi assaltada. Dois homens armados com pistolas a abordaram e levaram quase 19 mil reais provenientes da arrecadação do evento. Durante a investigação do crime, que identificou os responsáveis pelo roubo, a atuação do policial como guarda-costas veio à tona: uma sócia da vítima, ao prestar depoimento, apontou o jovem como um dos seguranças do show — e ainda afirmou que, pelo serviço, ele recebera cem reais naquela noite. Adriano até tentou argumentar que estava no local a convite da produtora, mas foi em vão: com base no depoimento, o corregedor da PM decidiu, em abril de 2005, que ele tinha cometido uma "transgressão leve" e determinou sua detenção dentro do batalhão por quatro dias.[2]

Depois que se formou como primeiro-tenente, Adriano não perdeu tempo: se inscreveu no Coesp, tornando-se um dos "galácticos". Quem o conheceu nessa época garante que ele penou para concluir o curso, que favorecia agentes com o tipo físico "mignon" — mais baixos, magros e ágeis. Esses policiais eram considerados mais resistentes, conseguiam passar por obstáculos com facilidade e, o mais importante, se mantinham despercebidos em patrulhas na mata, durante a madrugada. Com quase 1,80 metro de altura e cem quilos, Adriano tinha o perfil oposto e foi obrigado a compensar a falta de agilidade com força de vontade e coragem — sua característica mais citada por contemporâneos de curso e que o alçaria, anos depois, ao status de "lenda" do batalhão.

Se não conseguia se destacar nas instruções debaixo d'água ou em trilhas em mata fechada, o mais novo "caveira" era imbatível numa atividade central na rotina do batalhão: as incursões em favelas. O Bope foi criado como uma resposta da PM fluminense ao assassinato do major Darcy Bittencourt, capturado por criminosos durante uma tentativa de fuga do Instituto Penal Evaristo de Moraes, em São Cristóvão, na Zona Norte, em 1974. Inicialmente, a unidade era formada por um pequeno grupo de agentes treinados especificamente para atuar em ocorrências com reféns — como sequestros, grandes assaltos e rebeliões em presídios —, que exigem muita precisão, técnica e capacidade de negociação para evitar mortes de inocentes.

Com as mudanças na cena criminal do Rio ao longo dos anos 1980, o enfrentamento de traficantes armados nas favelas passou a ser encarado como prioridade para as autoridades da segurança pública, e o perfil do Bope mudou: antes usado apenas em ações emergenciais para resgate de reféns, o batalhão passou a ser acionado rotineiramente para entrar em comunidades, trocar tiros com criminosos e apreender armas e drogas — virou uma "tropa de guerra urbana",[3] como costumam dizer seus integrantes. No início de sua trajetória, a unidade passava meses treinando para atuar em uma só ocorrência; em 2017, seus agentes participaram de mais de uma operação por dia, em média.[4] O novo contexto abriu as portas do Bope para policiais menos técnicos e precisos, embora reconhecidos pela coragem em combate, como Adriano da Nóbrega.

Até hoje, os feitos do então tenente quando era "caveira" são contados como verdadeiras epopeias no batalhão. Colegas de farda lembram, com riqueza de detalhes, do dia em que uma caixa com armamentos recém-comprados pela PM chegou ao Bope, e o recém-formado Adriano foi correndo desembrulhar as peças. Animado, montou uma das armas num piscar de olhos, diante dos olhares estupefatos dos outros, que ainda procuravam os manuais.

Quando completou um ano de batalhão, em agosto de 2001, Adriano ganhou do então comandante do Bope, coronel Venâncio Moura, um certificado de "policial que mais se destacou" — uma espécie de "funcionário do mês" do Bope.[5] Todo esse destaque levou a corporação a investir no jovem oficial: só entre 2001 e 2002, Adriano fez cursos de Sniper Policial e Tiro Defensivo, na PM de São Paulo, e de Operações Táticas Especiais, na Polícia Civil do Paraná, com todas as despesas custeadas pelo Estado.

O investimento na carreira de Adriano seria em vão. Apenas dois anos depois de entrar no Bope, ele seria expulso por quebrar duas regras de ouro dos "caveiras": a hierarquia e a disciplina. "O Adriano fazia operações clandestinas no Complexo do Alemão usando um carro particular, descaracterizado. Durante seu plantão, no meio da madrugada, ele entrava na favela embarcado, junto com uma equipe fortemente armada, e parava num ponto estratégico para o tráfico. Quando um bando de criminosos passava, os policiais atacavam de surpresa", me contou Rodrigo Pimentel. O tenente era capaz de passar um dia inteiro escondido, sem comer nem beber, só para conseguir surpreender os criminosos — que eram mortos sem chance de defesa.

Se, por um lado, as tocaias ilegais que Adriano montava para emboscar traficantes ganharam rápida fama entre os praças do Bope, que disputavam vagas dentro do carro, por outro lado demoraram a chegar aos ouvidos do comando do batalhão. "Essas operações eram tão reprováveis do ponto de vista técnico que Adriano não as compartilhava com o escalão superior. Elas poderiam causar mortes de inocentes e de policiais, se fossem descobertos. O comandante do Bope não sabia que ele realizava ações desse tipo. Numa certa ocasião, ele descobriu e perdeu a confiança no Adriano, que foi transferido do batalhão e nunca mais voltou", explicou Pimentel.

SEQUESTRO E EXECUÇÃO EM PARADA DE LUCAS

Leandro dos Santos Silva tomou um susto quando olhou pela janela e viu as sombras de um grupo de pessoas que estava na laje de sua casa. O morador de Parada de Lucas, bairro na Zona Norte do Rio dominado em quase toda a sua extensão territorial pelo tráfico de drogas, estava sozinho em casa e resolveu subir para tirar satisfação com os invasores. Quando alcançou o topo da escada que levava à laje, usada sobretudo para churrascos em família nos finais de semana, viu cerca de dez policiais militares fardados. Foi rendido, imobilizado, agredido, vendado e, por fim, colocado na mala de um carro. O sequestro aconteceu em plena luz do dia, às 13h de uma sexta-feira, 21 de novembro de 2003.

Quinze minutos depois, Leandro estava deitado no chão de um galpão abandonado, cercado pelos PMs. "Vagabundo!", gritavam os agentes, enquanto espancavam o jovem com socos, chutes e golpes de pedaços de madeira.[6] Em seguida, começaram a sufocá-lo com um saco plástico para que passasse informações sobre a localização de armas, drogas e dinheiro, mas Leandro não sabia de nada. Aos 24 anos, trabalhava como guardador de carros registrado na Companhia de Engenharia de Tráfego do Rio (CET-Rio). Desde 1999, batia ponto diariamente na avenida Atlântica, em frente ao hotel Copacabana Palace, para sustentar os dois filhos e a mulher. Não tinha antecedentes criminais.

A sessão de tortura durou seis horas. No final, os policiais propuseram um acordo: iam liberá-lo com vida se pagasse 2 mil reais à equipe. Por telefone, Leandro pediu ajuda a parentes, que se cotizaram e conseguiram juntar metade do valor exigido. O dinheiro foi entregue aos PMs e o guardador de carros foi solto, mas lhe impuseram uma condição: teria uma semana para pagar o restante. Já era noite quando Leandro voltou para casa, com lesões por todo o corpo e sem saber como conseguiria juntar mil reais em tão pouco tempo.

No dia seguinte, o jovem procurou uma líder comunitária da região para contar o que havia acontecido e pedir ajuda. A mulher, que já ouvira relatos semelhantes de outros moradores, o aconselhou a denunciar o caso às autoridades; afinal, os PMs voltariam e, sem o dinheiro, ele seria morto. Para convencê-lo, ela afirmou que, a partir da queixa, os agentes poderiam ser afastados ou presos, e Leandro tinha chance de conseguir proteção do Estado. Ao longo da semana seguinte, a dupla fez um verdadeiro périplo por órgãos de controle e entidades que atuam na defesa dos direitos humanos. Foram à Ordem dos Advogados do Brasil (OAB), à Alerj e à Corregedoria-Geral Unificada (CGU), mas não conseguiram sequer ser atendidos para protocolar a denúncia.[7]

O prazo estipulado para o pagamento já estava se esgotando quando Leandro leu no jornal que o governo havia criado a Inspetoria-Geral de Polícia "para combater a banda podre" da instituição. Em 26 de novembro, ele contou ao inspetor-geral da

Polícia, coronel João Carlos Rodrigues Ferreira, detalhes sobre a sessão de tortura e ainda apresentou provas: ele havia anotado os números das viaturas que os policiais usavam. Eram dois carros do 16º BPM (Olaria), o batalhão que patrulhava a região. Depois de prestar depoimento, Leandro foi submetido a um exame de corpo de delito, que constatou, mesmo cinco dias após as agressões, "múltiplas escoriações" nas pernas, marcas de algemas em seus pulsos e bolsas de sangue sob os olhos — indício de que ele havia sido, de fato, vítima de asfixia, segundo os peritos.[8] Já era noite quando Leandro voltou para casa, sem proteção policial.

Às 6h30 do dia seguinte, o guardador de carros foi executado com três tiros de fuzil diante de cinco testemunhas, quando saía de casa para comprar pão. Os autores dos disparos — um deles com o jovem já caído no chão — eram os mesmos PMs que o haviam sequestrado e torturado uma semana antes. Depois, os agentes ainda tiraram o cadáver do local e o levaram até o hospital, impossibilitando a perícia da cena do crime. Na 38ª DP (Brás de Pina), disseram que haviam revidado a um ataque a tiros e apresentaram uma pistola para provar que Leandro era traficante.

A farsa seria desmontada naquela mesma manhã. Moradores de Parada de Lucas, revoltados com o assassinato, fizeram uma manifestação que fechou as duas pistas da avenida Brasil — principal via que liga o Centro do Rio às zonas Norte e Oeste. A mobilização fez efeito: o crime logo chegou aos ouvidos do coronel João Carlos Rodrigues Ferreira, que ouvira o relato de Leandro menos de 24 horas antes. O oficial, então, foi ao local do crime, encontrou testemunhas oculares e seguiu para a 38ª DP, onde deu voz de prisão a oito policiais, todos integrantes da mesma patrulha. Entre os presos estava o comandante da equipe, um jovem tenente que tentava reconstruir a carreira no 16º BPM após ser expulso do Bope: Adriano Magalhães da Nóbrega.

A investigação feita pelo inspetor-geral traria à tona, nos dias seguintes, que Leandro não havia sido a única vítima da patrulha de Adriano: outros dois moradores da região também foram capturados e torturados pelos PMs no intervalo de um mês. Todos foram levados ao mesmo galpão abandonado — que foi localizado graças ao GPS de uma das viaturas usadas pelo grupo —, agredidos e sufocados, e só conseguiram ser liberados depois de aceitarem pagar pelo menos mil reais. Adriano e seus capangas eram tão temidos em Parada de Lucas que ganharam o apelido de Guarnição do Mal entre os moradores. O crime fazia parte da rotina do oficial.

A detenção da patrulha não foi bem recebida no 16º BPM. O comandante, tenente-coronel Lourenço Pacheco, foi à delegacia de fuzil em punho para impedir a prisão de seus "homens de confiança". Como o inspetor-geral ousava prender os "operacionais", os "guerreiros" do batalhão, policiais que "enfrentavam o crime" na região? Em frente à 38ª DP, Pacheco chegou a ameaçar repórteres e fotógrafos para que não fossem registradas imagens dos PMs: "Eu vou processar vocês!". A tentativa de livrar os policiais foi em vão: naquela mesma tarde, o então governador Anthony Garotinho exonerou Pacheco do comando do batalhão. "Quando percebi que havia uma resistência maior, a ponto de o senhor comandante dizer que eram homens de sua inteira confiança, determinei que ele fosse exonerado", disse Garotinho à imprensa.[9]

No início da noite de 27 de novembro de 2003, Adriano foi trancado na carceragem do Batalhão de Choque, no Centro do Rio. Meses depois, foi transferido para o então recém-inaugurado Batalhão Especial Prisional (BEP) — presídio administrado pela própria PM na Zona Norte e que ficaria conhecido nos anos seguintes por uma série de escândalos envolvendo detentos, como churrascos e fugas. Esse seria o endereço de Adriano até 2006.

O período preso marcou a maior reviravolta de sua trajetória. Quando entrou na cadeia, Adriano era um jovem e promissor oficial da PM; ao sair, já era um temido funcionário da máfia que dominava o jogo ilegal no estado.

DEFESA NO PLENÁRIO

"Antes de iniciar, queria pedir a Denise Frossard, como juíza, que me ouvisse por alguns minutos, porque não tenho experiência nessa área e quero me aconselhar com ela", disse o então deputado federal Jair Messias Bolsonaro no plenário da Câmara, após ser autorizado a discursar ao microfone. Ele se dirigia à sua colega parlamentar e ex-juíza criminal fluminense que se tornara conhecida em todo o país após condenar a cúpula do jogo do bicho, em maio de 1993. "Pela primeira vez, eu compareci a um tribunal do júri. Estava sendo julgado um tenente da Polícia Militar de nome Adriano, acusado de ter feito incursão em uma favela, onde teria sido executado um elemento que, apesar de envolvido com o narcotráfico, foi considerado pela imprensa um simples flanelinha", explicou Bolsonaro.[10]

O discurso aconteceu em 27 de outubro de 2005. Apenas três dias antes, o tenente Adriano Magalhães da Nóbrega fora condenado a dezenove anos e seis meses de prisão, em primeira instância, pelo homicídio do guardador de carros Leandro dos Santos Silva. Ao contrário do que Bolsonaro afirmou no plenário, não havia nenhuma prova de que a vítima tinha envolvimento com o tráfico além dos relatos dos policiais acusados. Bolsonaro, entretanto, não só compareceu à sessão de julgamento, no Tribunal de Justiça, como também considerou conveniente usar seu palanque para uma defesa incondicional do tenente.

"Não considero que a promotoria o condenou, deputada Denise Frossard. Um dos coronéis mais antigos do Rio de Janeiro compareceu fardado, ao lado da Promotoria, e disse o que quis e o que não quis contra o tenente, acusando-o de tudo que foi possível, esquecendo-se até do fato de ele sempre ter sido um brilhante oficial e, se não me engano, o primeiro da Academia da Polícia Militar. [...] A decisão, portanto, tem de ser revista", defendeu o parlamentar.

Apesar de Bolsonaro, ao longo de sua trajetória política, ter se notabilizado pela defesa de policiais militares acusados de homicídios em serviço, aquele caso era diferente. Ele nunca havia comparecido ao fórum para prestar solidariedade durante um julgamento, tampouco usado o cargo para pressionar pela absolvição de um agente. O "brilhante oficial" não era um policial qualquer: Adriano tinha conexões profundas com o parlamentar e sua família, que não seriam rompidas nem quando o ex-caveira mergulhou na clandestinidade e virou o matador de aluguel mais temido do Rio.

Apenas um mês antes do discurso na Câmara, Bolsonaro foi visitar Adriano no presídio. O motivo era nobre: mesmo preso, o oficial foi agraciado com a Medalha Tiradentes, maior honraria do Legislativo fluminense. O autor da homenagem, também presente na cerimônia realizada ali mesmo, na cadeia, era o filho mais velho de Bolsonaro, Flávio. A justificativa para a homenagem, segundo o texto encaminhado pelo parlamentar à presidência da Alerj, era o resultado de uma operação com doze presos e quatro fuzis apreendidos da qual Adriano havia participado em 2001, quando ainda estava no Bope.[11] A argumentação era insuficiente, sobretudo se levarmos em conta que o agraciado era acusado de um homicídio bárbaro. A entrega da medalha mais parecia uma forma de a família Bolsonaro demonstrar apoio ao amigo num momento difícil.

Mais de dez anos depois, já presidente da República, Jair Bolsonaro assumiu a responsabilidade pela condecoração. "Para que não haja dúvida. Eu determinei. Manda pra cima de mim. Meu filho condecorou centenas de policiais militares. [...] Naquele ano, ele era herói da Polícia Militar. Como é muito comum, um PM quando está em operação mata vagabundo, traficante", disse à imprensa.[12]

Adriano não era, como insinuou Bolsonaro, apenas um dentre vários policiais militares homenageados pelo clã: ele tinha acesso direto à família e costumava frequentar o gabinete de Flávio — a quem, inclusive, deu aulas de tiro no estande do Bope.[13] A aproximação de Adriano com a família se deu através de um dos mais fiéis contatos do clã na Polícia Militar do Rio, o então sargento Fabrício Queiroz. Em 1984, Bolsonaro e Queiroz se conheceram quando ambos serviam na Brigada Paraquedista do Exército e começaram uma amizade que manteriam mesmo quando o ex-capitão foi se aventurar na política e o soldado passou no concurso da PM. Décadas depois, Queiroz se tornaria o faz-tudo dos Bolsonaro, responsável por organizar as agendas dos integrantes do clã durante períodos eleitorais, por prover sua segurança e, segundo o MP do Rio, também por operar o esquema de desvio de dinheiro público no gabinete de Flávio na Alerj. Um pouco antes, quando ainda estava na ativa e era um dos policiais mais temidos pelos moradores da Cidade de Deus, Queiroz integrou uma patrulha comandada por Adriano no batalhão de Jacarepaguá, o 18º BPM.

Logo após ser expulso do Bope, o tenente serviu um breve período com Queiroz antes de ser novamente transferido para o quartel de Olaria, onde seria preso pelo homicídio do guardador de carros. Nos seis meses em que trabalharam juntos, a dupla chegou a ser investigada por executar um técnico de refrigeração em maio de 2003.[14] Na ocasião, Anderson Rosa de Souza, de 29 anos, foi morto por três tiros — dois deles pelas costas — durante uma operação de Queiroz e Adriano na Cidade de Deus. Os dois disseram que tinham revidado a um ataque a tiros e sustentaram que, após o confronto, encontraram o corpo de Anderson com uma "bolsa preta" ao lado.

O cadáver foi retirado do local, levado a um hospital, e a cena do crime foi desfeita. As armas usadas pelos PMs jamais foram periciadas. Por quase vinte anos, somente se levou em consideração a versão dos policiais: nenhuma testemunha nem parente da vítima foi procurada e ouvida pela polícia. Em 2020, a viúva de Anderson diria ao *Fantástico* que sabia por várias testemunhas que o marido fora executado: "Os moradores falaram: 'Pegaram teu marido aí, levaram lá para baixo, fizeram ele se ajoelhar e deram os tiros nele'. Disse que ele pediu 'pelo amor de Deus', mas não adiantou".[15]

Apenas três meses depois do homicídio, Queiroz foi cedido pela PM para trabalhar no gabinete de Flávio Bolsonaro, recém-eleito para seu primeiro mandato na Alerj. No novo cargo, Queiroz logo conseguiu emplacar uma "moção de louvor" para o amigo — homenagem que não se compara à Medalha Tiradentes que Adriano ganharia na cadeia, mas poderia ajudar numa promoção na PM. No texto da condecoração, encaminhado à mesa diretora da casa, Flávio argumentou que Adriano "desenvolve sua função com dedicação, brilhantismo e galhardia", e ainda ressaltou seu "espírito comunitário, que sempre pautou sua vida profissional", e sua atuação "no cumprimento do dever de policial militar no atendimento ao cidadão".[16]

Ao longo dos anos, a relação com os Bolsonaro não foi abalada, mesmo com a escalada de Adriano no submundo do crime. Em 2007, Danielle, primeira mulher do oficial, foi nomeada assessora de Flávio Bolsonaro na Alerj. Em 2015, quando Adriano já havia sido expulso da PM e trabalhava para a máfia do jogo do bicho, foi a vez de sua mãe, Raimunda, ganhar um cargo. De acordo com o Ministério Público do Rio de Janeiro, apesar de receber salários, nenhuma das duas trabalhava de fato na Assembleia: ambas integravam o esquema de desvio de dinheiro público a partir da devolução dos salários de "funcionários-fantasmas" nomeados no gabinete de Flávio — que passou a ser conhecido nacionalmente como "rachadinha" a partir de dezembro de 2018, quando veio à tona a movimentação financeira atípica de Queiroz. Tanto Danielle quanto Raimunda foram exoneradas.

Ao todo, a mãe de Adriano devolveu, entre transferências diretas para Queiroz e saques de sua conta, 247 mil reais, ou mais de 90% de todo o dinheiro que recebeu como "assessora-fantasma" do gabinete.[17] O restante ficava como recompensa por participar da "rachadinha". Já com a ex-mulher de Adriano, que recebeu sem trabalhar por onze anos, o esquema funcionava de forma diferente: como o casal se separou em 2013, Danielle passou a reter a íntegra do salário que recebia da Alerj como uma espécie de "pensão alimentícia" paga pelo ex-marido. De acordo com a investigação, cabia a Adriano arcar com os repasses a Queiroz, através de transferências feitas das contas de duas pizzarias controladas por sua família ou por pagamentos feitos por sua mãe. Foram devolvidos 163 mil reais, ou 20% de todos os salários que Danielle recebeu.

Mensagens encontradas no celular da ex-mulher de Adriano revelaram o medo da família Bolsonaro de que a conexão com o ex-caveira viesse à tona. Em dezembro de 2017, Jair e os filhos começavam os preparativos para a eleição presidencial do ano seguinte, e Queiroz tentou marcar um encontro com Danielle: "Quero conversar com você".

"É conversa boa ou ruim?", perguntou a mulher.

"É sobre seu sobrenome. Não querem correr risco, tendo em vista que estão concorrendo e a visibilidade que estão", respondeu o faz-tudo.[18]

Apesar de separada, Danielle ainda mantinha o sobrenome "Nóbrega". A possibilidade de a imprensa fazer um pente-fino nos funcionários do gabinete assombrava a família — que, claro, temia ser associada a um dos homens mais temidos do estado durante a campanha. A conexão, entretanto, só seria revelada em 2019, quando Adriano virou um foragido da Justiça e Bolsonaro já havia vencido as eleições e assumido a Presidência.

VISITA NA CADEIA

O ano de 2005 foi bastante movimentado para o tenente Adriano da Nóbrega dentro do BEP. Além de ser homenageado com a Medalha Tiradentes, ele recebeu um convite que mudaria sua vida. O portador da boa nova foi um velho conhecido, que Adriano se acostumou a chamar de "padrinho": Rogério Mesquita, pecuarista muito influente no Rio de Janeiro, que tinha uma agenda de contatos invejável na política e na polícia.

O ex-caveira conheceu o fazendeiro ainda criança, quando seu pai, José Nóbrega, se separou da mulher, saiu da casa onde morava com a família e conseguiu um emprego de caseiro nas terras de Mesquita, em Cachoeiras de Macacu, interior fluminense. Adriano passava as férias com o pai e gostava de andar a cavalo na fazenda do pecuarista. No entanto, o assunto que o "padrinho" queria tratar com o "afilhado" preso não tinha relação alguma com cabeças de gado ou alqueires de terra: ele era o responsável por levar ao ex-caveira uma proposta de trabalho feita por uma das famílias que controlam o jogo do bicho no Rio.

Além de pecuarista, Mesquita também exercia uma função importante no submundo do crime: era administrador da fortuna e dos bens — que incluíam fazendas, um haras e cavalos premiados — da família Garcia, uma das precursoras da contravenção carioca e dona das bancas de bicho na Zona Sul e na Tijuca, regiões ricas da capital. O fazendeiro fora alçado ao "cargo" porque era o melhor amigo de Waldemir Paes Garcia, o Maninho, principal herdeiro da família e quem de fato tocava os negócios à época, já que o lendário Waldomiro Garcia, o Miro, pai de Maninho e presidente de honra da escola de samba Acadêmicos do Salgueiro, tinha 77 anos, estava doente e mal conseguia enxergar.

O convite feito por Mesquita a Adriano estava diretamente ligado a uma crise interna no clã. Na noite de 28 de setembro de 2004, Maninho foi executado a tiros de fuzil quando saía, numa moto, de uma academia de ginástica em Jacarepaguá. Até hoje o assassinato não foi esclarecido pela polícia. No enterro do filho, o patriarca intercalava tragadas em cigarro com a máscara de oxigênio. Apenas 33 dias depois do crime, Miro morreu em decorrência de uma infecção generalizada. Em um mês, a família perdeu as duas cabeças do negócio e, com o vácuo de poder, abriu-se uma disputa interna pela sucessão.

Foi em meio ao racha no clã que o pecuarista procurou Adriano. Até hoje, não está claro se ele chegou a visitar o PM na cadeia ou se fez a proposta via celular — os aparelhos, apesar de proibidos, eram facilmente obtidos pelos policiais presos no BEP. Tudo o que se sabe sobre o contato entre os dois foi revelado pelo próprio Rogério Mesquita, num depoimento prestado à Polícia Civil em 2008, quando o "afilhado" já havia se tornado desafeto. O fazendeiro não deu detalhes, como a data exata em que fez a proposta ou como conseguiu contato com o detento, mas contou o fundamental: que convidou Adriano para ser chefe da segurança de Alcebíades Garcia, o Bide, irmão de Maninho e um dos postulantes à sua sucessão. E o ex-caveira, mesmo preso, aceitou.[19]

Para Mesquita — que tinha como missão gerenciar a sucessão —, Bide tinha um alvo nas costas e precisava de proteção. Até as mortes do pai e do irmão, o postulante a herdeiro não participava da gestão do jogo ilegal nem conhecia os meandros do negócio. Bide passava a maior parte do ano fora do Rio, cuidando de fazendas que tinha em Roraima. Por isso, quando voltou ao estado para tocar os negócios da família, "não tinha noção do que estava verdadeiramente assumindo", como Mesquita contaria à polícia anos depois. O receio do pecuarista era justificado: o retorno de Bide e sua súbita ascensão não foram bem recebidos por outros parentes, que também estavam interessados em nacos do espólio ilegal do velho Miro.

Maninho teve três filhos. O caçula Myro, que sobreviveu ao ataque sofrido pelo pai, não poderia assumir os negócios, afinal, tinha apenas quinze anos. Já suas duas irmãs, as gêmeas Shanna e Tamara, também não faziam parte da linha sucessória por conta de uma regra tácita e machista da cúpula que controla o jogo, que proíbe mulheres na chefia das quadrilhas. No entanto, ambas já eram casadas — e seus maridos não queriam ficar de fora do jogo. Shanna Garcia se casou com José Luiz de Barros Lopes, o Zé Personal, que ganhou o apelido porque era o personal trainer que a orientava na academia. Já Tamara juntou os trapos com Bernardo Bello, ex-vendedor de uma loja de roupas num shopping na Barra da Tijuca. Casados, os dois genros largaram seus empregos e passaram a trabalhar na quadrilha de Maninho. Com o vácuo de poder na família, ambos se sentiam preparados para assumir responsabilidades maiores e passaram a se cercar de capangas armados.

Rogério Mesquita sabia que uma guerra familiar era inevitável. Por isso, aconselhou Bide — que considerava o herdeiro legítimo — a "se precaver e contratar um corpo de seguranças que pudessem lhe trazer mais tranquilidade". O pecuarista tinha o homem certo para a missão. Afinal, quem se atreveria a atacar um policial do Bope? Foi assim que Mesquita indicou o tenente Adriano da Nóbrega, que "conhecia há muitos anos" e sabia que estava "necessitando de ajuda financeira".

No acordo fechado entre os três — Adriano, Mesquita e Bide —, o fato de o PM estar preso era um detalhe: ele passou a receber uma mesada de 5 mil reais para indicar catorze policiais — todos do Bope — que se revezariam em três grupos para cumprir escalas de doze horas na escolta do chefe. Para coordenar o grupo de seguranças nas ruas, Adriano escolheu um oficial de sua total confiança: o tenente Edson Alexandre Pinto de Góes, mais um dos "galácticos" da turma de 2000 do Coesp. Na foto dos formandos perfilados na mata em Itaipava, os dois estão lado a lado: Adriano posou com o braço direito apoiado no ombro do amigo.

Até o colega de turma ser posto em liberdade, caberia a Edson manter contato constante com Bide para entender sua rotina e planejar as escoltas — inclusive em viagens para fora do Rio —, pedir reforços, mudar as escalas em emergências e até dar folgas a seus subordinados. Tudo isso entre os turnos de plantão no Bope. Pelo serviço, ele também passaria a ganhar 5 mil mensais.

Os demais caveiras da equipe, todos praças, receberiam 2 mil cada. Em seu depoimento, Mesquita conseguiu lembrar os nomes de guerra usados na PM por três outros policiais indicados por Adriano para integrar a escolta de Bide: "Hector", "Felipe" e "Anastácio". Com base no relato, a PM abriu uma investigação interna para apurar se de fato havia policiais do Bope entre os seguranças do filho de Miro Garcia. E algumas provas colhidas pela Corregedoria da corporação reforçavam o depoimento.

No dia 6 de agosto de 2008, os investigadores foram a um prédio comercial na rua Visconde de Pirajá, em Ipanema. No sexto andar, funcionava o escritório do Haras Modelo, que ficava em Guapimirim, na Região Metropolitana do Rio, onde os Garcia criavam gado e cavalos de raça — e lavavam dinheiro proveniente do jogo do bicho. Bide passou a bater ponto lá depois que assumiu os negócios da família. Munidos de fotografias de vários policiais do Bope, os corregedores tomaram o depoimento do porteiro do edifício. O homem, que trabalhava ali havia dezessete anos, reconheceu três dos agentes[20] — os caveiras "frequentavam o condomínio sempre acompanhados de Bide, do qual eram seguranças", disse ele.[21] Pelo menos uma vez por semana, os agentes chegavam a bordo de uma Blazer preta com os vidros cobertos por insulfilm, esperavam o chefe e saíam acompanhando Bide.

Seis dias depois, no entanto, o porteiro voltou atrás. Na ocasião, os corregedores foram novamente ao prédio para mostrar a ele outras fotografias de PMs do Bope. Quando abordado, disse que estava "muito preocupado" com o depoimento que havia prestado, que estava atarefado no dia em que o ouviram e, por isso, "não deu muita atenção ao que estava assinando".[22]

A existência da escolta de caveiras, no entanto, também foi confirmada por um relatório de inteligência produzido pela Polícia Federal em 14 de abril de 2008 — três meses antes, portanto, do depoimento de Rogério Mesquita à Polícia Civil. O documento, encaminhado à Secretaria de Segurança do Rio, relatava que dois cabos e dois soldados do Bope trabalhavam para Bide.[23] Comparando os dados da PF com os nomes citados por Mesquita, a Corregedoria da PM conseguiu identificar dois dos agentes. Um deles era o cabo Hector Ramon do Nascimento, também reconhecido pelo porteiro. Primeiro colocado do Curso de Operações Especiais de 2001, turma seguinte à dos "galácticos", Hector vinha sendo alvo, desde 2007, de várias denúncias anônimas encaminhadas à PM sobre seu trabalho como segurança de Bide – numa delas, o denunciante chegou a afirmar que Hector agredia e fazia ameaças a comerciantes de bares da Zona Sul do Rio que permitiam a instalação de máquinas de quadrilhas rivais.[24] O outro era o ex-soldado Max Leandro Anastácio dos Santos, expulso da PM pouco antes da abertura da investigação sobre os caveiras da escolta de Bide. Anastácio foi acusado de agredir um aluno do Curso de Ações Táticas (CAT), que também dá acesso ao Bope, com socos e golpes de corda molhada.

Todos os agentes identificados foram ouvidos pela Corregedoria.[25] Em depoimentos curtos, eles negaram ter prestado serviços de segurança para Adriano da Nóbrega e nenhum deles foi questionado sobre sua relação com Bide. Apenas o tenente Edson, apontado por Rogério Mesquita como o indicado por Adriano para chefiar a escolta do bicheiro, confirmou sua relação de amizade com o ex-caveira, que o teria apresentado ao pecuarista e operador financeiro da família Garcia "durante um churrasco" num sítio em Guapimirim. Edson também negou conhecer Bide. Adriano, por sua vez, jamais admitiu ter sido recrutado na cadeia para montar a escolta do bicheiro.

O irmão de Maninho não chegou a prestar depoimento. No entanto, quando perguntado pela imprensa sobre sua escolta, retrucou com ironia: "Não tenho policiais do Bope na minha segurança. Pelo que me consta, os policiais dessa força especial da PM têm um bom salário para o trabalho que fazem e não precisam fazer bicos".[26]

Ao final da investigação, a Corregedoria considerou que havia "fortíssimos indícios de crime" por parte de todos os caveiras apontados como integrantes da escolta de Bide.[27] Na época, três foram transferidos do Bope e submetidos ao Conselho de

Disciplina, processo administrativo interno da PM que poderia culminar na expulsão da corporação. No entanto, tudo acabou em pizza. Apesar dos indícios, nenhum processo foi aberto na Justiça.

Até o primeiro semestre de 2022, os praças seguiam na corporação. Um deles, o hoje subtenente Hector, chegou a receber do vereador Carlos Bolsonaro, segundo filho do ex-presidente Jair Bolsonaro, a Medalha Pedro Ernesto, maior honraria da Câmara Municipal do Rio, em 2015. Na justificativa apresentada para a homenagem, Hector seria "possuidor de uma didática de ensino aprimorada", com "conhecimento profundo do sistema (técnicas especiais e táticas)" e "vasta experiência operacional".[28] Até Max Leandro Anastácio, que foi expulso da PM antes da investigação sobre a escolta, foi absolvido da acusação de agredir um aluno em 2009 e acabou reintegrado à PM. Em maio de 2023, ele seguia na corporação e ocupava a patente de sargento.

A acusação de chefiar, a pedido de Adriano, a escolta de Bide não teve nenhum impacto na carreira do "galáctico" Edson Alexandre. O oficial — mais um homenageado pela família Bolsonaro, dessa vez com uma moção de louvor e congratulações da Alerj, requerida por Flávio em 2004 — trabalhou em vários quartéis da capital do Rio e chegou a alcançar a patente de major. No entanto, em 2014, o amigo de Adriano foi preso quando estava no auge da carreira.

Edson ocupava o cargo de subcomandante do Comando de Operações Especiais (COE) — responsável por coordenar todos os batalhões operacionais especiais da PM, como o Bope e o Batalhão de Choque — quando foi alvo da operação Amigos S/A, do MP do Rio, contra uma quadrilha de policiais lotados no batalhão de Bangu que cobrava propinas a comerciantes, cooperativas de vans e mototaxistas. Em sua casa, foram apreendidos 287,6 mil reais em espécie, divididos em maços de 5 mil e embalados em sacos plásticos. Em abril de 2021, ele foi condenado, em segunda instância, a três anos e seis meses de prisão por lavagem de dinheiro.[29]

No final das contas, o tenente Adriano da Nóbrega foi o único agente a ter a carreira manchada pela acusação de ligação com o bicho. Mas isso só aconteceria de fato na década seguinte, depois que ele ascendeu vários degraus na hierarquia da quadrilha dos Garcia e deixou um rastro de sangue pelo estado. Entre 2005 e 2006, no entanto, quando entrou na folha de pagamento da máfia do bicho, Adriano ainda atuava nas sombras. Prova disso é que, com discrição e eficiência, conseguiu arregimentar uma tropa de caveiras e a colocou à disposição de um dos bicheiros mais poderosos da cidade, isso tudo de dentro da prisão.

Num dia, os policiais da escolta de Bide subiam favelas vestidos de fardas pretas a pretexto de combater o crime. No outro, estavam a serviço dele. E o mais curioso: segundo os depoimentos de Rogério Mesquita e do porteiro, o esquema de segurança dos caveiras funcionava a todo vapor quando, em outubro de 2007, *Tropa de elite* estreou nos cinemas de todo o Brasil. O filme, dirigido pelo cineasta José Padilha, retratava o Bope como um batalhão incorruptível, em contraposição ao resto da PM — apresentada como uma instituição moldada pelo "jeitinho", pela malandragem e por subornos de criminosos de todas as estirpes.

"Faca na caveira e nada na carteira!", diz de maneira jocosa um policial "convencional" ao avistar os homens de preto chegando à favela, numa das sequências de abertura da película. "Para ter essa caveira aqui, seu zero dois, é preciso ter caráter. No Bope não entra polícia corrupta!", berra, em outra cena, o protagonista, capitão Nascimento, para um policial sabidamente desonesto que tentava entrar no Curso de Operações Especiais. Enquanto nas telas não tinha "arrego" que parasse os caveiras, nas ruas da cidade a história era bem diferente. E claro que os seguranças de Bide não foram os únicos policiais do Bope que se deixaram corromper.

LÉO DO AÇO

Em 11 de maio de 2016, Leonardo Barbosa da Silva entrou na sala da Auditoria de Justiça Militar do Rio e se encaminhou ao banco reservado para as testemunhas, em frente à juíza Ana Paula Pena Barros. Era mais uma tarde corriqueira de audiências no órgão do Judiciário fluminense responsável por julgar policiais militares por crimes cometidos em serviço.

"Boa tarde. Gostaria de saber, senhor Leonardo, se o senhor tem algum apelido", questionou a primeira advogada autorizada pela magistrada a se dirigir ao depoente.

"Léo Santa Cruz ou então Léo do Aço",[30] respondeu o homem, que vestia o uniforme verde do sistema penitenciário do Rio e tinha as mãos imobilizadas por algemas.

Léo do Aço era um integrante de considerável relevância na hierarquia do Comando Vermelho e gerenciava, na época, a venda de drogas em duas favelas da Zona Oeste — Antares e Rola. Naquele dia, ele havia saído escoltado do Complexo de Gericinó, em Bangu, onde cumpria pena, para prestar depoimento como testemunha de defesa de cinco PMs do Bope acusados de corrupção.

Semanas antes, os promotores do Gaeco que atuavam no caso levaram um susto quando viram o nome de Léo do Aço entre os convocados pelos advogados dos policiais para depor — afinal, os agentes haviam sido flagrados, em mensagens de celular, vazando operações da tropa de elite para o traficante. Depois de se reunir e discutir o caso, a equipe de acusação concluiu que os defensores dos PMs deviam ter alguma carta na manga, alguma estratégia para reforçar a tese da inocência dos réus. A defesa presumiu que o criminoso desmentiria o conteúdo da investigação, negaria conhecer os policiais e, claro, diria que nunca havia recebido dinheiro deles.

Todas essas teorias caíram por terra quando o detento desandou a falar.

"Ele falava para mim sobre as operações, quando iam acontecer e os locais, e também se encontrava comigo", começou o traficante, após ser questionado sobre um de seus interlocutores mais frequentes.

"Quem era essa pessoa? Ele era policial militar?", perguntou a advogada, incrédula.

Léo do Aço respondeu tranquilamente: "Sim, do Bope. Ele falava que era a mando do comandante, do coronel. Ele falava diariamente comigo. Eu que ordenei ele a dar bom-dia e boa-noite, pedir desculpa quando o comboio fosse para algum lugar que não fosse aquele local certo. Haveria o respeito de poder pedir desculpa. Tanto da nossa parte quanto da parte dele".

Ao longo de quase dez minutos, Léo do Aço detalhou como funcionava o esquema de "venda" de operações do Bope: semanalmente, ele arrecadava de 50 mil a 70 mil reais entre integrantes do CV que dominavam favelas da Região Metropolitana do Rio e entregava "na mão" do PM, que dividia a quantia entre os demais colegas de farda envolvidos no esquema; em troca, os caveiras deveriam se revezar em turnos para conseguir passar para o traficante, com antecedência, os locais onde a tropa de elite faria incursões. Era assim que Léo do Aço e seus comparsas conseguiam escapar das ações do Bope.

Questionado pelos advogados se conseguiria reconhecer seu interlocutor, Léo do Aço não pestanejou e confirmou: "Nos encontrávamos constantemente devido à relação, ao tempo já junto. Tinha gente que achava que ele até era meu parente, meu irmão. Ele já tinha respeito nas minhas comunidades. Deixava ele chegar, não tinha problema nenhum".

Segundo o traficante, o PM ia buscar o dinheiro sozinho nos pontos de encontro combinados entre os dois por mensagens. Em seguida, Léo foi encaminhado a uma sala contígua onde ficou frente a frente com os réus e apontou Raphael Canthé dos Santos como o soldado do Bope com quem ele mantinha contato.

Até o final do interrogatório, a sinceridade de Léo do Aço ainda deixaria os presentes boquiabertos algumas vezes. Ele revelou que o 27º BPM, quartel que patrulhava a região sob seu domínio, não estava em sua folha de pagamentos porque "eles são combinados com a milícia", e confessou, de forma didática, que seguia chefiando a venda de drogas em seus domínios.

"A minha função lá continua a mesma. Sou o dono da favela do Rodo e de Antares", disse, após ser perguntado sobre sua posição na hierarquia da facção na época.

O advogado não ficou satisfeito com a resposta.

"E agora que o senhor está preso, quem está lá então?"

"Continua a mesma coisa", respondeu o traficante de pronto.

"Sem mais perguntas, meritíssimo."

Como se não bastasse o depoimento — até hoje o mais completo relato sobre corrupção no Bope —, as trocas de mensagens entre caveiras e traficantes eram por si só escandalosas. Essa investigação começou no segundo semestre de 2015, quando agentes da Polícia Federal analisavam o conteúdo de quebras de sigilo de celulares de vários chefes do tráfico no Rio. Pelo teor das conversas — acordos de pagamento de propina —, os agentes suspeitaram que os interlocutores eram policiais militares e acionaram o Ministério Público e a Corregedoria da PM, que então pediram à Justiça novas quebras de sigilo para identificar quem eram os receptores das mensagens dos traficantes.

Naquela época, o clima dentro do Bope era de desconfiança. O próprio comandante do batalhão, o tenente-coronel Carlos Eduardo Sarmento da Costa, suspeitava que as operações do batalhão estavam sendo sabotadas.

"Nas incursões em áreas deflagradas, não encontrávamos nenhum ato ilícito ou resistência de criminosos em regiões sabidamente dominadas pelo tráfico de drogas. Pareciam verdadeiros santuários", contaria meses depois à Justiça.[31]

Por isso, ele não se surpreendeu quando foi informado, já na reta final do inquérito, de que alguns de seus subordinados tinham sido flagrados conversando com criminosos.

A investigação revelou que um grupo de caveiras se uniu para colocar em operação um esquema de vazamento de operações para o CV que funcionava 24 horas por dia. Seu criador foi o cabo Silvestre André da Silva Felizardo, responsável também por recrutar os demais caveiras, cada um estrategicamente lotado numa das quatro companhias do batalhão (Alfa, Beta, Charlie e Delta) — ou seja, todos os dias havia pelo menos um integrante do grupo no batalhão para passar informações sobre as incursões. Além de Felizardo e do soldado Canthé, reconhecido por Léo do Aço, também integravam a quadrilha os cabos Maicon Ricardo Alves da Costa e Rodrigo Mileipe Vermelho Reis, e o sargento André Silva de Oliveira.

A comunicação dos policiais com os traficantes era feita através do BlackBerry Messenger (BBM), aplicativo de mensagens instantâneas bastante usado, na época, pelos criminosos, que o consideravam menos visado pelas autoridades. Ledo engano. Ao todo, 27 traficantes oriundos de nove favelas diferentes das zonas Norte e Oeste do Rio e da Baixada Fluminense recebiam as informações repassadas pelos PMs[32] — as mensagens eram enviadas individualmente, direto para os chefes do tráfico das comunidades que seriam alvo das ações do Bope, ou em grupos integrados pelos caveiras e vários criminosos.

"Barão agora. Barão agora. Quarenta cabeças. Hoje é só pra tirar barricada, valeu? Tranquilidade aí",[33] escreveu o sargento André Silva no aplicativo pouco antes das seis da manhã de 18 de agosto de 2015. O destinatário era Da Russa,[34] chefe do tráfico de uma série de favelas dominadas pelo CV nas zonas Norte e Oeste. O sargento tentava tranquilizar o criminoso, informando que, naquele dia, apesar de ele ter saído para uma operação no morro da Barão, na Praça Seca, um dos territórios sob domínio de Da Russa, não havia motivo para se preocupar: a missão era somente tirar as barricadas instaladas pelo tráfico nos acessos da favela — ou seja, os caveiras não estavam atrás de armas e drogas.

Os PMs que integravam o esquema enviavam alertas aos criminosos mesmo quando o destino da operação era omitido pelo comando do batalhão, que temia vazamentos.

"Vamos sair agora. Não se sabe para onde. Avisa geral. Ficar ligado. Saindo sem destino aqui", escreveu o sargento Silva, pouco antes das sete da manhã de 17 de setembro de 2015.

A mensagem foi enviada para o grupo de todos os traficantes "parceiros", a fim de que cada um se preparasse da maneira que achasse melhor. Doze dias depois, foi a vez de o cabo Maicon Ricardo explicar, no grupo, como funcionava a comunicação entre os caveiras e os traficantes de diferentes favelas.

"Pessoal, não saiam dos grupos feitos! Foi feito um grupão com todos da sintonia e um grupo individual para os contatos de cada lugar caso queiram falar no particular. Nem sempre dá pra avisar um por um. O grupão é pra facilitar na hora de mandar o toque. Um ajuda o outro. Quem vir dá o toque pro outro, não custa nada. Vocês são todos do mesmo lado", explicou o PM.

Mas a convivência entre caveiras e traficantes não era imune a desconfianças. Na madrugada de 27 de outubro, o Bope fez uma operação no Complexo do Chapadão,[35] e os traficantes não foram informados com antecedência pelo cabo Maicon Ricardo, plantonista da ocasião. Diante da revolta dos criminosos, que se sentiram traídos, Ricardo tentou se explicar.

"Se liga, não é maldade, mano, mando o toque na moral pra geral, mas tem vezes que aqui a gente não sabe mesmo. Ninguém fala nada e sai sem destino como foi hoje à noite. Quando dão o papo reto pra onde é, na mesma hora é dado o catuque. Mas quando não falam nada, mando geral ficar ligado justamente por isso, pra não ter confronto e vocês se ligarem que o pessoal tá na rua."

Para apaziguar os ânimos, o cabo Silvestre Felizardo, chefe da quadrilha de caveiras, lembrava com frequência a seus colegas uma ordem dada por Léo do Aço — e que seria mencionada pelo traficante em seu depoimento à Justiça:

"Mano, não esquece do bom dia e boa noite", escreveu Felizardo a um dos comparsas em 17 de setembro.

Um mês depois, a determinação foi recapitulada.

"Mano, você tem que dar bom dia e boa noite pra tranquilizar os amigos, valeu?"

Em dezembro de 2015, os cinco caveiras identificados durante a investigação foram presos. Dois anos depois, veio a sentença: o sargento André Silva, o cabo Maicon Ricardo e o soldado Raphael Canthé foram condenados a 48 anos de prisão cada um, enquanto o chefe do bando, o cabo Felizardo, recebeu pena de oitenta anos. O cabo Rodrigo Mileipe foi absolvido, mas o MP recorreu da decisão e, em 2019, ele acabou sentenciado a 29 anos de prisão em segunda instância. Todos foram expulsos da PM após as condenações.[36]

Já Léo do Aço, o traficante-delator, fugiu da cadeia pela porta da frente em março de 2019. Com a autorização da Justiça para trabalhar fora do presídio debaixo do braço, deixou o Instituto Penal Francisco Spargoli Rocha a pretexto de ir até a empresa de transportes que lhe oferecera uma vaga e não voltou mais. Apenas cinco meses depois, ainda foragido da Justiça, Léo do Aço foi executado a tiros quando saía, de carro, de um motel em Bangu.[37]

As "vendas de operações" do Bope, por sua vez, não foram extintas com as prisões e condenações dos caveiras. Ligações telefônicas de parentes de um dos agentes, interceptadas pelo MP, revelaram que o esquema seguiu de pé pelo menos até 2019. A ex-mulher do cabo Felizardo, por exemplo, foi flagrada recebendo informações sobre ações do Bope depois que o marido foi preso.[38] Num dos telefonemas, um agente disse a ela que estavam "seguindo para Santa Cruz 'duas cheias'" — uma referência, segundo a Promotoria, a duas viaturas que saíram do batalhão rumo ao bairro da Zona Oeste. Antes de desligar, o policial a chamou de "chefe". A investigação conseguiu comprovar, com base em documentos internos do Bope, que viaturas da unidade de fato saíram do quartel em direção a Santa Cruz no dia da ligação.

Em abril de 2021, Carla Oliveira de Melo foi alvo da operação Rainha de Copas, da Polícia Civil do Rio, que investiga a lavagem de dinheiro oriunda do esquema de corrupção no Bope.[39] Na ocasião, a Justiça determinou o sequestro de 7,4 milhões de reais em bens de Carla e outros suspeitos ligados a ela. Fotos suas nas redes sociais — e anexadas à investigação — mostram uma rotina luxuosa, com muitas viagens ao exterior, passeios de lancha e carros conversíveis. Ainda assim, até dezembro de 2022, a investigação seguia em andamento, e Carla não havia sido denunciada à Justiça.

ASCENSÃO NO CRIME

No segundo semestre de 2006, a Justiça do Rio libertou o tenente Adriano Magalhães da Nóbrega. Sua defesa havia recorrido da decisão do Tribunal do Júri que o condenara pelo assassinato do guardador de carros Leandro dos Santos Silva. Ao analisarem o recurso, desembargadores da 4ª Câmara Criminal consideraram que o veredito fora "contrário a provas dos autos". Sentença anulada, o ex-caveira foi solto imediatamente. Em janeiro de 2007, refez-se o julgamento e, dessa vez, Adriano acabou absolvido pelos jurados.

Mais de uma década depois, no entanto, uma escuta telefônica levantaria suspeitas sobre a decisão. Em 9 de fevereiro de 2020, Tatiana Magalhães da Nóbrega, uma das irmãs de Adriano, disse que "o tribunal pediu dinheiro ao Adriano" e que "o jogo do bicho pagou a absolvição dele".[40] Esses são trechos de uma conversa interceptada com autorização da Justiça dois dias depois de Adriano ser morto em uma operação da polícia para capturá-lo no interior da Bahia. O MP monitorava parentes do ex-caveira para descobrir seu paradeiro e chegou a Tatiana, que também contou quem fora o responsável por angariar o dinheiro que teria financiado a absolvição: o pecuarista Rogério Mesquita, "padrinho" de Adriano e operador da família Garcia. Apesar da escuta, a anulação da condenação do ex-caveira jamais foi investigada.

Fora da cadeia e com a ficha limpa, Adriano foi promovido a capitão na PM. Mas a corporação já não era mais sua prioridade: o foco passou a ser construir uma carreira no submundo. O primeiro passo foi dispensar o tenente Edson de Góis, seu amigo "galáctico", da chefia de segurança de Bide e assumir o posto. Adriano, no entanto, não se contentou com o papel de guarda-costas: entre 2007 e 2008, ele soube aproveitar o momento de mudanças pelo qual a família Garcia passava para ampliar sua influência e suas atribuições na quadrilha.

A fim de tentar apaziguar os ânimos do clã, Bide decidiu entregar cargos importantes na hierarquia do grupo a parentes que se ressentiam por não terem herdado o espólio. O mais ambicioso deles era Zé Personal, um dos genros de Maninho, que foi alçado ao posto de gerente-geral das máquinas caça-níqueis — ou seja, responsável por distribuir os aparelhos, garantir a segurança dos pontos, contabilizar os lucros e, o mais importante, assegurar (por vezes à bala) que ninguém mais exploraria o negócio nos domínios da família. Era uma função de prestígio, somente abaixo do chefe, e que rendia ao professor de educação física remunerações polpudas.

Quando assumiu as maquininhas, Zé Personal fez um movimento arriscado: ofereceu ao agora capitão Adriano o cargo de chefe da segurança "da rua". A proposta era, na prática, uma promoção. O ex-caveira deixaria de ser um simples leão de chácara e viraria o braço "operacional" de Personal, o homem encarregado de formar e chefiar a equipe de policiais e ex-policiais que garantiria o monopólio de exploração das máquinas na região dominada pela família. Adriano não pensou duas vezes, aceitou o cargo e virou aliado de primeira hora de Zé Personal.

Para o bicheiro, se aproximar de Adriano era estratégico. Ao mesmo tempo que tirava a escolta de caveiras de Bide, seu rival no controle do espólio de Maninho, e o deixava mais vulnerável a ataques, trazia um oficial formado pelo Bope, temido nas ruas da cidade, para garantir que ninguém se arriscasse a avançar sobre seus domínios. Mas houve quem não gostasse da mudança: apenas dois anos antes, Rogério Mesquita havia recrutado Adriano na cadeia para resguardar Bide justamente porque não confiava nas intenções de Zé Personal, que não considerava herdeiro legítimo do espólio. O capitão não apenas deixou o chefe do clã exposto como passou a trabalhar para seu principal adversário. Assim, Mesquita se sentiu traído e rompeu com o "afilhado". A partir de então, os dois viraram desafetos e nunca mais se reconciliaram.

Sob as ordens de Zé Personal, Adriano se tornou matador de aluguel. O genro de Maninho faria o que fosse preciso para chegar ao topo da quadrilha, inclusive eliminar seus concorrentes um a um. E o ex-capitão do Bope, que aprendeu dentro da PM a matar sem deixar rastros, virou seu maior trunfo na guerra pelo espólio do velho Miro. Policiais que investigaram a disputa familiar estimam em mais de uma dezena os assassinatos levados a cabo pela dupla somente de 2007 a 2011. Nenhum deles foi esclarecido pela polícia. Os bastidores da aliança entre o policial e o bicheiro, entretanto, acabaram vindo à tona quando uma testemunha-chave, temendo ser morta pelos dois, resolveu quebrar o pacto de silêncio estabelecido pela máfia que controla o jogo ilegal e procurou a polícia em 2008. Era ninguém menos que Rogério Mesquita.

A história começou assim: na madrugada de 10 de maio daquele ano, Mesquita voltava de um evento agropecuário no Parque de Exposições de Papucaia, bairro de Cachoeiras de Macacu, quando foi vítima de uma emboscada. O fazendeiro, sua família e um casal de amigos percorriam — num comboio de três carros — uma estrada de terra erma e mal iluminada que levava à sua propriedade quando o primeiro veículo, justamente o ocupado por Mesquita, foi alvo de dezenas tiros de fuzil e pistola disparados por homens encapuzados. O operador dos Garcia só sobreviveu porque estava acompanhado de um policial civil, que sacou sua arma, reagiu ao ataque e conseguiu afugentar os atiradores.

Dois meses depois, Mesquita resolveu ir até a Delegacia de Homicídios para contar quem eram seus algozes. Declarou que "ficou sabendo através de antigos funcionários que Zé Personal iria matá-lo", e também que, na véspera do atentado, fora informado por um policial militar amigo que "o capitão Adriano havia ido ao Batalhão Especial Prisional arregimentar agentes presos" para levarem a cabo a empreitada. E não parou por aí: ao longo de onze páginas, Mesquita detalhou a trajetória do ex-caveira no crime até ali, desde o convite na cadeia até a aliança com Zé Personal — e, claro, também expôs tudo o que sabia sobre os homicídios cometidos pela dupla. Tudo o que se conhece até hoje sobre os primeiros anos da carreira de Adriano no crime está no depoimento do "padrinho".[41]

Ele contou que, logo depois que se aliou a Zé Personal, o capitão arregimentou mais um dos "galácticos" do Bope para trabalhar como seu braço direito na quadrilha: o tenente João André Martins Ferreira, seu amigo mais próximo dentre os formados no Curso de Operações Especiais de 2000. Exímio atirador — em 2002, João ficou em primeiro lugar num concurso interno de tiro do batalhão de Rocha Miranda, onde trabalhava[42] — e de uma fidelidade irrestrita a Adriano, o oficial passou a ser peça fundamental tanto na fiscalização dos domínios da família quanto nas empreitadas para eliminação de desafetos.

Segundo Mesquita, juntos, Adriano e João desenvolveram um método para cometer "crimes perfeitos", praticamente impossíveis de se solucionar, que colocaram em prática para dar cabo dos "serviços" encomendados por Zé Personal.

"Eles usam um fuzil com a coronha cortada e um deles se coloca no banco de trás do veículo, de forma que somente o cano da arma fica do lado de fora, evitando assim que as cápsulas deflagradas sejam ejetadas para fora do veículo e tornando inviável um confronto de balística", explicou o fazendeiro à polícia.

Um dos desafetos de Zé Personal tirado do caminho pela dupla, de acordo com Mesquita, foi o bicheiro Carlinhos Bacalhau,[43] relativamente conhecido no meio carnavalesco como responsável por "descobrir" Paulo Barros quando era presidente da escola de samba Vizinha Faladeira. Em 8 de agosto de 2007, Carlinhos foi assassinado a tiros na porta de sua casa, no bairro da Saúde, na Zona Portuária. Dois homens desceram de um carro preto no momento em que ele caminhava em direção a seu carro, perguntaram se ele era mesmo o contraventor e, diante da resposta positiva, sacaram pistolas e atiraram. Os assassinos fugiram sem levar os 1800 reais que estavam nos bolsos da vítima.[44]

Um ano depois, a investigação do crime seguia na estaca zero quando Rogério Mesquita revelou à DH que a execução tinha relação com a guerra interna da família Garcia. Carlinhos era um dos homens de confiança de Maninho e, quando o chefão ainda era vivo, ocupava uma posição de destaque: a de gerente-geral dos pontos de jogo do bicho. Como era fiel a Maninho, Bide o manteve no cargo após assumir a chefia — o que irritou Zé Personal, que administrava somente as máquinas caça-níqueis e, claro, queria expandir seus tentáculos para o jogo no papel. Ao que tudo indica, o professor de educação física encarava Carlinhos como um obstáculo para sua ascensão: se ele fosse eliminado, Bide se veria sem alternativa além de entregar as duas gerências em suas mãos, aumentando seus ganhos e seu poder de mando na quadrilha. Por isso Zé Personal teria encomendado o homicídio do comparsa a Adriano e João.

Mas nem todas as vítimas da dupla de PMs eram desafetos de Zé Personal: um casal de namorados que não tinha ligação alguma com o conflito familiar também acabou executado por engano. Os comerciantes Rafael Mendes Figueiredo, de 24 anos, e Juliana Roberto Alves, de 25, voltavam juntos de um pagode na quadra da escola de samba Salgueiro, na Tijuca, na madrugada de 17 de janeiro de 2007, quando foram interceptados por homens armados e atacados a tiros de pistola e carabina.[45] O local da emboscada parecia escolhido a dedo: um ponto da autoestrada Grajaú-Jacarepaguá sem iluminação pública, sem câmeras de monitoramento e a poucos metros de um radar, o que obrigou Rafael a diminuir a velocidade e facilitou a abordagem dos assassinos. Nenhuma testemunha do ataque foi localizada pela polícia, que chegou a investigar se o casal havia parado numa falsa blitz montada por assaltantes.

Em seu depoimento, Rogério Mesquita revelou que Rafael e Juliana não eram os alvos de Adriano e João naquela madrugada. A dupla monitorava outro casal que estava no mesmo pagode no Salgueiro: Guaracy Paes Falcão, o Guará, vice-presidente da escola, e sua mulher Simone Moujarkian. Além de mandachuva da agremiação e coautor de um dos sambas-enredos mais famosos do Carnaval do Rio — "Peguei um Ita no Norte", de 1993, eternizado pelo refrão "Explode coração, na maior felicidade" —, Guará também integrava o clã Garcia. Maninho e Bide eram seus primos. Na época, Guará havia voltado de uma temporada em São Paulo e reivindicava participação na exploração das máquinas caça-níqueis. Ele argumentava que merecia um quinhão porque considerava Maninho seu irmão de criação e dizia aos parentes que procuraria a cúpula da contravenção para protestar. Mas Zé Personal não tinha nenhuma intenção de ceder parte de seu negócio a Guará.

Certa vez, num ensaio do Salgueiro, os dois discutiram. Guará, cercado de seguranças, disse a Zé Personal que não iria aceitar que ele continuasse controlando todas as máquinas da família e ainda o ameaçou: "Vou cair pra dentro e buscar o que é meu". Naquele mesmo dia, o genro de Maninho deu a ordem para que o capitão Adriano "passasse Guaracy".

O ex-caveira, então, arquitetou um plano para cumprir a missão. Num dia de pagode no Salgueiro, um comparsa ficaria vigiando Guaracy dentro da quadra e, quando ele fosse embora, avisaria Adriano — que já estaria a postos, dentro de um carro com João. A dupla seguiria a vítima e esperaria o melhor momento para o ataque. Na madrugada de 17 de janeiro, a estratégia foi posta em prática, mas os "galácticos" acabaram perseguindo o carro errado e mataram o casal de namorados que havia saído para se divertir. Mesquita disse à polícia que ouviu essa história da boca do próprio Zé Personal num final de semana que os dois passaram juntos no haras da família Garcia: "Porra, o tenente João e o capitão Adriano fizeram merda, mataram um casal na Grajaú-Jacarepaguá pensando que era o Guaracy, mataram enganado".

Menos de um mês depois, o plano foi posto novamente em prática — e, dessa vez, não houve erro. Na madrugada de 14 de fevereiro de 2007, Guará deixou a quadra do Salgueiro com a mulher e tomou a direção da autoestrada no sentido de Jacarepaguá, onde moravam. A viagem foi interrompida poucos quarteirões depois, quando os assassinos interceptaram seu Peugeot, bateram no vidro e fizeram os disparos. Antes de fugir, acertaram um total de quinze tiros de fuzil no carro: três acertaram Guará; outros dois, Simone. Os dois morreram no local.[46]

Apesar dos detalhes do depoimento de Rogério Mesquita, Adriano e João nunca foram formalmente acusados por nenhum dos homicídios mencionados no relato. As investigações seguem sem conclusão até hoje. O único crime que levou a dupla de "galácticos" para o banco dos réus foi o atentado malsucedido contra o próprio fazendeiro. Ambos chegaram a ser presos por tentativa de homicídio, mas o juiz Márcio Gava, da 2ª Vara de Cachoeiras de Macacu, decidiu que não havia provas suficientes para levar os dois a júri popular. Na sentença, de agosto de 2012, o magistrado registrou circunstâncias bastante curiosas do julgamento que acabaram favorecendo os réus: durante as audiências, as testemunhas "sistematicamente retrataram-se de seus depoimentos à polícia, não foram encontradas ou, quando intimadas, deixaram de comparecer".[47]

Mesmo inocentados na Justiça, a situação dos dois ex-caveiras se tornou insustentável. O depoimento de Mesquita havia deixado a dupla exposta: havia provas em abundância da ligação de ambos com a máfia do jogo do bicho. Em janeiro de 2014, após um longo processo administrativo, cuja principal prova é o relato do pecuarista, Adriano e João foram demitidos da Polícia Militar — e caíram de vez na clandestinidade.

Seis meses depois de denunciar o capitão Adriano à polícia, Rogério Mesquita foi executado à luz do dia, em Ipanema, a cem metros da praia. Um homem desceu da garupa de uma moto e fez um disparo na nuca do pecuarista, que voltava da academia de ginástica para casa.[48] Depois que a vítima caiu no chão, o assassino ainda atirou mais duas vezes em sua direção com uma pistola calibre .40, arma que era de uso exclusivo das forças policiais, na época. Era meio-dia de uma quarta-feira, e a praça Nossa Senhora da Paz, em frente ao local do crime, estava lotada de babás e crianças, que correram assustadas com os estampidos. Até hoje o crime segue sem solução.

6. Escritório do Crime

Pelo menos uma vez por mês, Zé Personal costumava se consultar com o pai de santo de um centro espírita na Praça Seca. Os atendimentos geralmente eram marcados com antecedência, e o bicheiro só comparecia ao local cercado de sua comitiva de seguranças. Entretanto, em 16 de setembro de 2011, uma sexta-feira, ele dispensou a escolta e saiu de casa para o compromisso acompanhado somente pelo pai, o aposentado Félix de Barros Lopes, com 71 anos à época. A ausência de guarda-costas era estranha, afinal, Zé Personal passara a ser alvo constante de ameaças depois que assumira o controle dos negócios da família Garcia: com o assassinato de Rogério Mesquita, Bide – que temia ser a próxima vítima – se afastou da chefia da quadrilha e saiu do Rio, abrindo caminho para o ambicioso genro de Maninho.

Pouco antes das 21h, o bicheiro e seu pai chegaram ao centro, onde foram recepcionados por Jocimar Soares de Oliveira, secretário particular de Zé Personal e frequentador antigo da casa, responsável por marcar o atendimento. Minutos depois, o pai de santo cumprimentou o grupo e conduziu o visitante para uma sala nos fundos do imóvel. O centro espírita ficava num terreno grande, ocupado por duas construções: a principal, mais próxima da entrada, era usada para cerimônias e festas, e, quando não havia eventos, funcionava como sala de espera; já a menor, nos fundos de um jardim, era dividida em vários cômodos, utilizados para consultas individuais com os médiuns.[1] Enquanto Zé Personal se consultava, seu pai ficou aguardando sentado no salão, e o secretário se postou no quintal.

O atendimento já havia começado quando um carro estacionou na porta do terreiro. Três homens encapuzados, com coletes à prova de bala e pistolas, desembarcaram e entraram no recinto aos gritos de "Polícia!".[2] Na sala de espera, o trio deu de cara com o pai de Zé Personal, que logo foi rendido e mantido em poder de um dos invasores. Os outros dois avançaram na direção do jardim e abriram fogo contra o secretário assim que o viram. Em seguida, arrombaram a porta, interromperam a consulta e atiraram mais de dez vezes nas costas e na cabeça do bicheiro. As duas vítimas morreram na hora. Já o pai de santo, no momento em que ouviu os primeiros disparos, escapou pelos fundos.

Na sequência, os encapuzados libertaram o aposentado feito refém na recepção, saíram do imóvel pela porta da frente, entraram no carro e fugiram pela rua deserta. Até hoje o duplo homicídio não foi esclarecido.

Na semana seguinte ao crime, entretanto, a Polícia Civil já tinha indícios concretos de quem estava por trás das execuções. E nem foi necessário despender grandes esforços investigativos — afinal, uma testemunha presenciou o homicídio e teve contato direto com os assassinos. Em depoimento na Delegacia de Homicídios, Félix Lopes contou que observou bem o homem "magro e de 1,70 metro de altura" que o manteve refém na sala de espera e o reconheceu pela voz: era o Orelha,[3] um dos capangas do capitão Adriano. Segundo Félix, Orelha — praticante de jiu-jítsu que ganhou o apelido por conta de lesões nos lóbulos auriculares — "sempre foi ligado a Adriano, pois foi ele [o capitão] quem o colocou para trabalhar" com as máquinas caça-níqueis.[4]

A relação entre os dois era antiga: o sargento era um dos integrantes da Guarnição do Mal, a patrulha comandada por Adriano que aterrorizou a Cidade Alta quase dez anos antes do homicídio no centro espírita. Orelha, inclusive, fora preso com o chefe pelo assassinato do guardador de carros Leandro dos Santos Silva. Haviam partido do fuzil que o sargento portava no dia do crime os disparos que mataram o jovem, de acordo com o laudo de comparação balística produzido à época.[5] Assim como o capitão, o sargento também acabou inocentado da acusação e, em liberdade, foi recrutado por Adriano para trabalhar para a máfia dos caça-níqueis. Em 2008, Orelha foi identificado pela Polícia Civil e pelo MP como um dos atiradores encapuzados que, sob as ordens do ex-caveira, participaram do atentado malsucedido contra Rogério Mesquita em Cachoeiras de Macacu.

O pai de Zé Personal ainda contou que o sargento "foi segurança de seu filho por vários anos", e por isso reconhecera sua voz, já que os dois "conversaram por diversas vezes". Como recompensa pelos serviços prestados como guarda-costas, Orelha foi promovido pelo bicheiro a "gerente das máquinas caça-níqueis", mas não ficou muito tempo no cargo: segundo o aposentado, pouco antes do homicídio, "seu filho contou que havia mandado Orelha embora porque as contas nunca batiam", e o PM "não gostou" de ser demitido. No final do relato, mostrou-se uma foto do sargento a Félix, e ele confirmou que fora realmente aquele o homem que o rendera dias antes.

Outra testemunha ouvida pela DH naquela mesma semana corroborou o depoimento do aposentado — e, de quebra, também forneceu à polícia detalhes sobre a motivação do crime. Shanna

Garcia, filha de Maninho e viúva de Zé Personal, revelou que o marido e Adriano estavam em guerra. Cinco meses antes do crime, o bicheiro decidiu demitir o capitão do cargo de administrador do haras do clã Garcia em Guapimirim — uma função de prestígio, que Adriano conciliava com a gestão das máquinas caça-níqueis. Segundo Shanna, a decisão foi tomada quando seu marido "percebeu que estavam ocorrendo desvios na fazenda, como gado e medicamentos".[6] Após ser comunicado sobre o afastamento, o capitão "saiu muito irritado" do apartamento do bicheiro.

Duas semanas depois, prosseguiu a filha de Maninho, Adriano foi à propriedade, sem aviso prévio e acompanhado de seis homens armados, para retirar o gado do local. Informada por funcionários da presença do PM e de seus capangas, a própria Shanna foi até eles para questionar por que os animais estavam sendo removidos do pasto. O capitão respondeu: "É melhor você não se meter se quiser ver seu filho crescer, porque eu vou levar meu gado".

Com medo, ela decidiu ir embora sem mais questionamentos. Depois do episódio, Zé Personal passou a evitar sair de casa "porque temia por sua vida". No final de seu relato, Shanna confirmou que Orelha trabalhara até 2009 como segurança do marido, por indicação de Adriano, e ainda acrescentou que ele estava com o capitão no episódio da invasão da fazenda.

Um ano depois, Adriano foi ouvido na DH — no dia do crime, ele estaria no hospital onde sua filha recém-nascida fora internada.[7] No entanto, não apresentou provas do álibi. Adriano confirmou que "tinha um relacionamento profissional com Zé Personal e Shanna" na administração do haras, admitiu que foi à fazenda retirar "suas cabeças de gado" após ser demitido, mas garantiu que "nunca teve nenhum problema pessoal" com o bicheiro assassinado.

Depois de seu depoimento, o inquérito ficou seis anos parado: nenhuma diligência foi realizada pela Polícia Civil para confirmar ou negar o relato das testemunhas que apontavam a participação do capitão e de seu capanga no crime. A investigação foi, assim, passando pelas gavetas de diferentes delegados e chegou a ter partes destruídas: em 2015, goteiras inundaram a sala do chefe de operações da DH, e várias páginas foram molhadas.[8] Em 2018, Orelha foi intimado a prestar depoimento sobre o caso — e, claro, negou qualquer relação com os homicídios. Até hoje a investigação não foi concluída.

Coincidência ou não, foi justamente depois do assassinato de Zé Personal que Adriano chegou ao topo da hierarquia da quadrilha. Com o professor de educação física fora do jogo, ele rapidamente fechou um acordo com o próximo na linha sucessória da família: Bernardo Bello, marido da outra filha de Maninho, Tamara Garcia. Os dois se tornaram sócios na exploração do jogo do bicho e das máquinas caça-níqueis, e Bello passou a ter a tropa de capangas de Adriano a seu dispor.[9] Por fim, o ex-caveira ainda ganhou o direito de administrar a fazenda da família — o que sempre fora seu objeto de desejo por razões afetivas e, claro, financeiras: além de ter carinho pelo lugar que conhecia desde a adolescência, naquela altura Adriano já tinha sua própria criação de cavalos de raça e gado de corte.

Em menos de uma década, o capitão Adriano completava uma escalada meteórica: de guarda-costas, chegou à cúpula do jogo do bicho, deixando para trás um rastro de sangue.

Como era um estranho no ninho, já que não pertencia a nenhuma das famílias que controlavam o jogo, Adriano se impôs pelo medo — e assim expandiu seus negócios e sua força no submundo. Transformou sua fama de matador-fantasma em negócio, e seus capangas, em funcionários. Criou e colocou em atividade o consórcio de matadores de aluguel que, anos depois, seria conhecido como Escritório do Crime. A partir de então, o ex-caveira não mais mataria para atingir objetivos pessoais ou a serviço de um chefe: ele recebia demandas dos mais variados clientes — bicheiros, milicianos, empresários, políticos —, reunia os agentes mais capacitados para a missão e cobrava caro pelos serviços.

Como a maioria dos crimes atribuídos à quadrilha jamais foi esclarecida, há pouquíssimos relatos documentados sobre a criação do grupo e os integrantes de sua "primeira geração" — forma como policiais e promotores se referem à célula inicial de matadores a serviço de Adriano, já que a quadrilha foi se transformando e ganhando novos membros ao longo dos anos. Mas dois nomes são mencionados em praticamente todas as denúncias anônimas da época contra o grupo: o do tenente "galáctico" João André Martins e o do sargento Luiz Carlos Felipe, o Orelha. Os dois conheceram Adriano na PM, viraram seus capangas logo no início de sua carreira no crime e, posteriormente, seriam assassinados a tiros em circunstâncias até hoje nebulosas — Martins em 2016 e Orelha em 2021. Entretanto, coube a um terceiro integrante o incontestável papel de protagonista da primeira geração do Escritório do Crime: o ex-cabo da PM Antônio Eugênio de Souza Freitas, mais conhecido no submundo como Batoré.

Os primeiros relatos que associam Batoré e Adriano estão nos depoimentos e denúncias feitos pela viúva de Zé Personal nos meses anteriores à morte do marido. Em maio de 2011, por exemplo, Shanna prestou depoimento na Corregedoria-Geral Unificada (CGU) — órgão de controle externo das polícias, hoje extinto — para denunciar o capitão pela já mencionada invasão do haras da família e citou Batoré como um dos cinco agentes que o acompanhavam. Na ocasião, Batoré portava um fuzil e tinha "uma esteira de munições atravessada no tórax" para intimidar quem tentasse impedir que seu chefe levasse vinte cabras e uma égua do local.[10]

Apenas dois meses depois, Shanna enviou uma carta à Secretaria de Segurança cobrando providências sobre uma nova invasão à propriedade por Adriano e seus capangas. Batoré teria entrado no haras a bordo de uma moto, armado, esbravejando coisas como "Agora é tudo com a gente!" e "Se resistirem, vocês sabem bem qual vai ser o destino de vocês!".[11] No entanto, o melhor resumo do papel de Batoré no início da operação do Escritório do Crime foi dado, anos depois, pelo miliciano Orlando Curicica no depoimento-bomba que prestou para se livrar da acusação de ter matado a vereadora Marielle Franco.[12] Para explicar como o consórcio de matadores se formou, Curicica disse que, naquele período, o capitão Adriano havia se afastado "dessas coisas de matar" e passava as missões para Batoré: "Quem desenrola, quem resolve, quem vê, quem vai é o Batoré", concluiu.[13]

Na quadrilha de pistoleiros de Adriano, Batoré era o funcionário número um, a galinha dos ovos de ouro do chefe.

O CABO FREITAS

Uma viatura da PM encostou em um posto de gasolina, daqueles grandes, movimentados, com filas de motoristas aguardando para abastecer, loja de conveniência e caixa eletrônico. Com o carro já desligado, os dois policiais fardados que ocupavam os assentos dianteiros continuaram no interior do veículo. Alguns minutos depois, um Monza vinho estacionou ao lado deles. O PM então abriu a porta da viatura carregando uma bolsa bege e pesada, entrou no Monza pela porta de trás e lá ficou por uns cinco minutos. Depois, voltou para a viatura, mas a bolsa que ainda trazia consigo estava vazia.[14]

A cena foi testemunhada por policiais civis à paisana da Delegacia de Repressão a Entorpecentes, que cercavam o posto na avenida dos Democráticos, uma das mais movimentadas de Bonsucesso, naquela noite de sexta-feira, 1º de julho de 2005. A operação tinha como objetivo apreender armas que seriam vendidas para traficantes do morro do Dendê, na Ilha do Governador. Os agentes investigavam a quadrilha havia seis meses e, na véspera, tinham conseguido interceptar uma ligação telefônica em que o chefe do tráfico da favela, Fernandinho Guarabu, negociava a compra do armamento. Logo ficou claro que o interlocutor era um PM: o homem usava jargões policiais e ainda disse que estaria "de macacão" no momento da entrega — ou seja, fardado. No final da conversa, os dois combinaram que a transação seria sacramentada no posto de gasolina.

Depois que o PM voltou para a viatura, os dois carros deram a partida em direções opostas. Era o sinal que os policiais civis esperavam. O Monza só foi interceptado depois de doze quilômetros de perseguição, quando entrava numa favela na Ilha do Governador. Nele foram apreendidas três pistolas: uma calibre .40 e duas 9 mm. Um dos ocupantes admitiu, em depoimento, que recebeu de Fernandinho Guarabu a missão de pegar a "encomenda" e ainda disse que pagou 5 mil reais ao policial militar pelas armas.

Já a viatura saiu do posto e tomou a direção do batalhão do Méier, o 3º BPM. No quartel, agentes da Corregedoria da PM acionados pela DRE estavam prontos para dar voz de prisão aos ocupantes do carro. Do banco do carona, desembarcou o cabo Antônio Eugênio de Souza Freitas. Foi ele quem negociou diretamente com o chefe do tráfico do Dendê por telefone, entrou no Monza com a bolsa bege e vendeu, para os criminosos, armas que seriam usadas contra a polícia.

Até então, o cabo Freitas era um dos "operacionais" da PM. Por quase uma década, integrou Grupos de Ações Táticas, os GATs — pequenas unidades especializadas em incursões em favelas —, de batalhões da Zona Norte do Rio e participou de dezenas de ações que terminaram em apreensões e mortes. Numa delas, em setembro de 2001, Freitas foi acusado de "excesso" pela própria PM. Segundo sua ficha na corporação, o PM "empregou inadequadamente armamento sob sua guarda",[15] apertou o gatilho mais vezes que o necessário e gastou uma quantidade de munição muito maior que a dos seus colegas. Como não conseguiu justificar o uso de tantos cartuchos, Freitas acabou sendo punido com uma repreensão, a sanção disciplinar mais branda da corporação.

A operação em questão aconteceu numa favela que o cabo Freitas conhecia muito bem: o morro do Dendê. Antes de ser transferido para o batalhão do Méier, ele trabalhou a maior parte de sua carreira no GAT do 17º BPM, quartel da Ilha do Governador, responsável pelo patrulhamento da comunidade. E foi durante suas rondas na região que conheceu Fernandinho Guarabu, que dava as cartas na região e, ao mesmo tempo, cultivava uma fama incomum entre os chefões do tráfico na época: avesso aos confrontos que espantam os clientes das bocas de fumo, Guarabu preferia o caminho da corrupção.

Para que não houvesse interferências na venda de drogas em seus domínios, Guarabu gastava cerca de 500 mil por mês com pagamentos a policiais.[16] O "investimento" deu retorno: no início dos anos 2000, a quantidade de tiroteios na Ilha do Governador despencou — e Guarabu dominou a venda de drogas na região por quase duas décadas, longevidade incomum para chefes do tráfico cariocas, que geralmente acabam presos ou são mortos em poucos anos.

No início, a relação do cabo Freitas com Guarabu se resumia a um acordo: o traficante pagava, e o PM fazia vista grossa para seus crimes. Mas logo o vínculo entre os dois evoluiu para uma parceria. As escutas feitas pela DRE na investigação que culminou na prisão do policial mostram que Freitas virou uma espécie de confidente do chefe do tráfico. Numa das ligações, Guarabu contou ao PM que estava prestes a recuperar fuzis que havia perdido num tiroteio com traficantes rivais.

"Um maluco aqui ligou agora pra farmácia aqui, tá ligado. Falou que achou seis fuzis que eu perdi. Está querendo falar comigo, é mole?"[17]

"Tudo é possível, amigo. Tudo é possível", respondeu Freitas.

"Ainda mais nos dias de hoje. Achar seis fuzis... Vou até dar um beijo na boca dele. Nem trabalho hoje, mano", o chefão arrematou.

Em outra ocasião, Guarabu pediu a opinião do "amigo" para fechar um negócio proposto por um de seus fornecedores de armas: a troca de duas pistolas por uma submetralhadora.

"Ele tá querendo fazer parada comigo. Essa .40 e essa 9 mm pela [metralhadora] Uru. O que tu acha?"

"Tranquilo, parceiro", respondeu o PM.

Já na véspera da operação da DRE no posto de gasolina, Freitas comentou com o traficante, ao fechar a venda das três pistolas, que uma das armas "é tão boa que provavelmente você vai querer usar". Logo em seguida os dois marcaram o encontro no posto.

Com base nas escutas e na apreensão das armas, o policial foi condenado a oito anos de prisão em fevereiro de 2006. Três anos depois, acabou expulso da PM.[18] Fora da corporação, o cabo Freitas virou Batoré, protagonista do submundo do Rio, o pistoleiro implacável que matava sem deixar rastros e, ao mesmo tempo, circulava com desenvoltura entre milicianos e traficantes.

A carreira de Batoré no crime começou por baixo: após ser rifado da corporação, ele ofereceu os serviços de guarda-costas para Fernandinho Guarabu e passou de colaborador eventual a funcionário do chefão. Um ex-PM com acesso ao mercado ilegal de armas e especializado em incursões policiais caiu como uma luva nas fileiras de soldados do tráfico do Dendê. Batoré — o apelido veio da semelhança física com o humorista Ivanildo Nogueira, do programa *A Praça é Nossa* —, no entanto, não se contentou com o cargo subalterno e usou seus tentáculos no submundo para rapidamente subir na hierarquia da quadrilha.

Naquela época, ele já conhecia muito bem como operavam as milícias da Zona Norte. Além de ter passado quase uma década na Polícia Militar — e convivido com muitos milicianos na corporação —, Batoré nasceu e morou a vida inteira no Campinho, bairro que abrigou um dos mais antigos grupos paramilitares da cidade. Lá, comerciantes e moradores eram obrigados a pagar "taxas de segurança", valores mensais cobrados pela quadrilha a pretexto de prover uma espécie de autodefesa comunitária contra ladrões e traficantes. Quem não pagava corria o risco de ser agredido, expulso de casa e até morto. Numa porção considerável do bairro, uma miríade de serviços, como a venda de gás e a exploração de pacotes de TV a cabo e internet, era monopolizada por integrantes da milícia ou por quem topasse se associar ao grupo.

Até então, nenhuma dessas atividades era explorada por quadrilhas de traficantes, que se restringiam à venda de drogas em seus territórios. Buscando a imagem de "provedores" das comunidades, muitos chefões não viam a cobrança dos moradores com bons olhos. Batoré, no entanto, sabia que a diversificação dos negócios multiplicaria os lucros de seu bando — e resolveu fazer uma proposta a Guarabu. De mero segurança, viraria sócio do traficante numa nova empreitada: a exploração do transporte alternativo no bairro. A mesma prática das milícias seria replicada: todo motorista que quisesse entrar na Ilha do Governador para apanhar passageiros teria que pagar um "pedágio" à quadrilha, e a maior parcela dos dividendos seria repassada ao chefão — que nem precisaria sujar as mãos, pois a operação seria posta em prática por seu mais novo associado. Guarabu aceitou e Batoré virou o "cara das vans" da Ilha.

A expressão foi usada pelo próprio ex-PM quando conversava pelo telefone com uma amiga sobre sua nova amante:[19]

"Quando rola química é foda!"

"Já rolou?", perguntou a interlocutora.

Batoré respondeu positivamente, e a amiga completou: "Ela tá doidinha. Falei: 'Garota tu tá rica!'".

"Fala que 'esse é o cara das vans, é o cara de tudo!'", se gabou o braço direito de Fernandinho Guarabu.

O grampo faz parte de uma investigação que durou três anos, identificou 22 traficantes que atuavam na Ilha do Governador e levou Batoré novamente para a cadeia em 2017. A apuração revelou que ele usava uma cooperativa, chamada Shalom Fiel, como fachada para extorquir dinheiro dos motoristas. O esquema funcionava assim: só vans de cooperados podiam trafegar pelo bairro e, para ser um deles, o interessado era obrigado a pagar 350 reais por semana à quadrilha. O próprio Batoré explicou a um comparsa, em outra ligação interceptada, que nenhum motorista seria isento da cobrança: "Pode ser até o papa!", concluiu.[20]

Quem se recusava a pagar sofria retaliações. Alguns inadimplentes tiveram suas vans tomadas à força e levadas para dentro do morro do Dendê. Somente após o pagamento os veículos eram devolvidos. Em agosto de 2014, um motorista teve o carro incendiado no estacionamento do shopping do bairro pelos capangas de Batoré. Era um recado aos demais cooperados: o mesmo aconteceria com quem desobedecesse às regras. Segundo o MP, o valor arrecadado com as extorsões chegava a 8 milhões por ano.[21] Boa parte do montante ia para o bolso de Batoré, que enriqueceu depois que virou sócio de Guarabu. Ao longo de 2015, ele foi flagrado, por investigadores à paisana, circulando pelo morro do Dendê a bordo de dois carros avaliados em mais de 100 mil reais: uma BMW 320i e uma picape Toyota Hilux.

Durante o período em que foi monitorado pela polícia, Batoré protagonizou uma cena no mínimo inusitada: em fevereiro de 2015, ele organizou e liderou uma greve de motoristas de van contra mudanças feitas pela Prefeitura do Rio na regulação do transporte alternativo. As novas regras tiravam poder das cooperativas ao conceder aos proprietários as permissões para atuar no setor diretamente — o que contrariava os interesses de Batoré e Guarabu, que usavam a Shalom Fiel para controlar os motoristas. Revoltado, ele obrigou os cooperados a protestar pela volta do sistema anterior: "Vão parar agora no recesso de Carnaval", determinou, num encontro com os cooperados gravado por um agente à paisana.[22]

Enquanto promovia o intercâmbio de práticas criminosas entre a milícia e o tráfico, Batoré também arranjou tempo para construir uma carreira bem-sucedida em outro ramo do submundo: o mercado da morte por encomenda. Em agosto de 2015, sua mulher foi informada por uma amiga de que o marido estava "com Adriano".[23] Ela se referia ao capitão Adriano, a essa altura um bicheiro cujo consórcio de pistoleiros funcionava a todo vapor. E Batoré, seu velho amigo, já era uma engrenagem fundamental da máquina de mortes. Outras conversas de sua mulher gravadas pela polícia revelam que o "cara das vans" saía da Ilha do Governador com frequência para ir a reuniões em Rio das Pedras, favela que abrigava o quartel-general do Escritório do Crime.

A comunidade da Zona Oeste do Rio é apontada por especialistas como o berço das milícias na cidade: a partir da década de 1980, seus moradores — na maioria migrantes nordestinos em busca de moradia e que ocuparam a região — se organizaram para impedir a entrada de traficantes que já dominavam quase todo o entorno e acabaram se tornando reféns da "segurança privada" que eles mesmos criaram.[24] Com o tempo, as lideranças comunitárias foram assassinadas e deram lugar a agentes públicos no comando da milícia que hoje é uma das mais organizadas e politicamente influentes no estado. A proteção dos paramilitares, aliás, foi um fator primordial para que, por volta de 2015, Adriano escolhesse Rio das Pedras como refúgio de sua quadrilha de matadores: o tenente reformado Maurício Silva da Costa, o Mauriçāo, então chefe da milícia, era seu amigo dos tempos de PM e, antes de chegar ao topo da hierarquia na favela, já tinha integrado sua escolta pessoal.[25]

Com o aval de Maurição, o ex-caveira passou a usar uma padaria dentro da favela, a Sabor da Floresta, como sala de reuniões. O estabelecimento parece ter sido escolhido a dedo para não levantar suspeitas. É um comércio de bairro simples, localizado numa esquina, com um grande balcão de vidro em que doces e salgados ficam dispostos. Nas horas em que saem fornadas de pão francês, forma-se uma fila de clientes que chega à calçada. No entanto, nos fundos do salão, sempre em volta da mesma mesa, Adriano e seus comparsas planejavam "crimes perfeitos", homicídios que a polícia jamais iria esclarecer. Era lá que os pistoleiros se encontravam antes dos crimes e para onde fugiam após cometê-los.

Bastava uma senha para que se dirigissem ao local: "Reunião no escritório" — expressão que deu origem ao apelido pelo qual seriam conhecidos em todo o país. Inicialmente restritos aos integrantes do grupo, os encontros no "escritório" se tornaram célebres no submundo à medida que a fama da quadrilha aumentava. Assim, à boca miúda, policiais, bicheiros e milicianos passaram a se referir ao grupo como Escritório do Crime. O apelido se popularizou de vez em agosto de 2018, quando chegou aos ouvidos da jornalista Vera Araújo, que cobre o crime organizado no Rio há trinta anos, e foi publicado numa reportagem de *O Globo*.[26]

No "escritório", execuções eram planejadas com até um ano de antecedência. Além de garantir que o homicídio fosse consumado, os matadores também queriam se assegurar de que não deixavam para trás nenhum rastro que pudesse ser seguido pela polícia. "Por ter sido criado e chefiado por agentes públicos, o grupo trouxe muitas técnicas de investigações policiais para dentro do método de cometimento das execuções. É um planejamento bem detalhado, que vai da clonagem do carro para uso no crime, o esconderijo onde as armas são mantidas, até o levantamento completo da rotina da vítima e de seus parentes", me contou o policial federal Marcelo Pasqualetti, que investigou o Escritório do Crime.[27]

Os veículos usados pelos matadores eram preparados exclusivamente para cada crime. Primeiro, eram roubados e, em seguida, clonados — ou seja, tinham a placa trocada pela de um carro idêntico, de mesma cor e modelo, mas em situação legal. Assim, se eventualmente fossem flagrados por alguma câmera de segurança durante a empreitada, a polícia iria atrás do carro da placa e de seu dono. Já os clones, que poderiam guardar vestígios dos integrantes da quadrilha, eram destruídos e queimados logo depois dos assassinatos. A polícia jamais conseguiu apreender um só carro usado pelo Escritório do Crime.

Os pistoleiros também sabiam que o uso de celulares os tornava vulneráveis; afinal, grampos telefônicos eram uma ferramenta utilizada com frequência na elucidação de homicídios. Por isso, tinham vários aparelhos com chips diferentes e cadastros falsos que eram descartados e trocados a cada três semanas — o que os tornava praticamente imunes a interceptações telefônicas. A promotora Simone Sibilio, que coordenou o Gaeco e passou quase dois anos investigando Adriano e seus comparsas, nunca ouviu a voz do chefe do Escritório do Crime.

"Ele não fala no telefone. Nós não conseguimos em nenhum momento ouvir a voz do capitão Adriano, nem em mensagens gravadas e enviadas. Ele tinha um protocolo de trocas constantes de aparelho e orientava seus comparsas a fazer o mesmo. E ele fazia isso porque tinha treinamento, era um ex-policial militar treinado no Bope, que sabia como se proteger de uma investigação", me disse Simone.[28]

Antes das execuções, os alvos do Escritório do Crime eram monitorados de forma quase obsessiva. Após serem contratados, os pistoleiros faziam uma varredura nas redes sociais em busca de fotos em vários ângulos das vítimas — para evitar erros de reconhecimento que pudessem colocar em risco a conclusão da missão — e informações sobre suas rotinas e redes de relacionamentos. Em seguida, passavam a monitorar seus passos até identificarem o momento perfeito para o assassinato.

"Se a pessoa tivesse um perfil numa rede qualquer e fizesse uma postagem marcando o local onde estava, podia estar fornecendo para o Escritório do Crime uma informação que desencadearia sua execução. Era um trabalho minucioso que podia durar meses. Havia integrantes que atuavam exclusivamente no monitoramento das vítimas: passavam turnos de até doze horas dentro de um carro seguindo a pessoa aonde quer que ela fosse. Não podiam parar nem para comer ou ir ao banheiro. Depois de mapear toda a rotina, eles escolhiam o momento e o local mais oportuno para deflagrar a execução da vítima", me explicou Marcelo Pasqualetti.

O profissionalismo e a precisão eram os principais diferenciais do Escritório do Crime no disputado mercado da pistolagem carioca. Apesar dessas credenciais, no início de suas atividades, o grupo só era conhecido por um pequeno nicho de criminosos — capos do bicho, em sua maioria. A fama do consórcio de matadores só se consolidaria de fato em 2016, quando a quadrilha levou a cabo suas empreitadas mais ousadas até então. Naquele ano, os dois assassinatos de maior repercussão no Rio foram cometidos por Adriano e seus capangas. Ambos os crimes causaram mudanças profundas na dinâmica do crime organizado na cidade e tiveram como vítimas dois policiais militares poderosos e temidos no submundo: os amigos Geraldo Pereira e Marcos Falcon.

Eram serviços extremamente arriscados. Os alvos eram dois ex-adidos, agentes experientes que treinaram a vida toda para enfrentar situações de risco e, ainda por cima, viviam cercados de seguranças armados até os dentes. Geraldo Pereira controlava a milícia e os caça-níqueis em Jacarepaguá, e Falcon já havia sido acusado de chefiar um grupo paramilitar na Zona Norte, era presidente da Portela e candidato a vereador — ou seja, ambos muito bem relacionados; se os pistoleiros falhassem, a retaliação era certa. Poucos matadores de aluguel aceitariam se envolver em crimes desse tipo. O Escritório do Crime topou.

Como já contei aqui,[29] Pereira e Falcon foram alvos de duas emboscadas praticamente idênticas separadas por apenas quatro meses: pistoleiros encapuzados desembarcaram de seus carros, descarregaram os fuzis nas vítimas e fugiram sem deixar rastros. A polícia não tinha nem uma pista sequer sobre quem eram os assassinos, até que o miliciano Orlando Curicica resolveu contar o que sabia sobre os crimes.

Além de apontar o bicheiro Rogério Andrade como mandante, Curicica também revelou às promotoras do Gaeco que os executores faziam parte de uma quadrilha de pistoleiros chefiada pelo capitão Adriano, que fazia vítimas impunemente havia cerca de uma década. O depoimento-bomba na penitenciária de Mossoró foi o primeiro a confirmar, de maneira oficial, a existência do Escritório do Crime.

O miliciano repassou em detalhes toda a história do consórcio de matadores até ali: contou que o grupo se formou durante a guerra pelo espólio de Maninho; explicou que Adriano, depois de chegar à cúpula da contravenção, parou de participar das execuções e começou a atuar como "agenciador", recebendo as missões e repassando-as a seus subordinados; e, finalmente, disse que sabia quem era um dos encapuzados que atirara contra Falcon e Pereira.

"O homicídio do Pereira, eu reconheço o assassino, o cara que desembarca do carro com fuzil atirando, eu sei quem é. É o mesmo cara que matou o Falcon."[30]

Segundo Curicica, depois do primeiro crime, parentes de seu amigo morto em frente à academia o procuraram para mostrar as imagens das câmeras de segurança do estabelecimento. Pelo tipo físico, ele logo reconheceu um dos pistoleiros: "O Batoré, entendeu? Ele é o atirador, é ele que desce atirando no Pereira, entendeu?".

Antes de terminar o relato, Curicica ainda deu uma dica para as promotoras localizarem e prenderem o matador número um do capitão Adriano: "Eu não duvido que a gente consiga prender ele na porta da 37ª DP (Ilha do Governador). Porque, se eu não me engano, ele que leva o arrego do morro pra delegacia. Acho que, se monitorar a 37ª DP, tá arriscado pegar ele entrando ou saindo, por incrível que pareça".

Apesar do depoimento, nem Batoré nem nenhum outro integrante do Escritório do Crime jamais responderam pelas duas execuções.[31]

Depois dos assassinatos midiáticos, no entanto, o pistoleiro que elevou de patamar o Escritório do Crime no submundo acabaria atrás das grades — mas não por homicídio. Após três anos de investigação, a atuação de Batoré como "o cara das vans" da Ilha do Governador finalmente veio à tona: em 19 de abril de 2017, a Secretaria de Segurança e o MPRJ deflagraram a Operação Soberano contra o ex-PM e mais 21 traficantes que passaram a controlar à força o transporte alternativo no bairro. Ele ainda tentou se esconder no terraço quando os policiais arrombaram a porta de sua casa, mas acabou capturado e ainda teve seus carros de luxo apreendidos pelos agentes.[32]

O pistoleiro ficaria preso por exatos 39 dias: em 28 de maio, Batoré foi solto por uma decisão judicial no mínimo controversa — em pleno plantão de domingo, o desembargador Guaraci de Campos Vianna concedeu, com uma canetada, sua liberdade provisória. Na época, a ordem foi recebida com estranhamento por policiais e membros do Ministério Público. Primeiro porque o desembargador era um mero plantonista que nunca havia tido contato com aquele processo. Era improvável que tivesse conseguido analisar, em apenas um dia, os vários volumes de provas coletados contra Batoré ao longo de três anos. A urgência para analisar o pedido da defesa do ex-PM também chamou a atenção — afinal, no dia seguinte, o fórum funcionaria normalmente e o habeas corpus poderia ser analisado pelo juiz que cuidava do caso desde o início. Não havia justificativa para que a decisão fosse tomada num plantão. Por fim, Batoré não era um preso qualquer: justamente por ser considerado um dos criminosos mais perigosos do Rio, a Justiça Federal havia determinado, dias antes, sua transferência para uma penitenciária federal de segurança máxima fora do estado.[33]

No mês seguinte, a decisão de Vianna foi cassada e a prisão do pistoleiro foi novamente decretada, mas era tarde: Batoré já havia sido solto, não se entregou e nunca mais seria capturado.

Anos mais tarde, quando o Escritório do Crime passou a ser investigado em decorrência do caso Marielle, o Gaeco descobriu que Adriano e seus capangas agiram para libertar o comparsa. Quando Batoré foi preso, os integrantes da quadrilha "precisaram se cotizar e reunir vultuosa quantia para o pagamento de advogado e outras despesas não especificadas que resultaram na libertação de Batoré mediante habeas corpus durante um plantão judicial", aponta um relatório elaborado pelo MP.[34]

"A prisão do Batoré causou uma comoção grande no grupo. Quando ele foi preso, aconteceu algo que nos chamou a atenção, uma coincidência. Naquela mesma época, Adriano e outros integrantes do Escritório do Crime tiveram que vender seus carros de forma repentina, porque precisavam levantar um valor muito grande. Esse fato coincide com a soltura do Batoré", me explicou Pasqualetti, que participou da investigação e é um dos signatários do relatório. Até hoje, no entanto, não há provas sobre o destino do dinheiro levantado pelo grupo.

Em dezembro de 2019, o desembargador Guaraci Vianna foi afastado do cargo pelo Conselho Nacional de Justiça (CNJ) por conta de uma série de decisões suspeitas tomadas em plantões — uma delas, a que determinou a soltura de Batoré.[35] Na ocasião, o órgão também determinou a abertura de um processo administrativo-disciplinar para investigar o magistrado. Dois anos depois, o CNJ concluiu que Vianna descumpriu "as disposições legais relacionadas ao plantão judiciário". No entanto, ele não chegou a ser punido: a pena de censura, uma das mais leves da magistratura —

na prática, só impede uma promoção por merecimento no prazo de um ano — e considerada adequada pelos conselheiros para o caso, não pode ser aplicada a desembargadores, só a juízes de primeira instância.[36]

Após ser solto, Batoré retomou suas atividades no Escritório do Crime. Mesmo foragido da Justiça, não se preocupou em manter um perfil discreto: ele é apontado por policiais e promotores do Gaeco como o mentor e um dos executores de outro assassinato bárbaro ocorrido um ano depois de ser libertado. A vítima da vez foi um policial militar emboscado no trajeto de casa para o trabalho.

Na manhã de 27 de novembro de 2018, o major Alan de Luna Freire, de quarenta anos, deixou sua residência, deu partida no carro e dirigiu por alguns quarteirões até parar num sinal na avenida Pensilvânia, no bairro Jardim Esplanada, em Nova Iguaçu. Era seu primeiro dia de trabalho depois das férias, e Luna estava a caminho do 17º BPM, o batalhão da Ilha do Governador, onde era chefe do Serviço Reservado (a P-2), responsável pelas ações de inteligência do quartel. Enquanto a luz verde do semáforo não acendia, um Voyage prata com os vidros escuros emparelhou com o veículo do major. A ação durou segundos: um homem encapuzado desembarcou e disparou 24 vezes com um fuzil calibre 7,62 na direção da porta do motorista.

Os tiros foram agrupados, todos em volta da maçaneta[37] — sinal de que o atirador era um pistoleiro experiente e sabia que carros blindados são vulneráveis somente nesse ponto. Luna não conseguiu nem sacar sua arma: foi atingido em vários pontos da lateral do corpo e morreu na hora. Já o encapuzado voltou correndo para o Voyage, que disparou em fuga, seguido por uma moto que lhe dava cobertura.

Não foi difícil para a polícia descobrir a motivação do crime. Todo o batalhão da Ilha do Governador sabia que Luna tinha um alvo nas costas porque ousara investigar o chefão do tráfico do bairro, Fernandinho Guarabu. Dentro da PM, o major era conhecido por ser intransigente com a corrupção policial. Em maio de 2017, quando ainda trabalhava no 16º BPM (Olaria), após prender um traficante que tentava invadir e tomar o controle de uma favela dominada por facção rival, Luna gravou o criminoso confessando que havia dado dinheiro a PMs para facilitarem a entrada de sua quadrilha na comunidade.[38] Depois, ainda entregou a filmagem ao Ministério Público, que identificou e prendeu nove agentes. Após ser transferido para o 17º BPM, o major manteve sua linha de atuação — o que irritou Guarabu, acostumado a pagar pela vista grossa dos policiais do quartel.

No novo batalhão, Luna logo recebeu informações sobre um local usado como esconderijo pelo chefão e seus comparsas mais próximos, no alto do morro do Dendê. Durante uma operação, ele não só conseguiu localizar o barraco, que tinha vista privilegiada para os acessos da favela, como também instalou várias câmeras escondidas no interior. Por dois meses o major acompanhou a rotina de Guarabu em tempo real: nas filmagens,[39] o traficante podia ser visto contando maços de dinheiro, portando um fuzil e até comendo um sanduíche preparado por Batoré, seu inseparável braço direito.[40]

O monitoramento rendeu frutos — novos integrantes da quadrilha foram identificados e um bando de seguranças do chefão chegou a ser interceptado pela polícia quando entrava na favela —, mas logo foi descoberto. Semanas antes da execução de Luna, Guarabu e seus subordinados arrancaram as câmeras e as deixaram em cima de uma mesa no "bunker". Era, ao mesmo tempo, uma provocação e uma ameaça: eles queriam que o major soubesse que tinham encontrado o material quando voltasse ao local para saber o que havia acontecido. Quando Luna encontrou as filmadoras destruídas, percebeu que estava na mira da quadrilha.

Promotores e policiais que investigaram o assassinato do major não têm dúvidas de que Guarabu encomendou o crime a Batoré — que, por sua vez, compartilhou a empreitada com seus comparsas do Escritório do Crime. O Gaeco conseguiu juntar provas da participação do consórcio de matadores na execução. Uma delas foi fornecida por um ex-integrante do grupo que assinou um acordo de colaboração premiada com o MP e delatou seus antigos comparsas. Em depoimento, ele revelou que, em 2018, recebeu uma ordem para buscar, com o especialista em clonagem que trabalhava para a quadrilha, dois carros com placas frias.[41] Ambos foram levados para a rua Souto, no Campinho, onde ficavam estacionados os veículos que seriam usados pelo grupo. Um deles era um Voyage prata, justamente o modelo e a cor do veículo dos assassinos do major.

O homem ainda contou que o Voyage foi retirado do local por seus comparsas para uso em "alguma empreitada criminosa" em 23 de novembro — ou seja, apenas quatro dias antes do crime. O Gaeco conseguiu monitorar, a partir de imagens das câmeras da Prefeitura do Rio, a movimentação do Voyage e descobriu que, nos dias posteriores ao homicídio, o carro fora parar em Campo Grande, na Zona Oeste. De acordo com o colaborador, veículos usados pelo Escritório do Crime eram levados para o bairro a fim de serem destruídos após os assassinatos.

Batoré e Guarabu, no entanto, não chegaram a ser denunciados à Justiça pela execução do major. Não houve tempo. A morte de Luna deixou a dupla exposta: para a polícia do Rio, localizá-los virou uma questão de honra, e o cerco logo se fechou. Apenas sete meses depois do homicídio, o chefão — que dominava o tráfico na

Ilha havia duas décadas sem ser incomodado — e seu braço direito foram mortos, lado a lado, num tiroteio com agentes do Batalhão de Choque. Os dois entravam na Ilha do Governador a bordo de um carro em alta velocidade quando foram surpreendidos por um bloqueio policial. Mesmo em desvantagem numérica, a dupla decidiu não se entregar. Treinado pelo Estado para servir e proteger a sociedade, o ex-cabo Freitas morreu defendendo um traficante.

Sem Batoré, o Escritório do Crime perdeu seu principal pistoleiro — e o capitão Adriano, seu mais antigo e fiel funcionário. Mas esse não seria o fim da quadrilha. Muito pelo contrário. Anos antes, quando o "cara das vans" foi preso, o ex-caveira percebeu que seu consórcio estava vulnerável: o rosto de Batoré estampado nas capas de todos os jornais do Rio colocava em risco o seu negócio, cujo diferencial era sobretudo a discrição. Por isso, Adriano decidiu buscar caras novas para o grupo, pistoleiros "ficha-limpa" que ainda não estivessem no radar da polícia. A segunda geração do Escritório do Crime, arregimentada dentro da milícia, seguiria derramando sangue pelo Rio.

TIROS NO HOTEL

O Transamérica era um hotel de luxo, frequentado sobretudo por executivos em estadias curtas pelo Rio. Vinte e quatro andares, centenas de quartos — a maioria com vista para o mar —, corredores longos, piscina, sauna, quadra de tênis, serviço de spa e um vaivém constante de camareiras e faxineiras. Sua localização era privilegiada: ficava a menos de seiscentos metros da orla da Barra da Tijuca. Na madrugada de 14 de junho de 2017, quarta-feira, um carro encostou na entrada do estacionamento. O motorista fez sinal de positivo, prontamente respondido pelo funcionário na cabine,[42] e a catraca foi aberta. Pouco antes das quatro da manhã, o veículo desceu a rampa que dava no subsolo do prédio.

A cena não era exatamente incomum: vários hóspedes costumavam chegar nesse horário após noitadas em boates da região. No entanto, os três ocupantes do carro não tinham quartos reservados no hotel. Dois deles desembarcaram do veículo, cada qual portando um fuzil; já o motorista estacionou numa vaga próxima à saída e ficou esperando. A dupla, que vestia calças e casacos pretos e tinha os rostos cobertos por capuzes, correu em direção às escadas e subiu até o oitavo andar. Já no corredor, os encapuzados nem sequer consultaram os números dos apartamentos e seguiram diretamente para um deles. A porta estava trancada e resistiu aos chutes desferidos pelos invasores. Um deles, então, apontou o fuzil para a maçaneta e fez vários disparos. Com o ombro, deu o golpe que escancarou o apartamento.[43]

O quarto era ocupado pelo herdeiro de um dos maiores bicheiros do Rio: Haylton Carlos Gomes Escafura, de 37 anos, filho de José Caruzzo Escafura, o Piruinha, integrante da cúpula da contravenção carioca. Havia quatro décadas Piruinha dominava os pontos de jogo nos bairros de Madureira, Cascadura e Pilares, todos na Zona Norte. Entretanto, em 2017, o chefão já contava 87 anos e, por conta da saúde debilitada — dores decorrentes da osteoporose avançada impediam até caminhadas curtas —, não estava mais à frente dos negócios. Quem comandava o império era Haylton, que deixara a cadeia havia apenas cinco meses. Beneficiado pela Justiça com o livramento condicional da pena de quinze anos a que fora condenado por lavar dinheiro do jogo ilegal com a venda de carros de luxo, o herdeiro do clã Escafura passou a morar no oitavo andar do Transamérica.

Naquela madrugada, encontrava-se também no quarto a soldado da PM Franciene Soares de Souza, de 27 anos. Quando não estava de plantão na Unidade de Polícia Pacificadora (UPP) da Rocinha, a policial — que também era passista de duas escolas de samba, a Beija-Flor de Nilópolis e a Unidos de Padre Miguel — gostava de frequentar eventos de pagode na Zona Oeste. Numa dessas noitadas, conheceu Haylton, com quem logo engatou um relacionamento. Franciene escondeu o namoro da família, e nem seus amigos mais próximos sabiam que ela estava no hotel com o bicheiro.[44]

O casal ainda teve tempo de correr para o banheiro enquanto os encapuzados arrombavam a porta, mas acabou encurralado: o apartamento só tinha uma entrada. Haylton e Franciene foram executados dentro do boxe com mais de vinte tiros, e a dupla de pistoleiros nem sequer se preocupou em recolher as cápsulas. Após o crime, deram meia-volta, desceram as escadas, embarcaram tranquilamente no carro estacionado e saíram do hotel da mesma maneira como entraram: um aceno para o funcionário responsável pela cancela.

Mais de cinco anos depois do duplo homicídio, as circunstâncias que o cercam ainda são nebulosas. O mandante e a motivação nunca foram completamente esclarecidos, mas duas linhas de investigação se impuseram. Uma delas conectava o crime com uma rusga de Haylton com antigos sócios. No período em que esteve preso, o bicheiro arrendou seus domínios para outros membros da quadrilha — vários deles, policiais. Quando foi libertado, entretanto, exigiu a devolução dos pontos da família. Diante da insatisfação dos comparsas, o contraventor propôs, numa reunião com a presença de todos, no mês anterior ao assassinato, pagar 3 milhões de reais para retomar o controle da região. Os arrendatários não queriam ceder e houve discussão. No fim, o valor foi pago, mas Haylton reforçou a blindagem de seu carro e passou a temer represálias.[45]

A polícia também investigava a possibilidade de Rogério Andrade, sobrinho e herdeiro de Castor, ter encomendado o crime. Na época, o bicheiro tentava expandir seus domínios pela cidade enquanto disputava com Fernando Iggnácio, genro do capo, o controle dos pontos de jogo em Bangu. O plano de Andrade para se tornar "o cara da cúpula" também foi exposto por Orlando Curicica.

"O que tá acontecendo no Rio de Janeiro? Os velhos vão morrer: o Anísio, o Piruinha, o (Luizinho) Drummond. Os que mandam na cúpula do jogo estão com 89, noventa anos. Eles vão morrer! E o Rogério sabe disso. O Rogério tá abrindo um caminho para, quando os velhos morrerem, ele ser o cara da cúpula, o cara do jogo, entendeu? Um dos motivos da morte do Haylton é justamente isso. Haylton é o único herdeiro do Piruinha. A intenção do Rogério quando ele matou o Haylton foi arrendar a área do Piruinha. Com o poder que ele tem, ele vai arrendar. Só vai aumentar o poderio dele", explicou o miliciano às promotoras do Gaeco.[46]

Nenhuma dessas linhas foi comprovada. Mas se o mandante ainda é um mistério, não se pode dizer o mesmo dos executores: em 2020, na esteira da investigação do caso Marielle, o Ministério Público encontrou rastros que ligam o Escritório do Crime aos homicídios. Os novos matadores recrutados pelo capitão Adriano buscaram informações sobre Haylton e sobre o local do crime na internet — por isso, para os promotores do Gaeco, os assassinatos no hotel marcam o início da operação da segunda geração do consórcio de pistoleiros.

Em 3 de fevereiro de 2017, quatro meses antes do crime, Leonardo Gouvêa da Silva, mais conhecido no submundo como Mad (louco, em inglês), digitou "Haylton Escafura" no Google.[47] Substituto de Batoré — segundo o MP — no papel de principal pistoleiro da quadrilha, aparentemente Mad sabia quem estava pesquisando quando acertou a grafia incomum do nome do bicheiro. Dois meses depois, em 13 de abril, buscou no aplicativo de mapas o melhor trajeto para o hotel Transamérica.

Outro integrante da nova geração do Escritório do Crime também fez pesquisas relacionadas ao crime: cerca de seis horas depois dos assassinatos, Leandro Gouvêa da Silva, o Tonhão, irmão mais velho de Mad e piloto da quadrilha, digitou no buscador "foto atual do Ailton Escafura" — desse jeito, com o primeiro nome com a grafia errada. No dia seguinte, fez nova busca: "Foto do Haylton Escafura morto". Em seguida, acessou uma reportagem sobre o crime. Para policiais que investigaram o homicídio, Mad era um dos encapuzados. Já a participação de Tonhão ainda não está clara. O inquérito segue aberto em busca de novas provas que possam embasar uma denúncia contra a quadrilha.

Até hoje não se sabe exatamente como o capitão Adriano conheceu Mad e Tonhão. Ao contrário de seus antecessores no Escritório do Crime, os irmãos não tinham qualquer formação policial — mas tinham a oferecer um bem valiosíssimo para a quadrilha: os dois eram ilustres desconhecidos para a polícia do Rio. A ficha de antecedentes criminais de ambos, até então, era imaculada. A dupla, entretanto, já tinha um histórico de serviços prestados para a milícia do Campinho, na Zona Norte do Rio, quando chamou a atenção do ex-caveira.

Além de terem nascido e crescido no bairro, os irmãos conheceram bem cedo a família cuja trajetória se confunde com a da milícia local. Campinho — seguindo destino similar ao de Rio das Pedras — foi um dos bairros onde, no início dos anos 2000, policiais, comerciantes e lideranças comunitárias se juntaram para "defender" a região do tráfico de drogas e, a partir da imposição do pagamento de "taxas de segurança" a moradores, acabaram fundando um grupo paramilitar. Um de seus criadores foi o temido sargento Goulart Vital Pereira, um dos integrantes do grupo de 120 homens que expulsou traficantes do morro do Fubá, maior favela da área.[48] No mesmo ano em que teve o nome exposto no documento, o sargento se aposentou depois de 31 anos na corporação e passou a se dedicar exclusivamente à milícia. Ainda adolescentes, Mad e Tonhão conheceram o PM, já que eram amigos de seus dois filhos, Leléo e Playboy.[49]

Em 2011, Goulart foi assassinado a tiros, e o poder no grupo paramilitar foi transmitido de forma hereditária: mesmo sem serem policiais, Leléo e Playboy viraram chefes da milícia e levaram seus velhos companheiros a reboque para a órbita da quadrilha.[50] Mad já tinha alguma experiência como estelionatário — ele começou a carreira no crime clonando cartões de crédito e chegou a se envolver com um bando que falsificava decisões judiciais para fazer saques em bancos[51] —, mas ascendeu mesmo no submundo ao se aliar aos irmãos. A partir daí, passou a usar a esperteza que já havia demonstrado como golpista para planejar homicídios de interesse da milícia.

A fim de evitar chamar a atenção das autoridades, Mad decidiu se cercar de criminosos experientes e, depois, passou a organizá-los como uma linha de montagem: cada um teria uma atribuição no passo a passo que levaria ao homicídio, em que ele atuaria como uma espécie de coordenador. Seu irmão, Tonhão, virou o principal motorista do grupo. Para monitorar a rotina das vítimas e ajudar no planejamento das execuções, o pistoleiro recrutou dois ex-PMs com certa fama no submundo, e que precisavam de uma fonte de renda após serem expulsos da corporação: Gago e Mugão.

João Luiz da Silva, o Gago, era cabo e trabalhava no 9º BPM quando passou a integrar uma quadrilha especializada em roubos de cargas e acabou preso em flagrante duas vezes no período de apenas um ano. Em outubro de 2011, foi detido em Queimados, na Baixada Fluminense, quando fazia o transbordo de uma carga de cigarros que havia sido roubada pouco antes.[52] Gago logo conseguiu ser posto em liberdade, mas, no ano seguinte, foi preso de novo pelo mesmo crime, dessa vez na cidade vizinha de Magé. Na ocasião, ele integrava um quarteto armado que abordou o motorista de um caminhão de cigarros e o levou para um terreno baldio, onde a carga seria transferida para uma kômbi. Nesse momento, uma patrulha apareceu, e Gago não conseguiu fugir. Quando foi detido, portava uma arma e uma granada, e ainda ofereceu aos agentes 35 mil reais para que o liberassem.[53] Não deu certo. Em julho de 2014, a PM finalmente o excluiu de suas fileiras.

Apenas um mês depois, também foi excluído da corporação o cabo Anderson de Souza Oliveira, o Mugão. Até então, ele conciliava os turnos de trabalho no 5º BPM com os serviços que prestava ao Bonde do 556, milícia que tentava se instalar na favela do Quitungo, em Brás de Pina. Ele entrou na mira da PM após ser denunciado, numa série de depoimentos à Corregedoria da PM e à Polícia Civil, por seu primeiro rival na guerra pelo controle da região, o também ex-cabo da PM Márcio Gabriel Simão, o Marcinho do Quitungo. Simão apontou Mugão como responsável por um atentado que sofrera em março de 2011, quando teve seu carro fuzilado num dos acessos à favela. Mesmo absolvido da acusação na Justiça, Mugão foi considerado indigno de seu posto na PM.[54]

Fora da folha de pagamento do Estado, Gago e Mugão prontamente aceitaram o convite de Mad para atuarem como seus mercenários, recebendo depois de cada missão cumprida. O grupo começou a trabalhar para a milícia do Campinho por volta de 2016 e logo chamou a atenção no submundo, da mesma forma que o capitão Adriano e seus capangas haviam feito dez anos antes: os homicídios se sucediam e os pistoleiros passavam ilesos, nem sequer pisavam em delegacias. O sucesso era tanto que eles começaram a trabalhar também de forma autônoma, fora da milícia, para qualquer cliente que pagasse. Não demorou para os feitos de Mad e seus matadores chegarem aos ouvidos do ex--caveira. Surgia assim a segunda geração do Escritório do Crime.

"A gente não sabe precisar quando nem como, mas o Mad é cooptado pelo Adriano e passa então a se tornar um matador do grupo dele, com características bem profissionais de atuação. O Mad é um peixe fora d'água, porque é um dos poucos não policiais que a gente vê realmente galgando posições na hierarquia do grupo do Adriano", me explicou Marcelo Pasqualetti.

Com a nova formação, o grupo sofreu transformações que o tornaram ainda mais letal: sob a influência de Batoré, a quadrilha tinha como características mais marcantes a ousadia e a truculência; já seu sucessor não era tão impulsivo e trouxe mais sofisticação e planejamento às ações. Foi sob as rédeas de Mad que o monitoramento metódico das vítimas virou uma praxe e o controle dos celulares se intensificou. Tonhão era instruído pelo irmão a comprar aparelhos com cadastros falsos que, semanalmente, eram distribuídos a todos os integrantes. Os cuidados eram proporcionais ao valor cobrado pelo grupo: um homicídio podia custar até 1,5 milhão de reais.[55]

A aproximação de Mad e Adriano teve um impacto relevante na geopolítica do crime no Rio. A boa relação entre os dois abriu as portas para uma aliança entre as milícias de Campinho e Rio das Pedras, com quem os comparsas mantinham laços. Adriano passou a se refugiar e a ir a festas na favela da Zona Norte; Mad e seu bando iam semanalmente ao "escritório". A partir desse "intercâmbio", os grupos paramilitares fecharam um acordo: se uniriam tanto para defender seus territórios quanto para atacar áreas sob o domínio de rivais. O pacto foi determinante para a tomada da Praça Seca – bairro vizinho ao Campinho, até então reduto do Comando Vermelho – pela milícia em 2018.[56] Na ocasião, o apoio de homens de Rio das Pedras foi fundamental para que os paramilitares prevalecessem depois de mais de um ano de tiroteios.

O ÁLIBI

Após mais de uma década nas sombras, o Escritório do Crime foi finalmente exposto por conta do duplo homicídio que o grupo não cometeu: as execuções de Marielle Franco e Anderson Gomes. O marco zero da investigação que desmantelaria o grupo foi o depoimento de Orlando Curicica, que não só revelou a existência da quadrilha às promotoras do Gaeco como também forneceu um histórico dos assassinatos que já haviam cometido – e dos quais haviam saído impunes. Curicica, no entanto, deixou claro que o mercado da morte do Rio não se restringia a Adriano e seus capangas.

"Tem o Lessa. Vocês sabem do Lessa?", perguntou, no meio do depoimento, de forma displicente.[57]

As promotoras responderam negativamente.

"Do sem perna? O que a bomba explodiu dentro do carro dele e perdeu a perna? O policial militar?", insistiu o miliciano.

Depois de mais uma negativa, ele não insistiu. Ronnie Lessa só viraria oficialmente alvo do inquérito dali a um mês, depois que a Delegacia de Homicídios recebeu uma denúncia anônima citando seu nome. As promotoras deixaram a Penitenciária de Mossoró decididas a jogar luz sobre Adriano da Nóbrega e seus capangas.

"O que nos chamou a atenção é que eles eram conhecidos no submundo do crime e, mesmo assim, nenhum dos integrantes dessa quadrilha era sequer investigado. Capitão Adriano, Mad e Tonhão. Todos eram matadores conhecidos, muita gente na polícia já sabia quem eram eles, mas ninguém investigava nem prendia. Por isso, decidimos que nós, do Gaeco, iríamos investigá-los. Nós queríamos saber se o que falavam à boca miúda era verdade: em 2018, pessoas eram contratadas para matar há décadas no Rio de Janeiro sem serem sequer investigadas? Constatamos que sim", me explicou Simone Sibilio.

O Gaeco, então, passou a esquadrinhar o passado do capitão Adriano e seu grupo. Como sabiam que seria improvável que testemunhas topassem prestar depoimento sobre eles, as promotoras lançaram mão de uma técnica de investigação até então inédita no país: a quebra de sigilo dos serviços de armazenamento de dados — também chamados de "nuvem" — usados pelos suspeitos. Contas de e-mail, aplicativos e redes sociais armazenam informações da navegação de cada usuário muito valiosas numa investigação policial, como histórico de buscas, dados de geolocalização, conversas, fotos e arquivos salvos em áudio, texto e vídeo. Ao vasculhar os rastros deixados pelo Escritório do Crime na internet, as promotoras conseguiram juntar provas de sua participação em vários homicídios.

E mais: descartaram a participação do consórcio de pistoleiros na execução de Marielle. Eles tinham um álibi. Nos mesmos dia e hora em que a vereadora fora morta, Adriano, Mad e seus mercenários estavam ocupados cometendo outro assassinato.

Na noite de quarta-feira, 14 de março de 2018, a polícia havia acabado de cercar o local onde a parlamentar havia sido morta, no Estácio, quando os matadores do Escritório do Crime entraram no estacionamento do restaurante Outback, na Barra da Tijuca, a exatos 25 quilômetros de distância. A bordo de um Fiat Doblò verde, quatro pistoleiros pararam numa vaga com vista para a porta do estabelecimento, mas ninguém desembarcou: por oitenta minutos eles esperaram pacientemente até que o alvo acabasse de jantar, pagasse a conta e saísse pela porta.

O comensal aguardado pelo quarteto era Marcelo Diotti da Matta, uma figura bastante conhecida no submundo. Sob a fachada de "empresário", ele escondia a verdadeira origem de sua fortuna: Diotti controlava a exploração das máquinas caça-níqueis no bairro de Campo Grande com a anuência da milícia local.[58] A boa relação com a quadrilha também abriu as portas para que ele pudesse vender gás na Gardênia Azul, outro reduto de paramilitares. Naquela noite, o bicheiro jantava com a mulher, Samantha Miranda, conhecida no meio do funk carioca como MC Samantha, e mais quatro amigos. Funcionários do restaurante contariam à polícia dias depois que acharam Diotti "uma pessoa arrogante".[59]

Às 23h35, o grupo se levantou da mesa e saiu em direção ao estacionamento. Diotti foi buscar o carro sozinho, enquanto a mulher ficou esperando na entrada do restaurante. Antes de o bicheiro conseguir abrir a porta do veículo, três homens com balaclavas e roupas escuras saltaram do Doblò e dispararam várias vezes com fuzis em sua direção. Depois que a vítima foi atingida e caiu no chão, um dos homens ainda se aproximou e deu vários tiros em sua cabeça. Horas depois, peritos da DH recolheram 22 cartuchos calibre 7,62 no local.[60] Enquanto clientes e funcionários corriam para se proteger, os atiradores embarcaram novamente no carro verde, que disparou em direção à saída. Para deixar o estacionamento, o quarteto ainda aproveitou que a cancela já havia sido aberta por um jipe que saíra pouco antes e fugiu pela avenida das Américas.

O capitão Adriano logo surgiu como um dos principais suspeitos do crime. Afinal, o Gaeco descobriu que, pouco antes do homicídio, Diotti havia se aproximado de um velho desafeto do ex-

-caveira: Bide, o irmão de Maninho que fora seu primeiro patrão na contravenção. Como eu já contei,[61] Adriano fora responsável por recrutar, de dentro da cadeia, policiais do Bope para formar a segurança do herdeiro do clã Garcia, mas depois o traiu e se aliou a Zé Personal. Com medo de morrer, Bide foi para Roraima, onde tinha fazendas e cabeças de gado. Mais de uma década depois, o irmão de Maninho — que nunca aceitou que um forasteiro estivesse à frente do espólio familiar — resolveu retomar o que considerava seu por direito. Por isso, contratou Diotti para matar Adriano.

Mesmo sabendo do risco, Diotti topou a empreitada. Ele era um nome em ascensão na contravenção e, com Adriano fora do tabuleiro, teria espaço para expandir seus domínios. O plano, contudo, nunca seria posto em prática: Adriano descobriu o complô e colocou seu consórcio de pistoleiros em ação.

O Escritório do Crime montou um verdadeiro dossiê sobre a vítima e passou pelo menos três meses em seu encalço pelo Rio. Todas as provas do monitoramento e da preparação do crime foram encontradas pelo Ministério Público nas "nuvens" de Mad e de seus mercenários.[62] Na conta de e-mail usada por Tonhão, os investigadores acharam fotos de Diotti e da esposa retiradas de perfis do casal em redes sociais. Ele também fez buscas no Google com os termos "fotos de Samantha Miranda" e "foto de atual namorado de Samantha Miranda".

Os pistoleiros cogitaram ainda virar vizinhos de Diotti para vigiá-lo — ou até eventualmente emboscá-lo. Em 26 de janeiro de 2018, Tonhão digitou no buscador as expressões "casa para alugar" e "aluguel casa" acompanhadas do nome do condomínio onde a vítima morava, no Itanhangá. Além de Tonhão, Gago, que atuava no monitoramento dos alvos da quadrilha, também fez buscas pelo nome do conjunto e pelo endereço anterior de Diotti.

O Gaeco também conseguiu comprovar que os pistoleiros, de fato, foram até o endereço da vítima. Dados de geolocalização de seus celulares revelam que tanto Mad quanto seus subordinados passaram pelo condomínio diversas vezes entre janeiro e fevereiro de 2018. Na conta de e-mail de Gago foram encontradas várias fotos da portaria do condomínio tiradas por ele. Já Tonhão guardou em sua "nuvem" vídeos do depósito de gás de Diotti, na Gardênia.

Uma prova colhida no local da morte de Diotti levou a Delegacia de Homicídios e o Gaeco a identificar outro assassinato cometido por Adriano, Mad e seus capangas. Uma comparação balística feita entre os cartuchos achados na cena do crime e diversos outros recolhidos em execuções semelhantes concluiu que um dos fuzis usados pelos pistoleiros para matar o bicheiro também fora empregado em outra ação, apenas um mês depois. Um estojo ejetado pela arma foi coletado por peritos na praça Miguel Osório, no Recreio dos Bandeirantes, na noite de 10 de abril de 2018, pouco depois de o subtenente reformado Anderson Cláudio da Silva, o Andinho, ser fuzilado por homens armados.[63]

Após se aposentar da PM, Andinho abriu uma empresa de segurança privada e, naquela noite, havia marcado uma reunião com sua sócia no empreendimento. O encontro seria no apartamento dela, em frente à praça, no início da noite. O subtenente chegou sozinho às 19h30 a bordo de sua BMW blindada, estacionou numa vaga em frente ao prédio e subiu. No final da conversa, uma hora mais tarde, saiu pela portaria e atravessou a rua. Logo depois de abrir a porta, no entanto, foi atacado a tiros por encapuzados que passaram atirando num carro. Segundo moradores da região que presenciaram a cena, um dos algozes vestia uma farda da PM.

Mais de um mês depois do crime, a investigação ainda estava na estaca zero quando uma testemunha procurou a Delegacia de Homicídios e o MP para revelar que Andinho era um homem marcado para morrer.[64] O policial aposentado não era um mero administrador da empresa de segurança: seu principal trabalho, na verdade, era o de guarda-costas de Fernando Iggnácio, genro de Castor de Andrade. Na época, seu chefe travava uma disputa de mais de duas décadas com Rogério Andrade, sobrinho do capo, pelo controle do jogo ilegal em Bangu — e Andinho era um dos soldados de Iggnácio na guerra familiar.

No final de 2017, Andinho recebeu de Iggnácio uma ordem do chefe. Ele deveria invadir, com um bando armado, a Vila Vintém — uma das favelas do bairro sob disputa — para quebrar máquinas caça-níqueis instaladas no local.[65] O quebra-quebra foi posto em prática e no mesmo dia chegou aos ouvidos de Rogério Andrade. "Furioso", o sobrinho de Castor passou a "elaborar uma emboscada" para matar Andinho. Nos meses anteriores ao crime, o PM parecia saber que a vingança estava a caminho: andava "muito preocupado e tenso", dizia a parentes e amigos que estava sendo seguido e passou a trocar de carro com frequência para tentar despistar seus algozes.

Em 6 de janeiro de 2018, Andinho foi vítima de um atentado malsucedido. Ele saía de seu local de trabalho — um imóvel na rua Ribeiro de Andrade, em Bangu, que funcionava como base da equipe de segurança de Fernando Iggnácio — por volta das oito da noite, quando ocupantes de um carro passaram atirando em sua direção. Como a casa estava lotada de policiais a serviço do bicheiro, houve tiroteio, mas os pistoleiros conseguiram fugir. Andinho saiu ileso, mas outro PM de sua equipe, o sargento Natalino dos Santos Rodrigues, foi baleado no peito e na mão durante o confronto. Levado às presas para o hospital, Natalino sobreviveu. Na delegacia do bairro, o caso foi registrado como "tentativa de assalto".[66]

Rogério não admitiria falhas na segunda tentativa. Por isso, os pistoleiros contratados para a empreitada não economizaram munição quando emboscaram Andinho na praça Miguel Osório: ao todo, 63 cartuchos foram apreendidos pela perícia naquela noite[67] — e um deles saiu do cano de um fuzil do Escritório do Crime. Essa, no entanto, não foi a única prova de que o chefão contratara o consórcio de matadores para a missão. Arquivos e dados encontrados graças às quebras de sigilo das "nuvens" de Mad e seus capangas revelaram que eles seguiam os passos de Andinho desde o início de 2018 e participaram dos dois ataques ao segurança de Iggnácio.

No dia do primeiro atentado, Tonhão pesquisou no Google Maps o melhor trajeto até a base da segurança do bicheiro.[68] Ele digitou o endereço exato do imóvel às 19h26 — ou seja, quase meia hora antes do ataque. Após a pesquisa, foi até o local: dados de geolocalização atrelados à sua conta de e-mail revelam que Tonhão saiu de Jacarepaguá e foi até Bangu naquela noite. Às 19h43, quando estava a apenas quatro minutos do local do ataque, o pistoleiro desligou o celular.

As buscas não pararam depois da primeira tentativa. No e-mail de Gago, o Gaeco encontrou vários arquivos datados de 11 de março com uma miscelânea de dados sobre Andinho: números de seus documentos, endereços ligados a ele, empresas e veículos em seu nome, fotos de suas redes sociais, da fachada de seus imóveis e até dos cartões de visita que costumava distribuir — os pistoleiros sabiam todos os detalhes da vida da vítima. Nos dias posteriores, Tonhão e Gago passaram a monitorar os locais ligados a Andinho que haviam levantado. Dados do GPS de seus celulares mostram que a dupla foi várias vezes à casa e à sede da empresa do PM entre os dias 12 e 15 de março. No último dia, Gago chegou a filmar a fachada da residência de Andinho — o vídeo enviado, claro, ficou armazenado em seu e-mail.

Os matadores ainda esperaram um mês até a oportunidade perfeita: ao sair da casa da sócia, Andinho estava sozinho num local ermo e mal iluminado — e acabou sendo presa fácil. O Escritório do Crime, contudo, não era o único grupo armado que estava na praça naquela noite. Peritos que analisaram a cena do crime concluíram, a partir dos vestígios encontrados no local, que dois grupos diferentes foram executar o segurança de Iggnácio ao mesmo tempo, no mesmo local. E, como um bando não sabia do outro, acabaram trocando tiros.[69]

As marcas de tiro encontradas na BMW de Andinho e nos outros carros que estavam estacionados na praça na noite da execução levantaram a suspeita dos peritos: havia marcas em várias direções — um sinal de que havia acontecido um confronto. Só que a pistola que Andinho portava estava travada e municiada — ou seja, o PM não teve tempo para reagir. Como ele havia ido sozinho à reunião, a polícia começou a acreditar que o crime envolvia dois grupos de atiradores.

A suspeita virou certeza quando os agentes descobriram que dois carros passaram pela cena do crime. Um deles era um Honda Fit prata, descoberto depois que os peritos levaram para análise um fragmento de vidro, quebrado durante o tiroteio. A polícia rastreou o código FZ201308, impresso no estilhaço, e concluiu que ele havia se soltado da janela de um Honda Fit roubado meses antes. Provavelmente o carro foi clonado e destruído depois do homicídio, pois nunca foi encontrado.

Já o veículo usado pelo outro bando era um HB20 vermelho, abandonado a um quilômetro de distância da praça porque um de seus ocupantes, o ex-PM David Soares Batista, foi baleado nas pernas durante o tiroteio. Batista acabou preso em flagrante naquela noite porque portava ilegalmente uma pistola 9 mm. Após abandonarem o ferido, os demais integrantes renderam um motorista que passava, roubaram seu veículo e fugiram. À polícia, a vítima do roubo afirmou que os quatro homens que o abordaram portavam fuzis.

No fim da análise do material recolhido na cena do crime, os peritos concluíram que o Escritório do Crime estava a bordo do Honda Fit.[70] Quando chegaram à praça, Mad e seus capangas se depararam com o HB20 parado na mesma via, mas no sentido oposto. Seus ocupantes já atiravam na direção de Andinho. A cerca de quarenta metros de distância, os pistoleiros a serviço do capitão Adriano se assustaram e abriram fogo contra o bando rival, que revidou os disparos. Após um breve confronto, o consórcio de matadores conseguiu fugir da cena no Honda Fit sem nenhuma baixa. Entre os integrantes do grupo do HB20, só se sabe do ex-PM Batista porque ele foi baleado e deixado para trás. Até hoje não há nenhuma pista sobre quem eram os outros.

"PERDEU!"

Ainda não eram seis horas quando Mad foi acordado por gritos e socos na porta da frente de sua casa, em Vila Valqueire. Era o dia 30 de junho de 2020. A entrada do imóvel de dois andares era decorada com um olho grego, espécie de amuleto de proteção contra energias negativas. "Polícia! Perdeu!", berravam os agentes da Polícia Civil e do MP envolvidos na Operação Tânatos, uma referência ao deus da Morte da mitologia grega. O pistoleiro se levantou sobressaltado da cama e, vestindo somente uma cueca, liberou a entrada para os policiais.

Algemado e sentado no chão da varanda de sua casa, Mad — que àquela altura era o último chefe ainda vivo do Escritório do Crime — se limitou a dizer uma frase para as promotoras Simone

Sibilio e Letícia Emile: "Eu não tenho nada a ver com a morte da Marielle". Elas sabiam que era verdade. Mas tinham na manga provas que culminaram na decretação da prisão de Mad, Tonhão, Gago e Mugão pelos homicídios de Marcelo Diotti e do PM Andinho. Naquele dia, só os dois primeiros foram localizados e presos. Mugão acabou morto após trocar tiros com policiais civis na Penha, em fevereiro de 2021. Já Gago passou quase três anos foragido e só foi localizado e preso em março de 2023.

No celular de Tonhão o Gaeco encontraria provas da participação do consórcio de matadores em mais um crime: o assassinato de Alcebíades Garcia, o Bide, em fevereiro de 2020, quando voltava para casa após assistir ao desfile das escolas de samba na Marquês de Sapucaí. No aparelho, o pistoleiro guardava um plano para invadir o haras do bicheiro e matá-lo: foram encontradas imagens aéreas do local com as inscrições "melhor lugar para se entocar" e "melhor lugar para entrar", e fotos tiradas dentro da fazenda com o intuito de mapear o local. Em janeiro de 2022, Mad e Tonhão foram denunciados pelo MP por mais esse homicídio.[71]

A primeira condenação de integrantes do Escritório do Crime na Justiça só aconteceu após mais de uma década de atuação do grupo no submundo: em agosto de 2023, os irmãos Mad e Tonhão receberam penas de treze anos e quatro meses de prisão pelo crime de organização criminosa. Na sentença, o juiz Bruno Rulière não poupou críticas ao que chamou de "omissão deliberada" de agentes públicos encarregados de investigar mortes da guerra do jogo do bicho no Rio e apontou uma série de falhas nos inquéritos sobre os assassinatos de Zé Personal, Pereira, Falcon e Haylton Escafura.

"Historicamente, os homicídios ligados a disputas da contravenção não resultam em efetivas respostas estatais e rumam em via única destinada a uma deplorável impunidade institucionalizada. O exame desses procedimentos permite inspirar particular questionamento sobre a adequação e a regularidade na condução dos inquéritos policiais, que são marcados por rotinas engessadas, despidas de profícuos atos apuratórios, com uma manifesta situação de letargia e omissão deliberada de alguns agentes e autoridades públicas", escreveu o juiz.[72]

Ao final das quase trezentas páginas da sentença, Rulière determinou que órgãos de controle do Ministério Público apurem a conduta do procurador Homero das Neves Freitas Filho, que foi o responsável por atuar em casos de homicídios na capital do Rio até 2018. Todos os inquéritos em que há indícios da participação do Escritório do Crime nesse período passaram por suas mãos.

A investigação que levou à condenação de Mad e Tonhão também identificou uma empreitada que, embora planejada, acabou não sendo levada a cabo pelo Escritório do Crime: a execução de Fernando Iggnácio. Em abril de 2018, o próprio Mad pesquisou no Google o preço de uma metralhadora antiaérea calibre .50 que seria usada exclusivamente no atentado ao bicheiro.[73] Já em outubro de 2017, Tonhão fez uma busca pelo preço do aluguel de um apartamento no condomínio onde o arquirrival de Rogério Andrade morava, em frente à praia de São Conrado. Os irmãos, no entanto, foram presos antes de concluírem o plano.

Em novembro de 2020, cinco meses depois das prisões, Fernando Iggnácio foi executado a tiros na Barra da Tijuca.[74] O Escritório do Crime caiu, mas a fábrica de matadores do submundo do Rio seguiu operando a todo vapor.

7. Liga da Justiça

Era noite de festa em uma residência no Itanhangá, bairro de classe média alta da Zona Oeste. A casa era um imóvel de luxo, com dois andares e piscina, dentro de um condomínio fechado, onde só entram moradores, seus convidados e funcionários. O funk tocando em alto volume contrastava com o silêncio e a escuridão da Floresta da Tijuca, que permeia os limites da propriedade. Entocado em meio à vegetação, o capitão Adriano procurava, com a mira de seu fuzil de sniper, o aniversariante.

Entre copos de uísque e taças de champanhe estava a nata do submundo carioca. Bicheiros, milicianos e policiais se misturavam a celebridades do funk e do pagode para comemorar os 38 anos do dono da mansão: Marcelo Diotti da Matta, chefão das máquinas caça-níqueis de Campo Grande e desafeto do ex-caveira. Era 3 de fevereiro de 2018 e, depois de meses monitorando aquele endereço, o Escritório do Crime enfim colocava em prática um plano ousado para executar o contraventor.

A operação envolvia, além de Adriano, pelo menos mais cinco sicários que foram até o condomínio em três carros diferentes. Todos se infiltraram na mata com roupas camufladas e fuzis e ficaram horas esperando o momento do ataque, sem beber nem comer nada. Caberia ao ex-caveira dar o tiro de precisão que mataria Diotti. Se por acaso errasse a mira ou não houvesse oportunidade para o disparo perfeito, os comparsas estavam prontos para entrar em ação — e transformar a comemoração num massacre.

Adriano não puxou o gatilho naquela noite. A cena está fartamente documentada em depoimentos de testemunhas prestados ao MP do Rio: o ex-caveira decidiu abortar a missão quando viu pela luneta da arma um homem por quem "nutria relação de amizade e respeito".[1] Era seu amigo Wellington da Silva Braga, o Ecko, chefe da maior milícia do Rio e o criminoso mais procurado do estado à época.

Adriano não sabia que Ecko estaria lá nem qual era a relação dele com o alvo. Para não se indispor com o amigo, optou por cancelar a missão e, duas semanas depois, o procurou para explicar suas intenções. Ecko deu o sinal verde para a empreitada — afinal, negócios são negócios.

"O Adriano era próximo do Ecko. Por isso, ele abre o jogo e pergunta a respeito da relação entre ele e Diotti. O Ecko lava as mãos e diz: 'É meu amigo, mas se você tem alguma desavença, pode prosseguir'", me contou Marcelo Pasqualetti, policial federal que investigou Adriano.

Na segunda tentativa, o Escritório do Crime não titubeou: um mês depois de seu aniversário, Marcelo Diotti foi fuzilado no estacionamento de um restaurante, como descrevi no capítulo anterior.

Apesar de foragido e réu em nove processos criminais, Ecko circulava tranquilamente pela cidade escoltado por seguranças, frequentava mansões em bairros ricos e mantinha contatos frequentes com pistoleiros, bicheiros, policiais e traficantes. Apenas um ano antes do encontro com Adriano, ele havia eliminado à bala mais de uma dezena de rivais para chegar ao posto mais alto da Liga da Justiça, milícia fundada no final dos anos 1990 por agentes oriundos de forças de segurança que dominava os três maiores bairros do Rio: Campo Grande, Santa Cruz e Guaratiba, todos no extremo oeste da cidade. O miliciano, entretanto, não havia passado pelas fileiras de polícia alguma: pelo contrário, era um ex-traficante que "virou a casaca" quando a favela onde nasceu e cresceu, Três Pontes, em Santa Cruz, foi invadida pelos paramilitares.

Sob seu comando, a Liga da Justiça virou o Bonde do Ecko: o grupo passou a ser composto majoritariamente de ex-integrantes de facções do tráfico, e não mais de policiais. Além disso, seu leque de contatos no submundo e sua habilidade para construir alianças transformaram sua milícia na maior organização criminosa do Rio. Antes restrito à Zona Oeste, o grupo se espalhou por vinte bairros da capital e outros seis municípios da Baixada Fluminense e da Costa Verde — nenhuma das três facções do tráfico que atuam no estado tem sob seu controle um território tão extenso.[2]

A aproximação com o capitão Adriano, por sinal, foi decisiva para o crescimento da milícia pelo estado. A amizade da dupla abriu caminho para uma inédita aliança entre diferentes grupos paramilitares que até então atuavam de forma independente e descoordenada. Com o pacto, milicianos de Rio das Pedras e Campinho, redutos sob a influência de Adriano, uniram forças com a quadrilha de Ecko e passaram a avançar sistematicamente sobre territórios dominados por facções do tráfico. Invasões de favelas da Região Metropolitana por homens vestidos de preto com capuzes e fuzis a bordo de carros clonados passaram a ser recorrentes no noticiário.

Como os paramilitares estavam em maior número, possuíam armamento mais potente e eram mais bem treinados que os rivais, as comunidades eram tomadas do dia para a noite: os traficantes que não se rendiam e não aceitavam mudar de lado eram mortos e tinham seus corpos queimados. No segundo semestre de 2018, por exemplo, paramilitares ligados a Adriano ajudaram o bando de Ecko a invadir as favelas do Rola e Antares, que eram os últimos redutos do Comando Vermelho em Santa Cruz, bairro considerado uma espécie de QG da milícia.

Um ano depois, a dupla montou uma verdadeira operação de guerra para atacar, ao mesmo tempo, seis favelas diferentes em Nova Iguaçu, na Baixada Fluminense. Uma ligação interceptada pela polícia registrou o desespero de um dos chefes do tráfico da região naquela madrugada: "Os caras tão tudo com fuzil, com vários carros. Eles estão ficando dentro do mato, tipo assim, de estratégia. Não dá pra correr pro mato", avisou aos comparsas.[3]

"Juntos, Ecko e Adriano conseguiram formar um cinturão que sai da Zona Norte, passa pela Zona Oeste e chega à Baixada Fluminense. Tudo dominado pela milícia", resumiu Pasqualetti.

A polícia foi cúmplice do crescimento do bando. Há provas de que a PM não só fechou os olhos para as invasões da milícia como também participou ativamente de algumas delas. Na tomada da favela do Rola, quatro policiais fardados e a serviço (escalados para reforçar o policiamento na região) foram fotografados por moradores lado a lado com um grupo de paramilitares encapuzados e armados com fuzis. A imagem viralizou nas redes sociais e passou a ser alvo de uma investigação interna da corporação, que concluiu que os agentes "permitiram que milicianos saíssem da comunidade, após confronto armado com traficantes, sem que fossem incomodados e, ainda, se deixaram fotografar junto aos mesmos".[4]

Já em Itaguaí, cidade que faz limite com Santa Cruz e também invadida pela milícia de Ecko entre 2017 e 2018, os laços entre paramilitares e policiais vieram à tona num depoimento bombástico. Com medo de ser morto, André Vitor de Souza Corrêa, o Dufaz, ex-miliciano que rompeu com a quadrilha, resolveu se entregar e contar o que sabia na esperança de fechar um acordo com a Justiça: "Os milicianos não tinham medo da PM, pois era a corporação que dava força à organização", declarou.[5] Quando ainda integrava a quadrilha, Dufaz circulava pela cidade armado e usando a farda da PM, mesmo não sendo policial. Nessas rondas, quando passava por blitze do batalhão local, os agentes "o deixavam seguir viagem normalmente, inclusive costumava lanchar com os policiais militares, apertavam as mãos e batiam papo".

O ex-miliciano ainda contou que policiais vendiam para a milícia armas apreendidas em operações contra o tráfico e entregavam rivais que haviam sido detidos para que fossem executados pelos paramilitares. A PM também participava das invasões dos paramilitares em favelas da região: antes dos ataques, agentes fardados entravam nas comunidades com viaturas "para espantar os caras",[6] e o bando ocupava o local sem resistência.

A partir desse depoimento, a polícia descobriu que o lugar-tenente de Ecko em Itaguaí, que gerenciava a milícia na região, era um sargento da PM. Antônio Carlos de Lima, o Toinho, passou quinze anos batendo ponto no batalhão de Santa Cruz, o 27º BPM, unidade responsável por patrulhar a área dominada pela milícia que ele integrava. O sargento não se notabilizava pelo perfil operacional: definido como "um sujeito quieto" pelos colegas de farda, ele passava a maior parte do tempo em atividades administrativas e chegou a servir até no rancho do quartel, cozinhando para a tropa.[7]

Discreto, Toinho conseguia atuar a favor da milícia dentro do batalhão sem ser incomodado. Em 2018, denúncias encaminhadas ao comando da PM apontavam que o sargento participava de um plano dos paramilitares para matar o então comandante do batalhão, coronel Wagner Guerci Nunes. A Corregedoria chegou a abrir uma averiguação para apurar se Toinho passava "informações do coronel aos milicianos que planejavam assassiná-lo".[8] Na época, Nunes procurou o MP para dizer que estava sendo ameaçado de morte e foi transferido da unidade. A investigação contra o sargento acabou arquivada.

O depoimento de Dufaz, no entanto, colocou a Polícia Civil no encalço de Toinho ao revelar que ele tinha um "vínculo direto" com Ecko e era o responsável por determinar quem seria executado. O sargento acabou preso em 2018 e virou réu, junto com Ecko e outros 42 acusados, por integrar a milícia da cidade. Segundo a denúncia do MP, a "aliança com forças policiais" permitia que a quadrilha atuasse com "liberdade e desenvoltura". A investigação apurou que, entre 2015 e 2018, a PM não realizou qualquer prisão em flagrante de integrantes do grupo paramilitar em Itaguaí.[9]

Em janeiro de 2019, na primeira audiência do processo, Dufaz repetiu para o juiz — numa sala especial do fórum, por medo de depor na frente dos acusados — tudo o que já havia afirmado à polícia e ao MP. No mês seguinte, seu corpo foi encontrado no porta-malas de um carro roubado estacionado em uma rua de Itaguaí, com várias marcas de tiros. O relato de Dufaz, entretanto, foi decisivo na condenação de Toinho e outros 25 integrantes da milícia em maio de 2020.[10]

Nos domínios de Ecko, quem orientava as ações de patrulhamento do batalhão e até determinava onde e quando a PM faria blitze era a milícia.[11]

"Preciso muito da tua ajuda. Um giro[flex] ligado inibe muita coisa", escreveu Garça, gerente da milícia em Santa Cruz, ao tenente Matheus Henrique de França, que trabalhava no batalhão local.[12] O miliciano (que estava foragido à época, com três mandados de prisão pendentes) queria que os agentes do batalhão mantivessem ligado o equipamento luminoso sobre as viaturas numa região do bairro onde estavam acontecendo muitos assaltos.

"Certeza. A ideia é prevenir delito mesmo", respondeu prontamente o policial.

Em outra mensagem extraída de seu celular, de fevereiro de 2021, Garça perguntou a outro oficial do batalhão, o capitão Pedro Augusto Nunes Barbosa, se uma equipe de policiais podia "sair da entrada de Manguariba", localidade de Santa Cruz acessada pela avenida Brasil. O capitão explicou que aquele era um "PB" (ponto-base, no jargão policial, é um local onde uma equipe deve ficar parada ao longo de determinado período), mas tranquilizou o paramilitar: o policiamento só funcionaria até as 22h, depois os policiais iriam embora. Cinco dias depois, o policial e o miliciano voltaram a se falar e trocaram gentilezas.

"Precisar de algo, é só falar", escreveu Garça.

"Valeu, meu camarada. Só tua consideração já é suficiente. Mas o que precisar pode acionar, valeu?", replicou o capitão.

Naquele mesmo mês, Garça explicou a um subordinado que o dinheiro obtido com a extorsão de moradores e comerciantes seria usado para influenciar o policiamento no bairro.

"Quero tá com pelo menos 5 mil reais fora meu pagamento. Além de pagar o GAT, vou dar uma bonificação para fazer blitz em pontos estratégicos", escreveu.

Para que os PMs fizessem exatamente o que a milícia mandava, os paramilitares também custeavam almoços de várias equipes do batalhão numa churrascaria do bairro, todas as segundas-feiras. Quem estivesse de serviço podia ir até o estabelecimento e comer de graça. Várias notas fiscais de refeições no local foram encontradas pela Polícia Civil e pelo MP no celular de Garça.[13]

Até parte da munição usada pela milícia para tirar desafetos do caminho e invadir favelas é desviada dos paióis de batalhões da

PM. Em 3 de março de 2018, a Polícia Civil apreendeu, dentro da casa onde foi preso Teco,[14] um dos "soldados" de Ecko, dois fuzis, uma pistola e 119 cartuchos. Peritos da corporação conseguiram, a partir dos números de série, rastrear a origem de parte da munição: 37 projéteis — para fuzis e pistolas — faziam parte de lotes comprados pela PM com dinheiro pago pela população. Não é um caso isolado: apreensões de cartuchos adquiridos pelo Estado com a milícia são frequentes em toda a Região Metropolitana do Rio.[15]

Apesar de a polícia ter sido, no mínimo, complacente com o avanço do Bonde do Ecko, agentes que trabalham nos batalhões da região foram premiados por "combater o crime". O caso de Santa Cruz é emblemático. Após invadir as favelas do Rola e Antares, a milícia passou a dominar todo o bairro, explorando moradores, comerciantes e empresários, e promovendo uma "pacificação" artificial à base de ameaças, extorsões e desaparecimentos de quem ousava denunciar o bando. Porém, na fria realidade dos números, os homicídios caíram quase à metade de 2018 para 2019: passaram de 99 para 48 casos.[16] E mesmo que essa queda estivesse diretamente relacionada com o avanço dos paramilitares, o 27º BPM recebeu seguidos prêmios — e seus agentes, bonificações salariais — do governo do estado por bater metas de redução de indicadores criminais.

JEROMINHO E NATALINO

No início do século XIX, d. Pedro I demorava seis horas para percorrer — em lombo de cavalo ou jumento — os 53 quilômetros que separam a Quinta da Boa Vista, a residência oficial do monarca, de sua casa de veraneio, a Fazenda Imperial de Santa Cruz. A propriedade, localizada no atual bairro homônimo, era onde o imperador e sua família costumavam se refugiar da pressão política da Corte. Foi lá que Pedro passou sua lua de mel ao se casar com Maria Leopoldina, em 1818. Quatro anos depois, a chácara foi o primeiro pouso onde a comitiva do então príncipe regente parou para descansar durante o deslocamento para São Paulo que culminaria na proclamação da Independência.

Quase duzentos anos depois, no final dos anos 1990, o mesmo trajeto era percorrido todos os dias pelos milhares de moradores de Santa Cruz que trabalhavam no Centro. Mesmo que mais rápidas, as viagens não melhoraram muito no quesito conforto: o percurso podia durar até duas horas dentro de ônibus ou trens lotados e sem ar-condicionado. Nas décadas anteriores, o bairro havia experimentado um aumento populacional não acompanhado por políticas públicas de transporte eficientes. Resultado: as alternativas oferecidas pelo Estado não eram bastantes para levar para o trabalho e trazer de volta para casa, com um mínimo de dignidade, a maioria da população da região.

A demanda pelo serviço, no entanto, abriu portas para novos atores. Pequenos empreendedores passaram a comprar vans e kômbis para recolher os passageiros que se amontoavam nos pontos de ônibus. O mercado paralelo cresceu rapidamente e, sem regulação, valia a lei do mais forte: brigas, achaques e ameaças viraram rotina na disputa pelas melhores linhas. Numa tentativa de criar uma espécie de autogestão e evitar episódios de truculência, os motoristas começaram a se organizar em cooperativas — organizações com maior capacidade de investimento, que podiam então contratar policiais como seguranças para proteger seus integrantes.[17] E não demorou muito para esses agentes de segurança perceberem que não seria difícil tomar as rédeas do negócio.

Foi nesse contexto que surgiu a Liga da Justiça. A milícia — batizada em referência à irmandade de super-heróis que se juntava para combater o crime — foi fundada pelos irmãos Jerônimo Guimarães Filho, o Jerominho, e Natalino José Guimarães, ambos inspetores da Polícia Civil, temidos dentro e fora da corporação. Pelas delegacias da cidade, Natalino, o mais novo, era conhecido como Mata Rindo. Ambos eram lideranças comunitárias antigas da Zona Oeste que se juntaram, ao longo da década de 1990, a outros agentes oriundos de forças de segurança para expulsar — à bala, claro — traficantes de drogas e assaltantes da região, nos moldes dos grupos de extermínio que já existiam na Baixada Fluminense havia cinquenta anos. O negócio, no entanto, mudou de escala na virada do século, quando a dupla resolveu entrar no mercado das vans para financiar o esquema.

"Policiais que residiam em áreas pobres começaram a se organizar — e entendiam que agiam legitimamente — para retirar das comunidades onde viviam criminosos que atuavam sobretudo no tráfico de drogas. Rapidamente eles perceberam que precisavam de uma estrutura empresarial, de recursos financeiros para promover essa organização. Por isso, começaram a explorar o transporte alternativo, que de início se tornou a principal fonte de recursos financeiros dos milicianos", explicou o delegado Marcus Neves durante audiência da CPI das Milícias da Alerj, em 2008. Na época, ele era lotado na delegacia de Campo Grande e foi responsável por algumas das primeiras investigações contra a Liga da Justiça.

Na prática, os irmãos e seus sócios tomaram à força as quinze cooperativas que atuavam na região. Uma delas, a Cooper Rio da Prata, teve sua sede em Santa Cruz cercada por vinte homens armados com fuzis e pistolas em abril de 2007. Um funcionário contou à polícia que os milicianos tocaram o interfone e mandaram que ele saísse. Do lado de fora, ele viu seis veículos parados na frente do imóvel, de onde desembarcaram os paramilitares. Um deles se apresentou como Luciano Guinâncio Guimarães, filho de Jerominho e seu homem de confiança, e disse que avisasse ao presidente da cooperativa "para meter o pé, que daqui pra frente Campo Grande, Santa Cruz, Sepetiba e Itaguaí é tudo nosso!".[18] Luciano ainda teria dito: "Manda avisar ao amigo para aceitar, senão vai acontecer com ele o mesmo que aconteceu com Ilton".

O miliciano se referia ao ex-sargento da PM Ilton Nascimento, o Iltinho Mongol, que fora assassinado e tivera o carro atingido por mais de trinta tiros durante uma emboscada dois dias antes da "visita" da milícia. Em seguida, o bando passou a circular pelo bairro avisando aos motoristas que, se quisessem trabalhar ali, deveriam pagar à quadrilha.

Se, no início, a exploração do transporte alternativo era sua principal atividade, a Liga da Justiça aos poucos diversificou sua atuação. Os milicianos perceberam que controlavam outro bem muito rentável: o medo. As silhuetas de morcego, símbolo do super-herói Batman, pichadas pelos paramilitares nos muros de toda a Zona Oeste eram um lembrete constante de sua presença. Assim, o temor que a população sentia dos paramilitares foi transformado em lucro.

Primeiro, os moradores se viram obrigados a pagar à milícia para se proteger dela mesma. Depois, a cobrança das "taxas de segurança" passou a alcançar comerciantes e empresários de todos os tipos e matizes: de vendedores ambulantes de açaí e churrasquinho que circulavam pelas esquinas[19] até empreiteiras de grande porte, com obras espalhadas por todo o país, que desejavam se instalar na região.[20] Cada um deveria pagar um valor semanal, que ia de apenas dez reais a até 50 mil reais, dependendo do tamanho do empreendimento.

O domínio territorial também facilitou o monopólio da exploração, pela milícia, de diversas atividades econômicas — muitas delas ocupando o espaço deixado pelo Estado, incapaz de prestar um serviço de qualidade nas regiões mais pobres. Assim, vendas de gás em botijões, água mineral, cigarros e sinais piratas de TV a cabo e internet foram sendo incorporadas ao portfólio da Liga da Justiça. Esses novos negócios, aliados à anexação de outras áreas, levaram à multiplicação dos lucros da milícia. Em 2008, segundo estimativa do delegado Marcus Neves, a Liga faturava 2 milhões de reais por mês.[21] Treze anos depois, uma investigação da Polícia Civil apontou que o valor chegava a 15 milhões.[22]

Os assassinatos são a principal ferramenta de manutenção do poderio da Liga da Justiça. A milícia mata para espalhar medo, para punir quem ousa desobedecê-la, para dar exemplo. Segundo uma estatística produzida pelo setor de inteligência da PM, 98 homicídios foram praticados pelo grupo apenas entre 2006 e 2008.[23] Várias vítimas eram inocentes, pessoas que não tinham nenhuma relação com os paramilitares ou com qualquer grupo criminoso e acabaram executadas de forma covarde. Foi o que aconteceu no morro do Barbante, em Campo Grande, em 19 de agosto de 2008.

Ao cair da tarde, um grupo de dezessete homens encapuzados e armados com fuzis e pistolas desembarcou de um caminhão-baú e passou a atirar aleatoriamente em pessoas que cruzavam seu caminho. O primeiro a ser executado foi Ariovaldo da Silva Nunes, de 37 anos, dono do supermercado da favela. Ele foi retirado à força de dentro do estabelecimento e morto numa viela. Outra vítima nem sequer morava no Barbante: o funcionário da Caixa Econômica Federal Dario Leoneza, de sessenta anos, estava chegando ao local para visitar amigos quando foi surpreendido pelos assassinos. Mais cinco pessoas foram mortas na chacina.

A primeira linha de investigação apontava para um ataque de traficantes que tentavam retomar o controle do morro do Barbante; afinal, a Liga da Justiça mal havia conseguido se instalar na área depois de expulsar o Comando Vermelho. Nas semanas seguintes, no entanto, a Polícia Civil concluiu que o massacre fora obra dos próprios milicianos com o objetivo de simular uma ofensiva de traficantes, espalhar o medo entre os moradores e, assim, conquistar o apoio da população local — que estava insatisfeita com a imposição do pagamento das "taxas de segurança" pelos paramilitares.

"O objetivo desses milicianos, que são muito mais organizados que os traficantes, é também enganar a comunidade que atacaram. Eles querem mostrar que a população vai sofrer muito mais se os traficantes entrarem ali", afirmou, à época, o delegado Marcus Neves, responsável pela investigação do caso.[24]

Três policiais militares, dois policiais civis e um bombeiro foram identificados entre o grupo de encapuzados.

A chacina só foi esclarecida graças aos depoimentos de duas testemunhas que tiveram a coragem de contar tudo o que viram à polícia — e, por isso, entraram na lista de pessoas marcadas para morrer. Uma delas era Leonardo Baring Rodrigues, que afirmou ter visto milicianos acertando os últimos detalhes para a execução do massacre na véspera dos crimes.[25] Leonardo foi executado a tiros onze meses depois. Seu irmão, Leandro, que presenciou o assassinato, teve que ir escoltado e com colete à prova de balas ao enterro. Porém, em setembro de 2010, depois de depor à Justiça sobre o crime, Leandro foi emboscado próximo à favela do Jacarezinho, quando levava passageiros em sua kômbi.[26]

A Liga da Justiça também foi atrás do outro jovem que ajudou a polícia a identificar os atiradores. Em seu encalço, um bando armado invadiu a casa de sua família, em junho de 2009, e matou quem viu pela frente: mãe, tio, um sobrinho e o avô — um senhor de noventa anos. Depois, os atiradores desapareceram com os cadáveres.[27] A polícia só conseguiu localizar os corpos três meses depois, num cemitério clandestino usado pelos paramilitares: o do idoso tinha uma marca de tiro na cabeça e as mãos algemadas com um lacre de plástico, os demais estavam esquartejados dentro de sacos de lixo. Depois do crime, a testemunha deixou o Rio para nunca mais voltar.

A verdade é que a Liga da Justiça nasceu com um projeto político claro e nunca escondeu suas intenções. Jerominho e Natalino montaram um centro social em Campo Grande e passaram a usá-lo para impulsionar a fama de benfeitores do bairro. O trabalho assistencialista feito no local — que recebia as mais variadas demandas da população e oferecia consultas médicas e odontológicas — serviu como base para as bem-sucedidas candidaturas dos dois a cargos legislativos.

Em 2000, Jerominho se elegeu vereador pelo Partido do Movimento Democrático Brasileiro (PMDB) com 20 560 votos. Não por coincidência, sua base eleitoral era o território dominado pela milícia. Na eleição seguinte, com o avanço do grupo paramilitar, foi alçado novamente ao cargo por 33 373 eleitores, votação 62% maior. A concentração de votos na área sob influência da quadrilha foi tão grande que, nas urnas de um Ciep no coração de Campo Grande, o chefe da quadrilha amealhou quase um terço dos eleitores — um estudo da CPI das Milícias com base no histórico eleitoral do país concluiu que, na média, candidatos a vereador com melhores desempenhos alcançam até 10% dos votos num local de votação. Já Natalino foi eleito deputado estadual pelo Democratas (DEM) em 2006. Mais da metade de seus 49 405 votos vieram de apenas cinco zonas eleitorais, todas em Campo Grande.

O desempenho eleitoral dos irmãos foi chancelado por um discurso de tolerância com os grupos paramilitares que, naquela época, circulava entre boa parcela da população, assustada com o avanço das facções do tráfico e com a incapacidade de sucessivos governos de lidar com o problema. Não à toa, esse discurso foi ecoado por vários políticos. Em 2007, Cesar Maia, então prefeito do Rio, chegou a declarar que "as milícias são melhores que o tráfico".[28] Para ele, as quadrilhas de policiais ocupavam um vácuo de poder nas favelas e funcionavam como uma espécie de barreira contra os traficantes.

Eduardo Paes, que o sucedeu no cargo, usava as milícias como exemplo bem-sucedido de retomada dos territórios da cidade: "Você tem áreas em que o estado perdeu a soberania por completo. A gente precisa recuperar essa soberania. Eu vou dar um exemplo, pois as pessoas sempre perguntam como recuperar essa soberania. Jacarepaguá é um bairro que a tal da 'polícia mineira', formada por policiais e bombeiros, trouxe tranquilidade para a população. O morro São José Operário era um dos mais violentos desse estado e agora é um dos mais tranquilos. Ou seja, com ação, com inteligência, você tem como fazer com que o estado retome a soberania nessas áreas", disse em 2006, durante sua campanha para governador.[29]

A defesa mais enfática das milícias, entretanto, coube ao então deputado federal Jair Bolsonaro, que chegou a propor a legalização dos grupos paramilitares. "Elas oferecem segurança e, desta forma, conseguem manter a ordem e a disciplina nas comunidades. É o que se chama de milícia. O governo deveria apoiá-las, já que não consegue combater os traficantes de drogas. E, talvez, no futuro, deveria legalizá-las", disse, numa entrevista para a BBC em 2008.[30]

Meses depois, Bolsonaro repetiu a defesa das milícias num discurso na Câmara: "Querem atacar o miliciano, que passou a ser o símbolo da maldade e pior do que os traficantes. Existe miliciano que não tem nada a ver com gatonet, com venda de gás. Como ele ganha 850 reais por mês, que é quanto ganha um soldado da PM, e tem a sua própria arma, ele organiza a segurança na sua comunidade".[31]

Anos depois, tanto Paes quanto Maia se disseram arrependidos de suas declarações. Já Bolsonaro, quando questionado sobre seus posicionamentos durante a campanha presidencial de 2018, preferiu desconversar: "Hoje em dia ninguém apoia milícia mais não. Mas não me interessa mais discutir isso".

Jerominho e Natalino aproveitaram a complacência das autoridades e passaram quase uma década extorquindo dinheiro da população e executando desafetos. Dois dias antes do Natal de 2007, no entanto, a maré começou a virar: com base em depoimentos de motoristas de vans, parentes de vítimas de milicianos e moradores extorquidos, o Tribunal de Justiça do Rio decretou a prisão de Jerominho e de mais nove acusados de integrar a Liga da Justiça. Natalino também foi denunciado pelo Ministério Público, e só não foi preso com o irmão porque, pela constituição estadual, deputados estaduais só podem ser detidos em flagrante e por crime inafiançável. Assim, o mais novo dos fundadores da Liga da Justiça só foi capturado após trocar tiros com a polícia, em julho de 2008.[32]

A prisão dos milicianos marcou uma mudança no tratamento dispensado pelo Estado aos grupos paramilitares, mas ainda era pouco. As milícias ainda não eram encaradas pelas autoridades como um problema prioritário a ser enfrentado. Isso mudaria apenas seis meses depois, com um escândalo em forma de manchete de jornal.

"Tortura: milícia da Zona Oeste sequestra e espanca repórter, fotógrafo e motorista de *O Dia*", estampava, em letras maiúsculas brancas sobre fundo preto, a primeira página da edição do diário carioca do dia 1º de junho de 2008, um domingo. Um mês antes, a equipe do periódico alugara um apartamento na favela do Batan, em Realengo, para investigar a milícia local. Por duas semanas, os jornalistas testemunharam a rotina de medo imposta aos moradores: o chefe dos milicianos desfilava pela favela com um taco de madeira que chamava de "Madalena", usuários de drogas eram agredidos e ameaçados, PMs fardados paravam suas viaturas num bar e bebiam com paramilitares — tudo devidamente registrado e enviado para a chefia da redação.

Depois de duas semanas vivendo na comunidade, no entanto, os funcionários do jornal foram descobertos e capturados pela milícia. Algemados e encapuzados para que não conseguissem identificar os paramilitares, a repórter, o fotógrafo e o motorista foram levados para uma casa em construção, mais afastada. No cativeiro, foram espancados, sufocados com um saco plástico e levaram choques elétricos.[33] Durante a sessão de tortura, os sequestradores diziam que os três seriam mortos, e seus corpos, queimados. A mulher chegou a ser submetida a uma "roleta-russa": um dos milicianos rodou o tambor de um revólver e apertou por duas vezes o gatilho da arma apontada para sua cabeça.

Em meio às agressões, o trio foi forçado a entregar as senhas de seus e-mails para que os milicianos pudessem ler os relatórios enviados à redação. Quando foi informado de que a chefia do jornal sabia da presença dos jornalistas na favela, o chefe do grupo, chamado de Coronel por seus comparsas, decidiu liberá-los para tentar evitar que os holofotes de toda a imprensa e da polícia se voltassem para a milícia do Batan. Antes, porém, os paramilitares roubaram a câmera e os cartões de memória com os registros feitos pelo fotógrafo.

Como esperado, a publicação da reportagem teve repercussão imediata. Os crimes da milícia do Rio viraram assunto em todo o país, o que obrigou a classe política e as autoridades da área da segurança a tomar providências. A Secretaria de Segurança determinou a abertura de uma investigação, que logo identificou dois dos responsáveis pela sessão de tortura: o inspetor da Polícia Civil

Odinei Fernando da Silva e Davi Liberato de Araújo. Ambos foram presos e acabaram condenados pelo crime. E não parou por aí.

A pressão da opinião pública levou a Alerj a aprovar, apenas dez dias depois de o caso vir à tona, a criação da CPI das Milícias, que teve como relator o então deputado estadual pelo Partido Socialismo e Liberdade (Psol) Marcelo Freixo. Após seis meses de trabalho, a comissão pediu, em seu relatório final, o indiciamento de 225 pessoas — entre elas, sete políticos, 67 PMs, oito policiais civis, três bombeiros, dois agentes penitenciários e dois militares das Forças Armadas. A exposição dos paramilitares levou a uma explosão no número de prisões de acusados de integrar milícias: em 2009, 246 milicianos foram parar na cadeia, mais do que o triplo do ano anterior.[34]

No documento, a CPI também listou 58 proposições para enfrentamento aos grupos paramilitares, que foram encaminhadas a diversos órgãos dos três poderes. Uma delas era a tipificação do crime de milícia, que saiu do papel em 2012, com uma lei sancionada pela presidente Dilma Rousseff. Desde então, "constituir, organizar, integrar, manter ou custear organização paramilitar" é crime com pena de até oito anos.

BATMAN

A Liga da Justiça sobreviveu ao golpe. Mal Jerominho e Natalino chegaram ao Complexo Penitenciário de Gericinó, e o principal pupilo da dupla fugiu pela porta da frente. Nas primeiras horas da manhã de 27 de outubro de 2008, um carro ocupado por falsos agentes prisionais parou na entrada do presídio. Os ocupantes afirmaram à equipe de plantão na portaria que tinham autorização para levar o ex-PM Ricardo Teixeira Cruz, o Batman — integrante do alto escalão da milícia e considerado, na época, um preso de "alta periculosidade" –, a um hospital. Sem nenhuma checagem de documentos, o portão foi aberto.[35] Dez minutos depois, Batman embarcou, sem algemas, no banco de trás da falsa viatura e deixou a cadeia para assumir a chefia do grupo paramilitar. A fuga só foi notada no dia seguinte, durante a contagem de presos.

Na época, o delegado Marcus Neves, que investigou o caso, afirmou que a Liga da Justiça pagou 2 milhões de reais a funcionários do sistema prisional para que Batman escapasse.[36] O objetivo era que, após deixar a cadeia, o miliciano reorganizasse a quadrilha e retomasse o controle de favelas e cooperativas de vans que haviam sido invadidas por milícias rivais. Sempre que perguntado sobre o assunto, o ex-PM nega ter subornado os agentes e diz que conseguiu sair da cadeia porque aproveitou "um erro no sistema" da Secretaria de Administração Penitenciária.[37] Fato é que, após essa fuga, vários desafetos da Liga da Justiça foram assassinados, e Batman conseguiu manter a hegemonia da quadrilha na Zona Oeste.

A trajetória do miliciano na PM não é digna de nota. Apenas três anos depois de ser aprovado no concurso para soldado, Batman foi expulso da corporação. O motivo: em fevereiro de 1990, ele foi preso em flagrante pelo roubo de uma empresa de engenharia.[38] Na Liga da Justiça, por outro lado, trilhou uma carreira ascendente. Depois de cumprir a pena pelo assalto, Batman abriu um negócio de distribuição de gás em Campo Grande, em sociedade com um amigo, Aldemar Almeida dos Santos, o Robin – foram justamente os apelidos da dupla que, anos depois, influenciaram a escolha do nome da milícia. Eles já tinham o monopólio da venda de botijões em várias favelas da região quando foram recrutados pelo então candidato Jerominho para trabalhar como seus cabos eleitorais na eleição de 2000. Após o pleito, os amigos viraram os braços armados do vereador e, posteriormente, integrantes da cúpula da milícia.

Robin acabou morto num tiroteio com a polícia em 2005. Já Batman foi preso em 2007 pelo atentado a um rival na disputa pelo controle das vans em Campo Grande. Só ficou um ano atrás das grades: alçado a sucessor de Jerominho e Natalino, fugiu da cadeia com a missão de recuperar o terreno perdido pela Liga da Justiça.

Livre, Batman não demorou para agir, como mostra uma ligação interceptada pela polícia após a fuga.

"A partir dessa semana eu vou cair pra dentro dessa linha aí, parceiro. Não vou medir consequência. Fui preso, vieram aqui em Campo Grande, tomaram tudo que é meu, entendeu? Agora eu quero o que é meu de volta. Entendeu?", disse, em tom de ameaça, ao funcionário de uma cooperativa de vans que havia sido tomada por um grupo rival.[39]

Seu reinado, contudo, foi curto. A fuga e a série de homicídios relacionados à milícia que a sucederam transformaram o ex-PM no criminoso mais procurado do Rio. A recompensa paga pelo Disque Denúncia por qualquer informação que levasse à sua captura chegou a 10 mil reais — e foi a ligação de um denunciante anônimo que pôs o ponto-final na caçada ao miliciano. O informante apontou como esconderijo de Batman a casa de uma namorada que ele tinha, na Zona Oeste. Mais de vinte policiais civis à paisana passaram todo o dia 13 de maio de 2009 cercando o imóvel, até que às 20h30 o alvo entrou calmamente pela porta. Bingo! Os investigadores apontaram suas armas para a entrada, esperando uma reação, mas o ex-PM saiu com as mãos na cabeça.

Na residência, foram encontrados dois fuzis, duas pistolas e vários documentos que detalhavam o funcionamento da Liga da Justiça — entre eles, uma lista com nomes de vários agentes de segurança que estavam na folha de pagamento. Quando foi apresentado à imprensa, na delegacia, Batman sorriu para os fotógrafos. No dia seguinte, embarcou para a penitenciária federal de Campo Grande, no Mato Grosso do Sul.

Nos seis anos seguintes, mais dois nomes oriundos da PM se sucederam no topo da hierarquia da Liga da Justiça, ambos indicados por seus antecessores: primeiro, o ex-soldado Toni Ângelo de Souza Aguiar, o Erótico; depois, em 2013, o também ex-soldado Marcos José de Lima Gomes, o Gão. O quadro só mudaria a partir de agosto de 2014, quando Gão foi capturado pela Polícia Civil. Como todos os policiais do topo da hierarquia do bando foram presos e não havia um substituto natural, abriu-se uma guerra pelo controle da milícia.

A contenda começou quando dois ex-chefes escolheram homens diferentes para o cargo. Batman indicou seu homem de confiança, Dentuço, principal matador do grupo. Já Toni Ângelo queria que seu pupilo, Carlinhos Três Pontes, irmão mais velho de Ecko, assumisse a quadrilha.[40] Três Pontes era um estranho no ninho da milícia, afinal começara sua carreira criminosa no tráfico de drogas, atuando na favela cujo nome foi incorporado a seu apelido, em Santa Cruz. Anos antes, quando a milícia iniciava a expansão pela Zona Oeste, traficantes de comunidades alvo da cobiça dos paramilitares eram seduzidos e acabavam trocando de lado. Foi assim que Três Pontes entrou para a quadrilha, tendo Toni Ângelo como seu "padrinho".

A disputa foi breve, mas sangrenta. Apenas dois meses após a prisão de Gão, Dentuço foi sequestrado por dez homens armados com fuzis e executado em seguida.[41] Outros quatro integrantes da milícia, sendo dois PMs, foram mortos ou desapareceram em menos de um mês. À bala, Três Pontes chegava ao topo da quadrilha — e sua ascensão abriu as portas para uma nova era da milícia no

Rio. Foi com ele que a Liga da Justiça passou a tolerar a venda de drogas nos seus domínios. A mudança teve origem num acordo fechado entre Três Pontes e seu velho amigo Arafat,[42] gerente do tráfico no Complexo da Pedreira, na Zona Norte, e integrante do alto escalão do Terceiro Comando Puro. Com a aliança, as vans da milícia poderiam circular pelos redutos da facção, e os traficantes estavam liberados para vender maconha e cocaína nos domínios dos paramilitares. Menos de um ano depois, os próprios milicianos já estavam comprando drogas nas comunidades de seus novos parceiros para revender na Zona Oeste. Bailes funk, antes terminantemente proibidos, foram liberados nas favelas dominadas pelos paramilitares.

A chegada de Três Pontes ao comando também transformou a estrutura da milícia, que passou a mimetizar a do tráfico: olheiros, vapores e gerentes começaram a fazer parte do cotidiano das áreas sob controle do grupo. Agentes das forças de segurança seguiram integrando o bando como guarda-costas, informantes e armeiros, mas o topo da hierarquia foi tomado por aliados de Três Pontes sem histórico nas polícias. Os dois principais eram seus irmãos. Ecko, o mais novo (usuário de drogas e também ex-traficante), virou seu braço direito. Já Zinho,[43] o mais velho, passou a ser o homem do cofre, responsável por maquiar as finanças do grupo a partir de empresas-fantasmas.

Três Pontes era espalhafatoso. Frequentava bailes, era dono de um time de futebol amador e ia aos jogos, onde recebia homenagens na beira do campo. Como era fotografado com frequência nesses eventos, imagens suas se espalharam rapidamente pelas redes sociais — o que acabou facilitando o trabalho da polícia. Em 21 de abril de 2017, três anos depois de chegar ao comando, o miliciano foi morto por policiais após ser localizado na casa da namorada, em Santa Cruz. Segundo a versão oficial, Três Pontes entrou em luta corporal com um delegado, tentou alcançar sua pistola e acabou baleado no peito por outro agente.[44] No dia seguinte, outdoors com o rosto do criminoso foram erguidos na Zona Oeste.

Ecko não esperou ordens dos chefões presos para assumir a milícia. Ele sabia que enfrentaria uma forte resistência interna, já que parte dos paramilitares, ligada às lideranças do passado, não aceitava que um usuário de drogas chegasse ao topo da hierarquia. Por isso, da mesma maneira que o irmão havia feito anos antes, o novo chefe foi, pouco a pouco, eliminando possíveis concorrentes.

Entre abril e outubro de 2017, dez milicianos foram encontrados mortos em diferentes pontos na Zona Oeste do Rio. No ano seguinte, foi a vez de Ruan da Silva Gomes, 24 anos, filho de Gão, que cumpria pena em presídio federal, ser executado enquanto jogava futebol com amigos. Já em agosto de 2020, Thiago de Souza Aguiar, irmão de Toni Ângelo, foi fuzilado quando fazia compras em Belford Roxo, na Baixada Fluminense. Até hoje, nenhum desses crimes foi solucionado, mas cintilam em cada um deles as digitais de Ecko consolidando seu poder.

Sob nova direção, a milícia mudou de nome — Liga da Justiça, associado aos tempos de domínio dos policiais, caiu em desuso e foi substituído por Bonde do Ecko — e se alastrou pelo estado. Mais ambicioso e articulado que o irmão, o novo chefe logo construiu um arco de alianças e colocou em prática um plano expansionista. Além da união com outros grupos paramilitares da capital, facilitada pela proximidade com o capitão Adriano, Ecko aprofundou os laços com o TCP. O pacto de não agressão implementado por Carlinhos Três Pontes evoluiu para uma parceria na guerra contra o CV: traficantes e milicianos passaram a atuar juntos na invasão de favelas do inimigo em comum.

A facção aliada teve participação importante, por exemplo, nas invasões das favelas do Rola e Antares, que eram dominadas pelos rivais. Juntos, os dois grupos também conseguiram derrotar o CV na Praça Seca e, em seguida, inauguraram uma espécie de consórcio no bairro: enquanto os paramilitares cobravam taxas de moradores e comerciantes, os traficantes tinham permissão para instalar bocas de fumo nas favelas.

Já na Baixada Fluminense e na Costa Verde, o avanço da milícia se tornou possível graças a uma série de acordos fechados entre Ecko e paramilitares locais, que estavam com dificuldade de se estabelecer em razão das investidas do tráfico. Com o pacto, o chefão reforçava seus parceiros com armas e homens para que conseguissem expulsar facções inimigas de seus territórios. Em troca, paramilitares de Itaguaí, Nova Iguaçu, Queimados, Seropédica e Mangaratiba — muitos deles, policiais — tinham que pagar parte do que arrecadavam com a cobrança de "taxas de segurança" à quadrilha da capital. Na prática, Ecko acabou criando várias filiais de seu "bonde" pelo estado.

Ao contrário do irmão, Ecko era muito reservado. Não costumava aparecer em público e, ao longo de toda a sua carreira no crime, a polícia só teve acesso a duas fotos suas: a 3 × 4 tirada para a carteira de identidade e uma em que aparece abraçado a uma mulher, durante uma festa. Seu projeto expansionista, no entanto, não tinha nada de discreto. Invasões a favelas e assassinatos de rivais e desafetos deixaram um rastro de sangue pelo estado e acabaram colocando as autoridades em seu encalço. Até que, pouco antes do Dia dos Namorados de 2021, a Subsecretaria de Inteligência da Polícia Civil recebeu uma informação certeira: o miliciano teria combinado com a mulher de comemorar a data juntos numa casa na comunidade das Três Pontes, seu velho reduto.

Dito e feito. Às cinco da manhã do dia 12 de junho, Ecko chegou à favela sozinho e entrou num imóvel. Quase três horas depois, 21 agentes fizeram um cerco à residência. Ecko estranhou a movimentação e tentou fugir pelos fundos, mas foi interceptado por uma das equipes, e, como estava armado, acabou sendo baleado. Em seguida, foi cercado e rendido. Antes de o socorrerem, os policiais tiraram fotos de seu rosto que imediatamente ganharam as redes sociais.

Ecko ainda estava vivo quando foi colocado numa van da polícia para ser levado a um helicóptero — que o transportaria da favela até um hospital. A versão da polícia para o que aconteceu nos minutos seguintes é estranhamente parecida com a fornecida depois da operação que terminou com a morte de Carlinhos Três Pontes, quatro anos antes. "Na van, ele estava muito alterado e tentou retirar a arma de uma policial. Nesse momento, foi efetuado mais um disparo", disse o delegado Thiago Neves numa coletiva de imprensa.[45]

Quando chegou ao Hospital Miguel Couto, a 45 quilômetros de distância de Santa Cruz, Ecko já estava morto. Em sua casa, os agentes encontraram uma farda da PM com a patente de capitão e seu sobrenome (Braga) impressos na altura do peito. Naquele mesmo dia, o governador Cláudio Castro posou para fotos com os policiais que tinham encontrado o miliciano e fez elogios à ação: "Não celebramos a morte de ninguém. Celebramos que tiramos de circulação alguém que fazia tão mal à sociedade. Pegamos ele vivo ainda, queríamos ele preso. Por circunstâncias, isso não aconteceu".[46]

A morte foi o estopim de mais uma guerra sangrenta pelo controle da milícia. Dois homens de confiança de Ecko que aspiravam à sucessão romperam, e a quadrilha acabou dividida. Seu irmão, Zinho, passou a controlar a Zona Oeste, reduto da família. Já o soldado Tandera,[47] principal responsável pela expansão do grupo em direção à Baixada Fluminense, assumiu a chefia nessa região. Logo, ambos começaram a promover ataques para tentar se estabelecer nos domínios dos rivais. Em setembro de 2021, por exemplo, Tandera ordenou que comparsas incendiassem vans em Santa Cruz e Paciência, uma resposta às execuções de dois de seus subordinados pela quadrilha de Zinho dias antes, em Nova Iguaçu.

Assassinatos à luz do dia, desaparecimentos de paramilitares e invasões se sucederam por mais de um ano. Nem o outrora todo-poderoso Jerominho foi poupado. Com o fim de sua pena, em 2018, o fundador da Liga da Justiça foi colocado em liberdade e voltou a viver em Campo Grande. Mesmo que não tivesse mais nenhuma influência sobre a milícia, sua presença ali foi encarada como um risco pelos novos chefes. Com o vácuo de poder deixado por Ecko, a convivência ficou insustentável. Na tarde de 4 de agosto de 2022, Jerominho foi executado a tiros de fuzil em frente ao seu centro social por três homens encapuzados que saltaram de um carro.

A polícia depois descobriu que a quadrilha chefiada por Zinho tinha um plano para matar o ex-vereador. Mensagens extraídas do celular de um de seus principais seguranças mostram que o grupo desconfiava de Jerominho.

"Natalino e Jerominho estão articulando algo contra o amigo. Passa pro irmão. Resolver esses velhos logo. Praga do caralho", escreveu Rodrigo dos Santos, o Latrell, em março de 2022.[48]

Para a PF, que analisou o diálogo, o "amigo" a que o segurança se referia era Zinho.

"É mermo, levanta logo eles", respondeu um comparsa.

"Os amigos estão tentando pegar a visão deles", tranquilizou Latrell.

Em agosto de 2023, o MP do Rio denunciou Zinho, Latrell e quatro comparsas pelo assassinato de Jerominho. Até o fechamento deste livro a disputa pelo controle da milícia ainda estava em aberto.

Em 22 de janeiro de 2019, antes mesmo de o sol nascer, 140 policiais civis e promotores já estavam nas ruas para cumprir treze mandados de prisão contra a cúpula da milícia de Rio das Pedras, a mais antiga da cidade. Uma investigação do Gaeco havia descoberto que o crescimento vertical da favela e sua expansão em direção à Floresta da Tijuca eram consequência direta da exploração imobiliária ilegal promovida pelos paramilitares. Na base da bala, a quadrilha havia tomado o controle de toda a cadeia de construção de prédios na região, desde a invasão de terrenos até a venda de apartamentos prontos para os novos proprietários. Um dos maiores financiadores do esquema — e principal alvo da operação — era o ex-capitão do Bope Adriano Magalhães da Nóbrega.

A conexão do ex-caveira com a milícia era uma novidade: até então, ele era conhecido na cena criminal carioca apenas como bicheiro e matador de aluguel. Aberta com o objetivo de levantar provas sobre o Escritório do Crime e sua conexão com o caso Marielle — o Gaeco descartaria a participação do grupo no homicídio, como já contei —, a investigação acabou revelando que o elo de Adriano com Rio das Pedras era mais profundo do que se supunha. A favela não era somente o QG de seu consórcio de matadores: ele havia virado uma espécie de sócio da milícia no ramo da grilagem de terras e da construção ilegal, empreitada recente que logo se tornou a galinha dos ovos de ouro da quadrilha.

"Eu tenho oito apartamentos naquele prédio, o resto é tudo do Adriano e do Maurício, entendeu?", disse Cabelo, gerente financeiro da milícia, numa ligação interceptada em 15 de novembro de 2018.[49] Seu interlocutor queria exclusividade na exploração da internet clandestina num dos prédios construídos ilegalmente pelo grupo, e Cabelo precisou explicar que não tinha nenhuma ingerência sobre o empreendimento: quem mandava mesmo ali eram os sócios capitão Adriano e Mauriçāo, o chefe da milícia — e eles já haviam escolhido outro fornecedor. "Eu não tenho nada a ver com isso aí, eu não posso fazer nada, não posso te ajudar em nada, se o homem deu a ordem, eu não posso fazer nada", argumentou Cabelo.

Em outra conversa, gravada dois dias depois, Cabelo admitiu que trabalhava para o ex-caveira.

"Adriano tá te devendo alguma coisa?", perguntou a um interlocutor não identificado.

O homem respondeu que não sabia de quem ele estava falando.

"O Adriano, capitão. Ele mandou eu te dar um dinheiro e eu esqueci. Agora, ele me ligou e me comeu no esporro por causa dessa porra", disse Cabelo.

No final do diálogo, pediu com urgência o número da conta e do banco para fazer o depósito e não desagradar o chefe.

"Manda aí porque ele é chato pra caralho, fala que eu não tô olhando os negócios dele."

Num terceiro diálogo, Adriano chegou a ser chamado de "patrãozão" por um homem que negociava o pagamento de uma dívida com a milícia.

"A gente tá resolvendo, tá? A gente fez uma negociação lá e ele falou pra você não me cobrar mais. Ele vai conversar com o Adriano, que é o patrãozão, né", disse o inadimplente, em outubro de 2018, a Júlio Cesar Veloso Serra, braço direito de Cabelo na contabilidade da milícia. Não se sabe se a tentativa de conciliação funcionou.

Além das ligações, o Gaeco teve acesso a um documento contábil do ex-caveira com referências aos lucros obtidos com a exploração imobiliária de Rio das Pedras. Uma planilha encontrada na conta de e-mail de sua mulher, Júlia Lotufo, continha as expressões "aluguel RP" e "juros RP" (as iniciais da favela) abaixo da coluna "entradas". Por mês, os apartamentos construídos ilegalmente rendiam pelo menos 70 mil reais ao ex-PM.[50] Ao final da investigação, Adriano foi denunciado pelo MP e teve a prisão decretada pela Justiça por aplicar "proventos oriundos de atividades ilícitas em empreendimentos imobiliários, exercendo controle direto sobre a construção, venda e locação dos imóveis", tanto em Rio das Pedras quanto na vizinha Muzema — outra comunidade que margeia a Floresta da Tijuca.[51]

A operação montada para prender Adriano foi batizada de "Intocáveis", referência ao filme homônimo de 1987, dirigido por Brian De Palma, que retrata a atuação da força-tarefa formada pelo agente federal Eliot Ness para driblar a corrupção da polícia de Chicago e prender o chefão da máfia Al Capone. Como o gângster ítalo-americano, o ex-caveira também tinha uma rede invejável de informantes nas forças policiais — e conseguiu escapar sem disparar um tiro.

Ele não foi encontrado em nenhum dos seis imóveis em seu nome que foram alvo dos agentes do MP e da Polícia Civil. Antes da hora do almoço, no entanto, seu rosto já estava estampado em todas as emissoras de TV e portais jornalísticos: a relação do matador de aluguel com a família do então presidente Jair Bolsonaro veio à tona e virou o principal assunto do dia. Um dos segredos mais bem guardados do submundo do Rio virou manchete de jornal. Ao longo dos meses seguintes, o mistério sobre o paradeiro de Adriano seguiu abastecendo o noticiário. Foragido da Justiça, ele jamais se entregou.

Naquela mesma manhã, no entanto, foram presos dois de seus comparsas mais próximos. O tenente reformado Maurício Silva da Costa, o Mauriçãо, estava na cama de sua casa, num condomínio fechado dentro de Rio das Pedras, quando foi surpreendido pela entrada da polícia. Ainda deitado, o chefe da milícia e ex-guarda--costas de Adriano ainda tentou argumentar com o agente que o abordou: "Rapaz, deixa disso, não vai acontecer nada. Meu advogado vai resolver tudo. Vocês não sabem de nada".[52]

O Gaeco o acusava de ser o mandante do homicídio de Júlio de Araújo, um de seus subordinados no grupo paramilitar, que fora executado com tiros na cabeça dentro de seu quarto, num barraco da favela, em setembro de 2015. A investigação concluiu que se tratava de um caso "típico de queima de arquivo".[53] Pouco antes de ser emboscado, Júlio matou um desafeto da milícia a mando de Maurição e abandonou o corpo numa viela, atraindo a polícia para Rio das Pedras. O desleixo despertou a fúria do chefe, que decidiu apagar os rastros do crime eliminando seu executor.

O major Ronald Paulo Alves Pereira, braço direito de Adriano no financiamento dos empreendimentos da milícia, também foi alvo da operação. Ele foi capturado em seu apartamento, num condomínio fechado vizinho ao Parque Olímpico, na Barra da Tijuca, onde o preço dos imóveis chega a 1 milhão de reais. Em sua conta de e-mail, Ronald acumulava provas contra si mesmo: plantas de imóveis em Rio das Pedras e na Muzema, documentos sobre loteamento de terrenos e fotos de fachadas de prédios em construção.

Assim como seu sócio, o major também trocara a carreira de policial "operacional" pela vida no crime. Antes de ser preso na Operação Intocáveis, Ronald já era réu pelos homicídios e pela posterior ocultação dos cadáveres de quatro jovens em São João de Meriti, na Baixada Fluminense, em dezembro de 2003. O episódio ficou conhecido como Chacina da Via Show, nome da casa de espetáculos de onde as vítimas saíam quando foram sequestradas. Um dos rapazes, Geraldo Sant'Anna de Azevedo Junior, então com 21 anos, foi acusado pelos seguranças do local, todos PMs, do furto de um veículo. Geraldo estava sendo espancado quando três amigos — os irmãos Rafael e Renan Paulino, de dezoito e treze anos, e o primo deles, Bruno Paulino, de vinte — tentaram intervir, mas também acabaram em poder dos agentes. Em seguida, Ronald, que trabalhava no batalhão da área e estava a serviço, foi acionado pelos agressores para ajudá-los no castigo aos jovens.

Após chegar à Via Show, o oficial sugeriu que os quatro fossem levados para um local ermo — o que de fato foi feito. Sob a mira de pistolas, os amigos foram colocados em carros e levados para uma fazenda no distrito de Imbariê, em Duque de Caxias. Lá foram torturados antes de serem executados com tiros de fuzil na cabeça. Os corpos só foram encontrados quatro dias depois, num poço cheio de água e lama em meio a um matagal nos fundos da fazenda. Três meses após a chacina, Ronald recebeu, na Alerj, uma moção de louvor do então deputado estadual Flávio Bolsonaro "pelos importantes serviços prestados ao Estado".[54]

Em 2021, tanto Ronald quanto Maurição foram condenados pelos crimes relacionados à milícia de Rio das Pedras. O tenente reformado recebeu a maior pena, trinta anos pelo homicídio de Júlio de Araújo e por chefiar a milícia, enquanto o major foi sentenciado a dezessete anos por integrar a quadrilha. Já em 2022, quase vinte anos depois da Chacina da Via Show, Ronald foi condenado a 76 anos e oito meses de prisão pelos homicídios dos quatro amigos. Até fevereiro de 2023, os dois oficiais cumpriam as penas na penitenciária federal de Mossoró. Mesmo presos, os dois seguem nas fileiras da PM, recebendo seus salários normalmente.

A ganância da milícia, aliada à omissão do poder público — comprada com gordas propinas distribuídas a uma vasta gama de autoridades, de funcionários da Prefeitura a juízes, passando por policiais militares e civis —, impulsionou o crescimento desordenado e perigoso de Rio das Pedras e da Muzema. Milhares de famílias passaram a viver em prédios construídos a toque de caixa, por profissionais sem qualificação e em áreas de proteção ambiental, sobre solo instável e suscetível à erosão. Era questão de tempo até que uma tragédia acontecesse.

Em 12 de abril de 2019, menos de três meses após os tentáculos imobiliários da milícia serem expostos pela Operação Intocáveis, dois prédios de cinco andares desabaram na Muzema. Como ainda era de manhã, a maioria dos moradores não havia saído para trabalhar. Muitos estavam dormindo. Ao todo, 24 pessoas morreram. As duas edificações já haviam sido interditadas duas vezes desde o ano anterior, mas os apartamentos continuaram a ser vendidos. O desastre deu novo fôlego às investigações do Gaeco: outras quebras de sigilo foram autorizadas pela Justiça e, ao longo do ano seguinte, mais de cinquenta envolvidos com a quadrilha foram denunciados pelo MP.

As interceptações telefônicas expuseram toda a cadeia da construção ilegal. Para maximizar os lucros, a milícia tinha sua própria equipe de construtores, empreiteiros e até um arquiteto, Clayton Luiz Vieira. Numa conversa, gravada em julho de 2019, apenas três meses depois dos desabamentos na Muzema, Vieira resumiu como os prédios eram erguidos na favela: "É à moda Bangu, é sem licença".[55]

Outro diálogo trouxe à tona as cifras milionárias por trás do negócio. Em maio, Pepe, um dos empreiteiros da milícia,[56] lamentou com um comparsa a demolição de um prédio em situação precária próximo ao local da tragédia.

"Renato vendeu todos os apartamentos, já tinha recebido 1,6 milhão e ainda tinha mais de 3 milhões para receber", disse ele, mencionando outro personagem do mercado clandestino, o "corretor" Renato Siqueira Ribeiro.

As conversas também desvelaram a corrupção e o descaso das autoridades que deveriam impedir as construções e punir seus responsáveis. Certa feita, Pepe chegou a sugerir que um comparsa oferecesse um "café com leite"[57] para uma funcionária da Prefeitura — "Tem que oferecer alguma coisa, senão ela não libera". Em outro diálogo, ele contou a um interlocutor que obteve informações privilegiadas sobre a demolição de um prédio ilegal porque conhecia um juiz e uma servidora do município: "Antes de demolir, já sabia que ia acontecer".

A relação praticamente simbiótica entre a polícia e a milícia mais antiga do Rio garante o funcionamento harmônico dessa engrenagem criminosa. O braço armado do Estado não encara os paramilitares como criminosos, mas como parceiros. E não é que ignorem que a milícia domina os territórios à força fazendo seus moradores de reféns. As escutas feitas pelo Gaeco mostram policiais pedindo ajuda a paramilitares para solucionar crimes, fazendo bico como guarda-costas para milicianos e frequentando suas festas na favela. Já a milícia "apoia" as ações do batalhão — e ajuda a custear até feijoada para seus oficiais.

Essa cumplicidade entre o Estado e o crime não existe por acaso: hoje, agentes egressos de forças de segurança, muitos ainda na ativa, estão por todo o organograma da quadrilha, da base ao topo. Mas nem sempre foi assim. Ao contrário da Liga da Justiça, que nasceu dentro das polícias, a milícia de Rio das Pedras surgiu a partir da organização comunitária de seus moradores — em sua maioria, migrantes nordestinos que se instalaram naquela região atraídos pela expansão imobiliária da Barra da Tijuca nas últimas décadas do século XX.

Na década de 1960, dezenas de famílias ocuparam uma área de pântano no entorno do rio das Pedras, que cortava o bairro de Jacarepaguá e acabou batizando a comunidade. Ameaçados de remoção, já que haviam invadido uma propriedade privada, os moradores se organizaram e conseguiram que o então governador, Negrão de Lima, desapropriasse as terras e as transformasse em área de interesse social. A principal liderança das famílias no processo de regularização da região foi Octacílio Brás Bianchi, o fundador da primeira associação de moradores da região.[58] Sem a presença do poder público, Seu Octacílio era a lei em Rio das Pedras: era ele quem determinava o aterro de novas áreas, abria vielas e organizava a divisão dos lotes de terra.

Quanto mais a favela crescia, mais dinheiro era necessário para administrá-la. Esse custo começou a ser repassado pela associação à população na forma de pequenas taxas que deveriam ser pagas todo mês. A contribuição era obrigatória, e os inadimplentes podiam ser até expulsos. Na década de 1980, com a expansão das facções pela cidade, a verba passou a ser revertida para a autodefesa comunitária: armados, moradores e seguranças contratados se revezavam em turnos para patrulhar a região e "espantar" ladrões e traficantes.

Dinheiro e poder transformaram uma entidade que defendia os direitos da população em organização criminosa — e seus chefes, em alvos. Em 1989, Bianchi foi assassinado. Sua mulher, Elita, conhecida como Dinda, o sucedeu e acabou morta seis anos depois, dentro da associação de moradores.[59] Os dois homicídios marcaram o fim da primeira era da milícia de Rio das Pedras. A partir de então, as lideranças comunitárias saíram de cena para a entrada de agentes de segurança: Félix Tostes, inspetor da Polícia Civil, tomou o comando da quadrilha, com o apoio de uma falange de oficiais e praças da PM.

O diletantismo deu lugar a uma estrutura mais profissional e organizada, que passou a ditar as regras da economia informal a partir do domínio armado da região. Os tentáculos de Tostes e seus capangas rapidamente se espalharam para a exploração do transporte alternativo, da TV a cabo clandestina e da venda de botijões de gás e galões d'água. Só poderia acessar aquele mercado — uma área equivalente a quatro Maracanãs habitada por mais de 60 mil pessoas — quem aceitasse compartilhar os lucros com a quadrilha. A mesma lógica foi levada para o campo eleitoral: a campanha era restrita aos candidatos que representavam os interesses da milícia, que passou a exercer influência na política do estado. Pioneiro, o modelo de Rio das Pedras foi replicado posteriormente em várias outras regiões do estado, inclusive em Campo Grande, pela Liga da Justiça.

Em fevereiro de 2007, Tostes foi executado quando saía da casa de uma amiga no Recreio dos Bandeirantes. O IML constatou 34 perfurações de bala em seu corpo.[60] Meses depois, a polícia concluiu que o crime foi cometido por um antigo comparsa: Nadinho,[61] comerciante alçado pela milícia a presidente da associação de moradores de Rio das Pedras e, posteriormente, a vereador. Nadinho temia que Tostes começasse na carreira política e "roubasse" seu reduto eleitoral.[62] Marcado para morrer pelos comparsas do ex-chefe, o ex-vereador acabou assassinado em 2009.

O grupo paramilitar seguiria, ao longo de toda a década seguinte, sob controle dos PMs ligados a Tostes. Inicialmente, o sargento Dalmir Pereira Barbosa, o major Dilo Pereira Soares Júnior e o capitão da reserva Epaminondas de Queiroz Medeiros Júnior formaram uma sociedade para dividir a chefia do bando. Anos depois, dois policiais que integravam o segundo escalão também ascenderam ao topo: o sargento Paulo Eduardo da Silva Azevedo, o Paulo Barraco, e o então subtenente da ativa Maurição, amigo e capanga do capitão Adriano. Enquanto subia degraus na hierarquia da milícia ameaçando inadimplentes e eliminando desafetos, Maurição batia ponto no batalhão de Jacarepaguá, o

18º BPM, justamente o que deveria garantir a segurança dos moradores de Rio das Pedras.

O chefe, no entanto, não era o único policial do quartel que atuava em favor da milícia. Escutas telefônicas mostram que agentes do 18º BPM não só recebiam propinas para não coibir a quadrilha como também atuavam em conjunto com ela. Um exemplo dessa cooperação aconteceu no primeiro semestre de 2019, depois que oficiais da PM tiveram os celulares roubados em um assalto no Centro. O sistema de localização de um dos aparelhos indicou seu uso em Rio das Pedras, o 18º BPM foi avisado, mas, em vez de organizar uma operação para recuperar o telefone, acionou a milícia para devolvê-lo à dona.

"O batalhão mandou isso pra gente, mas, quando mandou, chamaram a gente lá pra ver. Os celulares tão dentro de Rio das Pedras. A gente sabe que você conhece muita gente. De repente, chega até seus ouvidos que nego tá vendendo", disse um sargento do batalhão a Douglas Rodrigues Moreira, um dos cobradores da milícia.[63]

Douglas prometeu que faria um "trabalho de inteligência" para descobrir com quem estava o aparelho: "Independente de qualquer coisa, vocês são meus amigos".

"Um abraço, irmão", se despediu o PM.

Outro diálogo, de abril de 2019, mostra que os policiais do 18º BPM pediram dinheiro à milícia para fazer uma feijoada no batalhão a fim de comemorar a promoção de um oficial. Na ocasião, o dono de uma casa de shows da favela informou a Douglas que soubera, por um PM do quartel, que "o tenente-coronel foi promovido a coronel e iria precisar de dinheiro para a festa". O miliciano respondeu que acionaria seu superior hierárquico, Paulo Barraco. "Essa parte quem resolve é ele", disse.

Dez dias depois, o miliciano cobrou do empresário: disse que os PMs pediram para "mandar o dinheiro do dia 20" porque seria feita "uma feijoada para o patente alta". "O negócio do dinheiro é com o senhor Paulo", respondeu o interlocutor. Ao final da conversa, Douglas disse que intermediaria uma conversa do empresário com o chefão. O oficial promovido não foi identificado pelo MP.

As escutas também revelaram que policiais do batalhão de Jacarepaguá integravam a escolta pessoal de outro dos chefes da milícia, o capitão reformado Epaminondas de Queiroz Medeiros Júnior. A descoberta veio à tona numa conversa de Wagner Ignácio, chefe da segurança de Epaminondas, com um policial do 18º BPM, identificado somente como Mathias, em março de 2019. Na ocasião, Mathias contou a Wagner que estava apreensivo porque não sabia se receberia o valor acordado com o chefão pelo serviço de guarda-costas: "Ele fechou aquele valor, aí não pagou mês passado. Eu fiquei achando que ele deu pra trás".

Meses antes, o PM fora contratado por Epaminondas como seu segurança. Mathias, então, recrutou mais três colegas do batalhão para trabalharem com ele na escolta do chefão e de sua família. Epaminondas pagava 2500 reais mensais, que eram divididos entre os quatro seguranças. O serviço foi prestado por um tempo, até que surgiu uma controvérsia: o miliciano precisou fazer uma viagem, saiu do país e não dispensou os seguranças, que ficaram de sobreaviso. Na volta, ele não pagou Mathias e seus colegas pelo período em que estivera fora. O PM não concordou. "Ele ficou um mês fora e eu ia querer receber. Eu tenho que passar pra minha equipe, porque o cara tá de prontidão, de sobreaviso. Mesmo se ele não foi, tem que receber, pô."

Wagner tentou tranquilizar o policial: "Vamos ver qual vai ser, relaxa".

Mathias finalizou dizendo que ainda tinha uma "carta na manga" para convencer o chefe da milícia a pagar e se despediu: "Show de bola, obrigado aí. 'Tamo' junto, amigo. Vem beber comigo em Jacarepaguá, na Taquara!".

PERSEGUIÇÃO NA BAHIA

Na manhã de 31 de janeiro de 2020, dois policiais civis entraram no Quintas do Sauípe, condomínio de luxo no litoral baiano com mansões avaliadas em até 3 milhões de reais. Para não levantar suspeitas, estavam à paisana — vestiam bermudas e camisetas apropriadas — e caminhavam a pé pelas ruas de circulação restrita a moradores e visitantes. Se algum curioso viesse perguntar quem eram e o que faziam ali, eles tinham uma história-cobertura previamente combinada: estavam procurando uma casa para alugar. Na verdade, a dupla não estava interessada nas mansões, mas num de seus ocupantes: dias antes, o Gaeco e a Subsecretaria de Inteligência da Polícia Civil haviam descoberto que ali se hospedava o homem mais procurado do país: Adriano Magalhães da Nóbrega.

Àquela altura, um ano já havia se passado desde a Operação Intocáveis, e Adriano ainda estava foragido. Como não falava ao telefone, as promotoras optaram por mapear as movimentações de pessoas no seu entorno. O objetivo era que alguém marcasse um encontro com o pistoleiro e, assim, levasse o Gaeco ao seu paradeiro. Num primeiro momento, sigilos telefônicos de parentes foram quebrados. Depois, foi a vez de monitorar seus seguranças. Por fim, nos meses anteriores à operação na Bahia, pessoas suspeitas de serem usadas como laranjas por Adriano passaram a ter suas rotinas acompanhadas — e uma delas acabou por entregar, involuntariamente, a localização do ex-PM.

O pecuarista Leandro Abreu Guimarães caiu no grampo porque mantinha contatos frequentes com Juliana Magalhães Rocha, veterinária e prima de Adriano, que morava na região e cuidava dos cavalos de raça de seu parente.[64] Dono de um parque de vaquejadas no município de Esplanada, no interior da Bahia, Leandro costumava abrigar animais do ex-caveira em suas terras. Numa das ligações monitoradas, o Gaeco descobriu que o fazendeiro e sua mulher marcaram um encontro presencial com Adriano. O GPS de seu celular acusou a localização do encontro: o condomínio Quintas do Sauípe.

Para ganhar tempo e evitar vazamentos, o Gaeco decidiu mandar imediatamente dois agentes do Rio até a Bahia. O deslocamento de um número grande de policiais poderia atrair uma atenção indesejada. A Polícia Civil da Bahia foi acionada e enviou uma equipe pequena, que ficou do lado de fora do condomínio para ser acionada em caso de emergência. A identidade do alvo, entretanto, não foi compartilhada com os baianos.

No meio da manhã, a dupla de policiais cariocas já havia passado na frente de quase todas as propriedades do local quando se aproximou da mansão 14D, uma das mais afastadas do portão de entrada. Os fundos do imóvel davam para uma lagoa numa área de mangue entre o condomínio e a praia. A porta estava aberta e, de relance, um dos agentes viu um homem de barba, bermuda cargo e sem camisa. O policial não o reconheceu imediatamente — afinal Adriano não aparecia barbudo em nenhuma das fotos que a polícia tinha dele até ali —, mas percebeu que haviam encontrado o alvo quando o homem saiu correndo em direção à parte de trás da casa.

O que se seguiu foi uma fuga cinematográfica. Adriano pulou na água, atravessou a nado os duzentos metros de uma margem à outra da lagoa e percorreu ainda vinte metros por dentro de um mangue até chegar à praia — onde os agentes o perderam de vista. Os policiais cariocas não conheciam a região e, por isso, não se arriscaram a perseguir o ex-caveira pelo mangue. Já os agentes baianos nem sequer conseguiram chegar até a praia, que naquele ponto só pode ser acessada a pé, por uma trilha. Por conta da pequena quantidade de envolvidos na operação, não foi possível fazer um cerco na região. Resultado: o pistoleiro usou o que aprendera duas décadas antes no curso de operações especiais e conseguiu escapar. Até hoje, no entanto, não se sabe como Adriano saiu da praia nem se foi resgatado por algum comparsa.

Na mansão, estavam apenas a mulher de Adriano, Júlia Lotufo, e suas duas filhas, de sete e dezessete anos. O casal havia combinado de passar pouco mais de um mês de férias na casa — um imóvel amplo, de dois andares, com piscina e churrasqueira, alugado por mil reais a diária. A quem perguntasse, Adriano dizia que era pecuarista e empresário. Chegaram em 26 de dezembro e tinham saída prevista para 5 de fevereiro. Nesse período, receberam visitas e deram pelo menos duas festas, no réveillon e no aniversário de Adriano, em 14 de janeiro.

Na pressa, Adriano deixou para trás uma carteira de identidade falsa, apreendida pelos policiais, com o nome de Marco Antonio Linos Negreiros. O documento havia sido emitido no Ceará e mostrava uma foto do ex-PM de barba.[65] A fuga quase colocou um ponto-final na operação do Gaeco. As promotoras acreditavam que, depois da abordagem no condomínio, pessoas próximas ao ex-PM não iriam mais usar seus celulares, tornando as interceptações telefônicas infrutíferas. Além disso, o Gaeco já tinha elementos, com base no que já havia sido apurado nos últimos meses, para oferecer uma denúncia contra Adriano e alguns integrantes de sua rede de apoio por lavagem de dinheiro. Decidiram então estipular um prazo final para as escutas: em duas semanas, se o ex-caveira não fosse localizado, a investigação se encerraria.

Sete dias depois, no entanto, uma nova pista surgiu. Numa ligação para a mãe, a mulher do fazendeiro Leandro Guimarães resolveu desabafar: disse que estava "doida para se livrar disso", que seu marido "já estava agoniado" e, por fim, explicou que "o rapaz está lá em Esplanada com o Leandro". Os investigadores não tiveram dúvida de que a mulher se referia a Adriano – e que o pecuarista o escondia em sua fazenda em Esplanada, município de 40 mil habitantes a 160 quilômetros de Salvador. No dia seguinte, a Justiça do Rio expediu um mandado de busca e apreensão para a propriedade.

Dessa vez, não havia margem para erro e nem tempo hábil para que policiais do Rio se deslocassem até o local. Por isso, a Polícia Civil e o Gaeco acionaram a Secretaria de Segurança da Bahia, que armou uma megaoperação. Nas primeiras horas da manhã de 9 de fevereiro, setenta policiais do Bope da PM baiana se dirigiram até o Parque Gilton Guimarães, fazenda de Leandro, famosa na região como palco de vaquejadas. Quando chegaram ao local, no entanto, Adriano não estava mais lá.

Na noite anterior, sua mulher, Júlia, voltava para o Rio quando foi parada pela Polícia Rodoviária Federal na estrada. Ela foi revistada e liberada, mas percebeu que a abordagem não tinha sido um acaso: seu marido ainda estava na mira da polícia. "Não fica mais aí", foi a mensagem que enviou ao marido por volta das nove da noite do dia 8. Adriano estava com Leandro quando recebeu a mensagem. Segundo o fazendeiro contou à polícia, ele estava "bastante nervoso teclando no aparelho celular" e, logo em seguida, mandou que o levasse, "sob ameaça de morte", para outro esconderijo: um pequeno sítio num vilarejo mais isolado que os dois haviam visitado no dia anterior. "Já tô no rancho. Fica trank. Segue com Deus. Vai dar certo", escreveu Adriano para a mulher quando chegou ao local.[66]

A partir de informações fornecidas por Leandro, no entanto, a polícia conseguiu encontrar a chácara, que fica à beira da BA-233, ligando Esplanada à cidade vizinha de Acajutiba, na altura de um povoado conhecido como Palmeira. Os moradores do vilarejo se assustaram com o comboio de viaturas e saíram de suas casas para ver o que estava acontecendo.

"Vários carros encostaram de repente. Todo mundo de preto. Nunca tinha visto isso na vida. Eu não tô acostumado, pensei que era a Guarda Municipal, que tinha furado um pneu. De repente, foi juntando cada vez mais policiais. Formaram uma fila de carros na estrada. Depois, só deu para ouvir os tiros", me contou um vizinho do rancho, quando estive no local, em setembro de 2021.

Apesar de o cerco ter contado com dezenas de agentes, somente três entraram na casa, numa formação triangular: o primeiro policial segurava um escudo balístico; os outros dois portavam armas longas e foram orientados a atirar diante de qualquer tentativa de resistência. Da varanda, o trio anunciou que a polícia estava ali. Diante do silêncio, o policial da dianteira forçou a porta. Segundo os agentes relataram em depoimento, Adriano portava uma pistola 9 mm e atirou na direção da equipe. Uma reconstituição feita por peritos da Polícia Técnica baiana concluiria que o ex-caveira deu sete tiros — dois atingiram o escudo dos policiais e os demais, a parede e uma janela. Em resposta, os dois PMs da retaguarda puxaram o gatilho, uma vez cada um. Os dois disparos acertaram o pistoleiro, que morreu a caminho de um hospital da região.

Horas depois da morte, o advogado de Adriano, Paulo Emílio Catta Preta, contou que, no último contato telefônico entre os dois, o ex-PM afirmou que temia ser alvo de uma "queima de arquivo". "Eu o aconselhei a se entregar e negociar sua rendição, mas ele tinha certeza de que seria morto. Não perguntei o que motivaria a tal 'queima de arquivo', mas, de fato, ele foi morto dias depois dessa conversa", disse Catta Preta.[67] Até o início de 2023, a investigação sobre o homicídio de Adriano não havia sido concluída pelo MP da Bahia.

Dos nove celulares apreendidos na casa, só três tinham dados para serem extraídos. Pouco foi encontrado — o último diálogo com a mulher, uma negociação por cavalos de raça, fotos de vários fuzis de precisão. Adriano levou para o túmulo o que sabia sobre o submundo do crime do Rio: os homicídios do Escritório do Crime, o elo da polícia com a milícia, os pecados dos chefões do jogo do bicho e até os segredos do esquema de "rachadinha" do clã Bolsonaro. Seguimos no escuro.

Epílogo

Este livro foi escrito e apurado durante muitas madrugadas, alguns finais de semana e feriados, nas férias, em aeroportos, aviões e quartos de hotel de três países diferentes. Entre abril de 2022 e maio de 2023, conciliei a apuração e o processo de escrita com minha rotina como repórter especial do jornal *O Globo*. As atividades, no entanto, acabaram se mesclando, se alimentando e se complementando: este trabalho é resultado do que vivi e aprendi ao longo dos últimos dez anos cobrindo a violência policial no Rio.

Quando comecei na profissão, esse não era o emprego dos meus sonhos. Eu era um estagiário meio deslumbrado, queria ir para Brasília e cobrir as grandes histórias da política nacional. Minha vida tomou um rumo completamente diferente quando Fábio Gusmão, um editor bastante convincente com alma de repórter (a quem sou eternamente grato), me convidou para integrar a equipe de cobertura de segurança pública no *Extra*, jornal popular da Editora Globo. Eu nunca tinha pisado numa delegacia, não conhecia nenhum policial, promotor ou juiz.

Topei porque queria muito trabalhar num jornal — as vagas eram (e ainda são) escassas — e eu me sentia bem dentro daquela redação vibrante, que incentivava seus repórteres a irem para a rua atrás de boas histórias e comemorava furos de reportagem. Imaginei que poderia ser uma boa escola. Eu não estava errado: as "grandes histórias" estavam mais próximas de mim do que eu imaginava.

Se a memória não falha, minha primeira matéria "policial" surgiu de uma dessas saídas despretensiosas da redação. Ao repórter novato, o chefe de reportagem pediu que fosse até Campo Grande registrar o atraso das obras do BRT, o corredor expresso de ônibus que cortaria a Zona Oeste. Quando chegamos — eu, o fotógrafo e o motorista do jornal — no canteiro de obras, na avenida Cesário de Melo, nos deparamos com uma situação estranha: os tapumes que cercavam o canteiro haviam sido destruídos, deixando a área da construção exposta. Tentei perguntar aos operários o que havia acontecido, mas eles fechavam a cara quando eu anunciava que era repórter.

Estávamos prestes a voltar para a redação quando um dos trabalhadores me chamou num bar em frente à via e contou: "Foi a milícia que mandou tirar a cerca porque os assaltantes estavam usando os canteiros como esconderijo durante perseguições". No domingo seguinte, 9 de dezembro de 2012, o *Extra* estampou em sua capa: "Milícia dá as cartas na obra da Transoeste".

Nos anos seguintes, fui sugado para um turbilhão de casos de brutalidade policial que mudaram a forma como vejo o mundo e, consequentemente, o jornalismo que passei a fazer. O *Extra* já era conhecido por sua atuação no campo dos direitos humanos antes da minha chegada. Foi o jornal, por exemplo, que lançou, em 2011, a campanha "Onde está Juan?", para questionar o paradeiro de Juan Moraes, um menino negro de onze anos que desapareceu durante uma operação da PM na favela Danon, em Nova Iguaçu. A visibilidade atribuída ao caso provocou comoção pública e forçou as autoridades a darem uma resposta: o corpo de Juan foi encontrado, e quatro policiais foram processados e condenados por homicídio e ocultação de cadáver. Na redação, coberturas que envolviam violência cometida por agentes públicos eram tratadas como prioridade — e nós, repórteres da equipe de segurança pública, passávamos meses a fio trabalhando num mesmo caso, atrás de informações que ajudassem a esclarecer o que havia acontecido.

No segundo semestre de 2013, quando o ajudante de pedreiro Amarildo Dias de Souza desapareceu após ser abordado por PMs da UPP da Rocinha, mergulhei de cabeça no caso. Por mais de um mês, fiz visitas diárias à favela para conversar com a família da vítima, reconstituir seus passos no dia do crime e localizar testemunhas. Depois, nossa equipe — formada por mim e pelas repórteres Carolina Heringer e Paolla Serra — se debruçou sobre a investigação do crime: passamos meses lendo transcrições de escutas e cruzando as informações que coletávamos com nossas fontes para mostrar o cotidiano de crimes da UPP. De julho a dezembro daquele ano, publicamos mais de quarenta reportagens sobre o caso. Oito PMs foram condenados, em segunda instância, pela sessão de tortura que culminou na morte de Amarildo.

Em março de 2014, a auxiliar de serviços gerais Claudia Silva Ferreira foi arrastada por uma viatura da PM após ser baleada durante uma operação policial no Morro da Congonha, em Madureira. Passei a semana seguinte subindo a favela para contar as histórias dos oito filhos que perderam a mãe para a violência do Estado — e entender em detalhes a dinâmica do crime. Nos meses seguintes, dividi minha rotina entre caminhadas na estrada Intendente Magalhães atrás de imagens que ajudassem a esclarecer o caso e visitas ao Ministério Público e à delegacia para convencer as fontes a me dar acesso ao inquérito. Até março de 2023, os seis PMs que se tornaram réus pelo crime não haviam sido julgados.

Nesses casos, aprendi que a escuta atenta dos parentes das vítimas é parte indispensável da prática jornalística em coberturas de homicídios cometidos por policiais. Diante de versões oficiais repetidas à exaustão que criminalizam e desumanizam os mortos, é papel do repórter ouvir os relatos de pais e mães que perderam seus filhos para a brutalidade estatal, amplificar suas vozes e apurar suas denúncias. A prática desse exercício de empatia permitiu que eu tivesse contato com a pessoa mais forte que já conheci: Laura Ramos de Azevedo, mãe de Lucas de Azevedo Albino, assassinado por policiais militares aos dezoito anos, em 30 de dezembro de 2018.

Encontrei Laura duas semanas depois, na porta da delegacia da Pavuna, a 39ª DP. Eu estava lá em busca de alguma reportagem para publicar no jornal; ela estava lutando por Justiça. Pequena, magra, de aparência frágil, ela tentava convencer os policiais a ouvirem seu depoimento sobre a morte do filho. "Eu não vou descansar até provar que meu filho não era bandido", foi a frase que ela disse para os agentes e que chamou minha atenção. Abordei Laura, me apresentei e quis ouvir sua história.

Ela contou que Lucas, seu único filho, havia sido morto por PMs na entrada da favela da Pedreira, onde ambos moravam. Os agentes o acusavam de ser traficante e ter atirado contra uma patrulha. Laura sustentava que era mentira: seu filho, um jovem negro, não era bandido e ela podia provar isso porque tinha investigado o crime por conta própria. "Nem que seja a última coisa que eu faça. Pelo meu filho, vale a pena lutar. Tenho pouco tempo, mas vou até o fim."

Laura tinha câncer, e a doença já estava em estado avançado: começou no pulmão, mas já tinha chegado aos ossos e ao cérebro. Meses antes, seus médicos a aconselharam a se aposentar e aproveitar o tempo de vida que restava. Mas, depois da morte de Lucas, essa não era mais uma opção. Mesmo debilitada, na semana seguinte ao crime, ela percorreu a favela atrás de câmeras de segurança que pudessem ter gravado a ação, conseguiu localizar testemunhas e as convenceu a prestar depoimento sobre o caso no Ministério Público. E, por fim, encontrou uma prova que mudaria o rumo da investigação: uma foto que mostrava o filho sendo colocado, consciente, na viatura pelos PMs. Quando deu entrada no hospital, trinta minutos depois, o rapaz já estava morto com um tiro na cabeça.

O encontro com Laura me tocou tanto que passei os quatro anos seguintes cobrindo o caso. Graças às provas coletadas por ela, em junho de 2021 o MP denunciou à Justiça quatro policiais pelo homicídio do jovem. A investigação concluiu que o que a mãe dizia era verdade: Lucas foi colocado na caçamba da viatura ainda com vida e foi executado em seguida.

Laura ainda prestou depoimento no Tribunal de Justiça e — mesmo entre sessões de quimioterapia e internações no Instituto Nacional do Câncer (Inca) — compareceu a todas as audiências do processo, amparada por outras mães que perderam seus filhos para a violência policial. Ela não conseguiu ver os responsáveis pela morte de Lucas serem julgados: Laura faleceu na manhã de 17 de março de 2023, na Unidade de Pronto Atendimento de Costa Barros, após passar mal em casa. Este livro é dedicado a ela.

Meu trabalho de denúncia de violações de direitos humanos por policiais não é bem recebido dentro das corporações. Em dezembro de 2020, por exemplo, a Polícia Militar do Rio publicou, em seus perfis oficiais nas redes sociais, um vídeo de dois minutos em que sua porta-voz me chamava de "inimigo da corporação". A postagem foi feita no mesmo dia em que publiquei no jornal uma reportagem sobre o aumento do consumo de munição no batalhão de Duque de Caxias, o 15º BPM — onde eram lotados policiais investigados pelos homicídios de duas meninas: Emily Victoria da Silva, de quatro anos, e Rebecca Beatriz Rodrigues Santos, de sete anos.[1]

No vídeo, a tenente-coronel Gabryela Dantas afirmava que eu agia de "forma maliciosa" e que teria aproveitado "a comoção nacional [uma referência à morte das duas crianças] para colocar a população contra a Polícia Militar". No final, Dantas ainda convocou os seguidores da PM a compartilhar a postagem. O apelo à divulgação massiva do vídeo teve efeito imediato: em menos de uma hora, fui obrigado a fechar meus perfis nas redes sociais por causa de centenas de mensagens ofensivas — algumas, inclusive, pedindo que eu fosse preso.

No dia seguinte à publicação do vídeo, a deputada federal Major Fabiana, que também é oficial da reserva da PM do Rio e foi eleita pelo mesmo partido do então presidente Jair Bolsonaro, escreveu numa postagem: "Que a classe jornalística entenda a mensagem e se comporte com ética. Isso é só o começo". Já o deputado estadual bolsonarista Anderson Moraes me chamou de "verme que defende vagabundo".[2]

A reportagem era baseada em documentos internos da própria PM. Não havia erro nenhum. A Editora Globo, minha empregadora, divulgou uma nota em repúdio ao ataque da PM: "Não é papel de uma instituição do Estado agredir pessoalmente um profissional nem incitar a população contra ele".[3] A Associação Brasileira de Jornalismo Investigativo (Abraji) também se manifestou: "O governo do Rio, cuja logomarca assina o vídeo, deve informar se concorda com esse tipo de recurso de ameaça à imprensa".

Diante da repercussão, no dia seguinte, a tenente-coronel foi exonerada do cargo de porta-voz por determinação do governador Cláudio Castro — e o vídeo, excluído das páginas da PM. Em nota, a corporação afirmou que "passou dos limites" ao "personalizar sua insatisfação com um repórter".[4] A matéria que deu origem ao ataque segue publicada no site do jornal, sem nenhuma emenda ou correção. Assim como este livro, a reportagem só foi publicada graças a fontes que mantenho nas polícias. Mesmo expostos a represálias internas, esses agentes acreditam que, para realmente servir e proteger a população, as corporações precisam romper esse ciclo vicioso de perpetuação da violência. A eles e elas, meu respeito e meu agradecimento.

Seis meses antes do ataque da PM, eu havia começado uma investigação jornalística que pretendia sugerir aos editores de *O Globo* para ser publicada como uma série de reportagens no início de 2021. O objetivo, inicialmente, era reconstituir a trajetória de Ronnie Lessa, apontado como executor de Marielle, para mostrar como ele havia passado duas décadas atuando como matador de aluguel sem ser incomodado pelo Estado. Quais outros crimes havia cometido antes? Como conseguiu escapar das investigações? Por que começou a trabalhar para o crime? Essas eram as perguntas que eu procurava responder.

Com o desenrolar da apuração, resolvi aumentar o escopo da série: percebi que outros pistoleiros contemporâneos de Lessa, como capitão Adriano e Batoré, tinham trajetórias parecidas e decidi incorporar esses personagens à investigação. Em fevereiro de 2021, levei o material que havia conseguido juntar para a reunião de pauta — e o projeto tomou novo rumo. Foi de André Miranda, editor-executivo de *O Globo*, a ideia de transformar a investigação jornalística numa série em áudio. Mesmo sem experiência alguma de locução e apresentação, topei a empreitada: em dezembro daquele ano, lançamos *Pistoleiros*, podcast original Globoplay sobre o submundo dos matadores de aluguel do Rio.[5]

Além de ter sido ouvida por milhares de pessoas e de ter ganhado um prêmio internacional de jornalismo, a série também abriu caminho para este livro. Depois de ouvir o podcast, a editora Daniela Duarte — verdadeira responsável por trazer concisão e fluidez a um texto repleto de tiques de repórter de jornal — me fez uma provocação: "Você não tem material para um livro?". Eu não tinha uma resposta na ponta da língua, mas uma inquietação que surgiu em mim durante a apuração de *Pistoleiros* podia ser um bom ponto de partida.

Apesar de sua trajetória na PM ter sido marcada por uma série de denúncias de crimes — de tortura a homicídios —, Ronnie Lessa nunca foi investigado ou punido. Muito pelo contrário: foi treinado para cometê-los. Lessa foi condecorado, promovido e ganhou bonificações salariais justamente por conta do rastro de corpos que deixou pelo chão enquanto trabalhava para o Estado. No auge da carreira, ele decidiu vender o conhecimento que adquiriu dentro da corporação para matar em nome do crime. Eu sabia que Lessa não era o único: decidi, então, que meu fio condutor seria mostrar como o Estado treina e fornece mão de obra em larga escala para as mais diversas organizações criminosas — do Escritório do Crime à Liga da Justiça, passando pela máfia dos caça-níqueis, facções e quadrilhas de traficantes internacionais de armas.

Histórias, nomes, datas e diálogos citados neste livro foram extraídos de um acervo de cinquenta processos judiciais e mais de uma centena de documentos obtidos por meio de fontes ou via Lei de Acesso à Informação. Esse material, que juntei ao longo dos últimos dez anos, soma cerca de 10 mil páginas, além de áudios e vídeos. Entrevistas com policiais, promotores, advogados, defensores públicos, testemunhas de crimes, parentes de vítimas e especialistas em segurança pública e controle de armas — muitas delas em off — também fizeram parte do processo de apuração.

Este trabalho não existiria se eu não tivesse contado com a generosidade, a paciência e o conhecimento de Marcelo Pasqualetti,

Anderson Arias, Bruno Langeani, Roberto Uchôa, Joana Monteiro, Bruno Paes Manso, Jacqueline Muniz, Cláudio Ferraz, Rodrigo Pimentel, Luiz Eduardo Soares, Simone Sibilio, Letícia Emile, Bruno Gangoni, Paulo Roberto Cunha Junior, Karina Puppin, Luiz Alexandre Souza da Costa (in memoriam), Moysés Santana, Maria Júlia Miranda e Daniel Lozoya. O trabalho de jornalistas que se dedicam à cobertura da segurança pública no Rio, do caso Marielle e dos escândalos do governo Bolsonaro — como Vera Araújo, Chico Otavio, Elenilce Bottari, Carolina Heringer, Paolla Serra, Marcos Nunes, Luã Marinatto, Giampaolo Braga, Juliana dal Piva, Luís Adorno, Lola Ferreira, Herculano Barreto Filho, Flávio VM Costa, Leslie Leitão e Marco Antônio Martins — também foi de fundamental importância na reconstituição de algumas passagens do livro.

Por fim, agradeço a Rebecca, minha companheira de vida, com quem divido meus sonhos e minhas angústias, e a Denise, José Roberto, Bruno e Giovana. Vocês sempre vão estar comigo, aonde quer que eu vá.

Notas

1. RONNIE LESSA E A PATAMO 500 [pp. 15-43]

1. Milton Le Cocq de Oliveira foi um célebre detetive que atuou no Rio entre as décadas de 1940 e 1960. Conhecido no meio policial pela brutalidade, ele tinha como bordão a frase: "Bandido que atira num policial não deve viver". Foi membro da guarda pessoal do presidente Getúlio Vargas e era primo do brigadeiro Eduardo Gomes, que foi ministro da Aeronáutica e é patrono da Força Aérea Brasileira.

2. "Sessenta e um tiros eliminaram Cara de Cavalo em Cabo Frio". *O Globo*, 5 out. 1964.

3. Entrevista de Rodrigo Pimentel ao autor, ago. 2021.

4. Boletim da Polícia Militar do Rio de Janeiro, 31 dez. 1997.

5. Documento de gestão administrativa da PM.

6. Moção de Congratulações, Aplausos e de Louvor ao 3º sargento PM Ronnie Lessa, Alerj, 23 nov. 1998. Disponível em: ‹http://www3.alerj.rj.gov.br/lotus_notes/default.asp?id=118&url=L3NjcHJvLm5zZi9jZWM2ZmNkMjI5MjdiNGQxMDMyNTY1MzIwMDY0OGZhNC9lMGE5NzVkYzU1Yjg2YTgxMDMyNTY2ZTEwMDYwNGYwMz9PcGVuRG9jdW1lbnQ=›.

7. Decreto estadual 21.753/1995.

8. Decreto estadual 24.176/1998. Disponível em: ‹https://gov-rj.jusbrasil.com.br/legislacao/154187/decreto-24176-98#art-1--inc-VI›.

9. Segundo dados do governo do Rio compilados pelo Núcleo de Estudos da Cidadania, Conflito e Violência Urbana (NECVU), da Universidade Federal do Rio de Janeiro.

10. Averiguação de portaria E-09/317/2573/2001, com solução publicada no boletim interno do 9º BPM, 8 mar. 2002 (documento obtido pelo autor).

11. Marcos Nunes, "Uma paixão que liberta". *Extra*, 4 jul. 2000.

12. Termo de depoimento de Ronnie Lessa no 9º BPM, processo 0145585-81.2000.8.19.0001, pp. 51-2, que tramitou no 2º Tribunal do Júri da capital.

13. Luiz Fernando Aniceto Alves.

14. "Binho tomba em tiroteio". *Extra*, 2 set. 2000.

15. Averiguação de portaria E-09/188/2573/00, com solução publicada no boletim interno do 9º BPM, 4 jan. 2001 (documento obtido pelo autor).

16. Termo de declarações da testemunha, processo 0145585-81.2000.8.19.0001, pp. 361-3 e 393.

17. Denúncia do MP transcrita no voto do desembargador Cairo Ítalo França David, em acórdão, 28 out. 2010, processo 0221572-79.2007.8.19.0001.

18. Razões da defesa transcritas no voto do desembargador Cairo Ítalo França David, em acórdão, 28 out. 2010, processo 0221572-79.2007.8.19.0001.

19. Sentença do processo 0374062-52.2008.8.19.0001, 27 ago. 2009.

20. Averiguação de portaria E-09/0015/2573/2002, com solução publicada no boletim interno do 9º BPM, 7 jun. 2002 (documento obtido pelo autor).

21. Levantamento do autor com base em dados brutos do Instituto de Segurança Pública (ISP).

22. Luiz Eduardo Soares em entrevista ao autor, 3 ago. 2021.

23. Dimmi Amora e Edgar Arruda, "Luiz Eduardo contra-ataca". *O Globo*, 16 mar. 2000.

24. Leslie Leitão, "Dois policiais mortos em Jacarepaguá". *Extra*, 1 jan. 2005.

25. Termo de depoimento de Ronnie Lessa à Corregedoria da PM, 26 jul. 2005 (documento obtido pelo autor).

26. Sentença do processo 0000684-86.2006.8.19.0202, 21 jun. 2011.

27. Idem.

28. "Representação pela decretação de prisão preventiva, de busca e apreensão e de quebra de sigilo de dados", assinada pelo delegado da PF Allan Dias Simões Maia, 2 fev. 2011, processo 0332967-71.2010.8.19.0001.

29. Entrevista na íntegra disponível em: <https://amatra-12.jusbrasil.com.br/noticias/100093742/nao-acredito-que-vou-morrer-por-causa-do-meu-trabalho>.

30. Relatório final do inquérito 901-01179/2011, que investigou o homicídio de Patrícia Acioli. Disponível em: <https://amaerj.org.br/noticias/amaerj-divulga-conclusao-do-inquerito-do-caso-patricia-acioli/>.

2. ADIDOS [pp. 44-84]

1. Robson Rodrigues da Silva, *Entre a caserna e a rua: O dilema do 'Pato'. Uma análise antropológica da instituição policial militar a partir da Academia de Polícia Militar D. João VI*. Niterói: UFF, 2009. Dissertação (Mestrado em Antropologia). Disponível em: <https://app.uff.br/riuff/bitstream/handle/1/9474/ROBSON-RODRIGUES-DA-SILVA.pdf?sequence=1&isAllowed=y>.

2. "PM do Rio tem muitos oficiais e poucos soldados para patrulhar as ruas: Veja números". *O Globo*, 7 out. 2019. Disponível em: <https://oglobo.globo.com/rio/pm-do-rio-tem-muitos-oficiais-poucos-soldados-para-patrulhar-as-ruas-veja-numeros-24000850>.

3. Disponível em: <http://www.policiacivilrj.net.br/historia_da_policia.php>.

4. Dados do ISP.

5. Disponível em: <https://soudapaz.org/wp-content/uploads/2022/08/OndeMoraAImpunidade.pdf>.

6. Disponível em: <https://forumseguranca.org.br/wp-content/uploads/2023/07/anuario-2023.pdf>.

7. Mapping Police Violence. Disponível em: <https://mappingpoliceviolence.org/>.

8. Carlos Silva Forné et al., "Monitor del uso de la Fuerza Letal en América Latina: Un estudio comparativo de Brasil, Colombia, El Salvador, México y Venezuela". *Monitor Fuerza Letal*, ago. 2019.

9. "Jovem é solto após 71 dias de cativeiro". *O Globo*, 6 jun. 1993.

10. "Três sequestros". *Jornal do Brasil*, 26 out. 1995. Dados da SSP-RJ.

11. César Caldeira, "Política antissequestros no Rio de Janeiro: 1995/1998". *O Alferes*, jul. 2000.

12. "Secretário ordena devassa completa na DAS". *Jornal do Brasil*, 30 maio 1995.

13. Cláudio Ferraz em depoimento ao autor, ago. 2021.

14. "Ato histórico para a cidade". *Extra*, 29 nov. 2010.

15. Leticia Cantarela Matheus e Pedro Henrique Silva, "Território retomado: O noticiário sobre operações militares em favelas no Rio de Janeiro", [s.d.]. Disponível em: <https://revistaecopos.eco.ufrj.br/eco_pos/article/view/831>.

16. Os depoimentos citados neste parágrafo e nos subsequentes fazem parte do voto do desembargador Antônio Jayme Boente no acórdão 0113839-15.2011.8.19.0001.

17. Elenilce Bottari, "OAB quer saber por que fuzileiro foi declarado desertor". *O Globo*, 4 jul. 1996.

18. Luiz Carlos Cascon, "Família de militar acusa policiais civis de sequestro e tentativa de assassinato". *O Globo*, 13 fev. 1996.

19. Processo 0067118-20.2002.8.19.0001.

20. Alerj, *Relatório final da CPI destinada a investigar a ação de milícias no âmbito do estado do Rio de Janeiro*, 2008, pp. 138-9. Disponível em: <https://www.marcelofreixo.com.br/cpi-das-milicias>.

21. Depoimento de Marcos Falcon nos autos do processo 0113839-15.2011.8.19.0001.

22. Depoimento do delegado Fernando Moraes nos autos do processo 0113839-15.2011.8.19.0001.

23. Alerj, *Relatório final da CPI destinada a investigar a ação de milícias no âmbito do estado do Rio de Janeiro*, 2008, pp. 138-9. Disponível em: <https://www.marcelofreixo.com.br/cpi-das-milicias>.

24. Apelação 0113839-15.2011.8.19.0001.

25. Marcos Nunes, "Policial vazou depoimento para o sargento Falcon". *Extra*, 19 abr. 2011.

26. Sérgio Ramalho e Gabriel Mascarenhas, "Diretor de carnaval da Portela, PM escolta miliciano até delegacia e é preso". *O Globo*, 3 nov. 2011.

27. Apelação 0113839-15.2011.8.19.0001.

28. "Polícia liberta no Rio médico e seu motorista". *Folha de S.Paulo*, 6 fev. 2005.

29. Moção 5694/2007. Disponível em: <http://alerjln1.alerj.rj.gov.br/scpro0711.nsf/0710c430d6b4ab83832566ec0018d823/73dcc6b74ca564f5832573af0054ca95?OpenDocument>.

30. Moção 6441/2005. Disponível em: <http://alerjln1.alerj.rj.gov.br/scpro0307.nsf/ce9c3f177ad4aec7832566ec0018d824/c110541e0d51894c8325702900645962?OpenDocument>.

31. "Gritos de 'boca de fumo' dão senha para a tortura". *O Globo*, 8 abr. 1997.

32. "Medo de represálias marca Cidade de Deus". *O Globo*, 9 abr. 1997.

33. "PMs espancam no muro da vergonha". *O Globo*, 8 abr. 1997.

34. "Advogado alega que PMs foram xingados". *O Globo*, 16 abr. 1997.

35. "Justiça condena PMs do caso Cidade de Deus a um ano e dez meses de prisão". *O Globo*, 14 fev. 1998.

36. Luã Marinatto, "PM executado no Recreio foi citado na CPI das Milícias e recebeu homenagens na Alerj". *Extra*, 17 maio 2016.

37. Alerj, *Relatório final da CPI destinada a investigar a ação de milícias no âmbito do estado do Rio de Janeiro*, 2008, p. 144. Disponível em: <https://www.marcelofreixo.com.br/cpi-das-milicias>.

38. Todas as declarações da testemunha foram extraídas da transcrição de seu relato ao MP e dos termos de depoimento e de reinquirição na PF. Os documentos estão anexados ao processo 0450282-23.2010.8.19.0001.

39. Chico Otavio e Vera Araújo, "STJ sinaliza que denúncia contra Brazão vai ficar na Justiça fluminense". *O Globo*, 26 nov. 2019.

40. Todas as menções ao depoimento de Orlando Curicica no presídio federal foram extraídas da transcrição feita pela Coordenadoria de Segurança e Inteligência do MP, obtida pelo autor.

41. "Batoré, o assassino de confiança do capitão Adriano". *O Globo*, 7 dez. 2021. Disponível em: <https://oglobo.globo.com/rio/serie-pistoleiros-batore-assassino-de-confianca-do-capitao-adriano-2-25302439>.

42. "Uma breve história de Ronnie Lessa, o acusado de matar Marielle". *Época*, 4 abr. 2019. Disponível em: <https://oglobo.globo.com/epoca/uma-breve-historia-de-ronnie-lessa-acusado-de-matar-marielle-23572452>.

43. "Caso Marielle: Força-Tarefa do MPRJ encontra indícios de envolvimento de Lessa em outros quatro assassinatos". *O Globo*, 1 jul. 2021. Disponível em: <https://oglobo.globo.com/rio/caso-marielle-forca-tarefa-do-mprj-encontra-indicios-de-envolvimento-de-lessa-em-outros-quatro-assassinatos-25085124>.

44. Todas as informações sobre a investigação do homicídio de Ary Brum foram extraídas dos autos do processo 0481085-57.2008.8.19.0001, desarquivado a pedido do autor.

45. Recebida pela Delegacia de Homicídios e pelo MP, dez. 2007.

46. Chico Otavio e Vera Araújo, "Caso Marielle: Força-tarefa do MPRJ encontra indícios de envolvimento de Lessa em outros quatro assassinatos". *O Globo*, 1 jul. 2021.

47. Marcelo Gomes, "De empresário de sucesso a foragido da Justiça". *Extra*, 29 nov. 2009.

48. Gravação obtida pelo autor.

49. "Farol: Relatório de gestão do Ministério Público do Estado do Rio de Janeiro em 2020". Disponível em: <www.mprj.mp.br/documents/20184/1444502/farol_relatorio_gestao_dezembro2020.pdf>.

3. A TROPA DO BICHO [pp. 85-118]

1. "PM fica ferido em explosão de granada em seu carro no Rio". Terra, 2 out. 2009. Disponível em: <https://www.terra.com.br/noticias/brasil/policia/pm-fica-ferido-em-explosao-de-granada-em-seu-carro-no-rio,2c4f6ce675e4b310VgnCLD200000bbcceb0aRCRD.html>.

2. Flávia Lima, "PM ferido por explosão de granada em seu carro". *O Globo*, 3 out. 2009.

3. Vera Araújo, "Assassinado sargento contrabandista de armas". *O Globo*, 2 jul. 2010.

4. Depoimento transcrito na sentença de pronúncia do processo 0072026-61.2018.8.19.0001.

5. Documento interno da PM obtido pelo autor.

6. Em fevereiro de 2023, Lessa foi expulso da PM pela acusação de ser o executor do homicídio de Marielle e perdeu o direito à aposentadoria.

7. "Morre Castor, o poderoso chefão". *O Globo*, 12 abr. 1997.

8. Estimativa feita para o autor por policiais federais e promotores que investigaram as quadrilhas envolvidas na guerra.

9. Em depoimento ao autor, segundo semestre de 2021.

10. Aloy Jupiara e Chico Otavio, *Os porões da contravenção*. Rio de Janeiro: Record, 2015.

11. "Castor é preso no Salão do Automóvel". *Jornal do Brasil*, 27 out. 1994.

12. "Filho de Castor é assassinado a tiros na Barra". *O Globo*, 22 out. 1998.

13. "Polícia investiga disputa na família de bicheiro". *O Globo*, 23 out. 1998.

14. "Dinheiro rachou os Andrade". *Extra*, 20 mar. 2002.

15. Acórdão do habeas corpus 78.404/RJ.

16. Marcelo Auler, Pedro Paulo Negrini e Renato Lombardi, *Enjaulados: Presídios, prisioneiros, gangues e comandos*. Rio de Janeiro: Gryphus, 2008, p. 116.

17. Sérgio Ramalho, "A tropa dos herdeiros do bicho". *O Globo*, 15 abr. 2006.

18. Camilo Coelho, "Por trás das mortes, uma velha guerra". *Extra*, 30 jun. 2006.

19. Com autorização judicial.

20. Os diálogos estão transcritos na sentença do processo 2003.5101.504960-6, que tramitou na 4ª Vara Federal Criminal (Operação Gladiador).

21. Sentença do processo 2003.5101.504960-6.

22. Em setembro de 2006.

23. Antônio Werneck, "Bicheiros brigam em Bangu 8 e são transferidos". *O Globo*, 23 set. 2008.

24. "Ex-segurança de bicheiro é executado". *O Globo*, 11 nov. 2010.

25. Documento interno da PM.

26. Boletim de Ocorrência Policial Militar (BOPM) 3660208 do 14º BPM, obtido pelo autor.

27. Relatório final do inquérito 901-01137/2020.

28. Rafael Soares, "Rogério Andrade, o rei do bicho". *Época*, 16 abr. 2021.

29. Inquérito 901-01137/2020.

30. Depoimento de Márcio Araújo de Souza no inquérito 901-01137/2020.

31. "Relatório de análise investigativa" do Gaeco, anexado ao processo 0263379--25.2020.8.19.0001.

32. "Nunes Marques derruba prisão do bicheiro foragido Rogério Andrade". *Veja*, 17 set. 2021. Disponível em: <https://veja.abril.com.br/coluna/maquiavel/nunes-marques-derruba-prisao-do-bicheiro-foragido-rogerio-andrade/>.

33. "STF tranca ação penal contra o contraventor Rogério de Andrade". *O Globo*, 22 fev. 2022. Disponível em: <https://oglobo.globo.com/rio/stf-tranca-acao-penal-contra-contraventor-rogerio-de-andrade-25405354>.

34. O processo contra Ygor Cruz, o Farofa, foi extinto no final de 2022, depois que o pistoleiro foi encontrado morto a tiros no bairro de Santíssimo.

35. "Relatório de análise investigativa" do Gaeco, anexado ao processo 0263379--25.2020.8.19.0001.

36. Áudios anexados ao processo 0102329-19.20228.19.0001.

37. Denúncia do MPRJ que resultou na Operação Calígula, que faz parte do processo 0102329-19.20228.19.0001.

38. As mensagens extraídas do celular de Ronnie Lessa estão transcritas no relatório informativo Gaeco 51/2021, anexado ao processo 0102329-19.20228.19.0001.

39. Idem.

40. Flávio Costa, "Assalto a Lessa: As lacunas de uma possível tentativa de queima de arquivo". *UOL*, 11 dez. 2019. Disponível em: <https://noticias.uol.com.br/cotidiano/ultimas-noticias/2019/12/11/caso-marielle-assalto-quase-matou-ronnie-lessa-policial-militar.htm>.

41. Vídeo obtido pelo autor.

42. Diálogos de Lessa com Cipriano e Camillo transcritos na denúncia do MPRJ que resultou na Operação Calígula, que faz parte do processo 0102329--19.20228.19.0001.

43. Relatório informativo do Gaeco 22/2021, anexado ao processo 0102329--19.20228.19.0001.

44. Id.

45. Documento anexado ao processo 0102329-19.20228.19.0001.

4. O CAMINHO DAS ARMAS [pp. 119-50]

1. Giniton Lages e Carlos Ramos, *Quem matou Marielle?*. Rio de Janeiro: Matrix, 2022.

2. Depoimento de um dos agentes que participou da operação, citado na sentença do processo 0056484-66.2019.8.19.0001.

3. Segundo o ISP, em janeiro e fevereiro de 2019, foram apreendidos 101 fuzis no Rio.

4. Felipe Freire, Leslie Leitão e Marco Antônio Martins, "Polícia acha fuzis desmontados em casa que seria ligada a PM preso por morte de Marielle". *G1*, 12 mar. 2019.

5. Relatório complementar elaborado pelo MP sobre a conta de e-mail ‹r18674@gmail.com›, utilizada por Ronnie Lessa.

6. Relatório de dados telemáticos produzido pela Delegacia de Homicídios sobre a conta de e-mail utilizada por Ronnie Lessa.

7. Brinquedo de ar comprimido que dispara esferas plásticas.

8. Os depoimentos foram transcritos na sentença do processo 0056484-66.2019.8.19.0001.

9. Rafael Soares, "Decisão inédita: Juíza contraria Exército e autoriza loja a importar e vender silenciadores a CACs". *O Globo*, 23 maio 2022.

10. Sentença do processo 0056484-66.2019.8.19.0001.

11. Patrícia Teixeira, "Polícia investiga se fuzis de Ronnie Lessa têm a mesma origem que os do 'Senhor das Armas'". *G1*, 16 mar. 2019.

12. Depoimento transcrito na sentença do processo 5052673-75.2021.4.02.5101.

13. Laudo pericial transcrito na sentença do processo 5052673-75.2021.4.02.5101.

14. "Bolsonaro diz que 'todo mundo tem de comprar um fuzil' e volta a atacar Judiciário". *Valor*, 27 ago. 2021.

15. Alegações finais transcritas na sentença do processo 5052673-75.2021.4.02.5101.

16. Idem.

17. Denúncia encaminhada à Justiça em outubro de 2021, apud "Ronnie Lessa, acusado de matar Marielle, movimentou R$ 630 mil com negociação de armas em cinco anos, diz MP". *O Globo*, 15 out. 2021.

18. Processo 5024276-69.2022.4.02.5101, em trâmite na Justiça Federal do Rio de Janeiro.

19. "Mensagens entre Ronnie Lessa e filha são de afeto, mas o assunto tratado é compra de armas". *Extra*, 14 jul. 2020.

20. A análise das imagens foi feita por peritos do Instituto de Criminalística Carlos Éboli (ICCE).

21. "Exclusivo: Como funcionava a quadrilha que traficava armas e forneceu equipamento para Ronnie Lessa, acusado de matar Marielle Franco". *Fantástico*, 20 mar. 2022. Disponível em: ‹https://g1.globo.com/fantastico/noticia/2022/03/20/

exclusivo-como-funcionava-a-quadrilha-que-traficava-armas-e-forneceu-equipamento-para-ronnie-lessa-acusado-de-matar-marielle-franco.ghtml>.

22. Lista dos militares apontados pela CNV como responsáveis por crimes durante a ditadura militar. Disponível em: <http://www.abi.org.br/wp-content/uploads/2015/10/Listacrimesditadura.pdf>.

23. "Ronnie Lessa é alvo de operação da PF e do MPF contra tráfico internacional de armas; quadrilha moldava peças importadas no Rio". *G1*, 15 mar. 2022.

24. Processo 5024276-69.2022.4.02.5101.

25. Processo 5057268-54.2020.4.02.5101, que tramitou na 1ª Vara Federal Criminal do Rio.

26. Todos os diálogos citados fazem parte do relatório elaborado pela PF sobre a extração dos dados do celular apreendido com o soldado Bruno Cesar da Silva de Jesus, anexado ao processo 5057268-54.2020.4.02.5101.

27. Depoimento transcrito no voto da desembargadora Katia Maria Amaral Jangutta na apelação 001764-91.2017.8.19.0043.

28. Relatório final do inquérito da PF, anexado ao processo 5057268-54.2020.4.02.5101.

29. Idem.

30. O diálogo é citado no relatório elaborado pela PF sobre a extração dos dados do celular apreendido com o soldado Bruno Cesar da Silva de Jesus, anexado ao processo 5057268-54.2020.4.02.5101.

31. Relatório final do inquérito 960-00042/2017, da Desarme.

32. Informação policial anexada ao inquérito 960-00042/2017, da Desarme.

33. Relatório técnico anexado ao inquérito 960-00042/2017, da Desarme.

34. Relatório final do inquérito 960-00042/2017, da Desarme.

35. Denúncia do processo 0010543-58.2018.8.18.0024.

36. Curisco é o apelido de Thiago Gutemberg Gomes.

37. Todos os diálogos extraídos do celular de Curisco estão transcritos no "Relatório de análise de dados telemáticos", anexado ao processo 0155882-15.2021.8.19.0001.

38. Dados do ISP.

39. "Tabela comparativa: Principais mudanças na política de controle de armas e munições no Brasil em 2019". Institutos Igarapé e Sou da Paz, 15 jan. 2020.

40. Disponível em: <https://forumseguranca.org.br/wp-content/uploads/2023/07/anuario-2023.pdf>.

41. "Número de armas nas mãos de caçadores e atiradores chega a 1 milhão no Brasil". *Folha de S.Paulo*, 31 ago. 2022.

42. Entrevista ao autor, fev. 2022.

43. Juliana Matias. "Lula revoga decretos de Bolsonaro sobre armas e munições. Veja o que muda". *Jota*, 2 jan. 2023.

44. Toda a cena da tentativa de invasão do apartamento, incluindo os diálogos, foi reconstituída com base em informações da denúncia do processo 0133709-65. 2019.8.19.0001.

45. A segunda invasão também é descrita na denúncia do processo 0133709-65. 2019.8.19.0001.

46. A informação consta da cota da denúncia do processo 0072026-61. 2018.8.19.0001 (caso Marielle).

47. Idem.

48. Em sua delação premiada, Élcio de Queiroz afirmou que ouviu de Ronnie Lessa que a submetralhadora usada para matar Marielle havia sido desviada de um paiol da PM do Rio. "Houve um incêndio no Batalhão de Operações Especiais, no paiol, essa arma foi extraviada e ficou com uma pessoa que eu não sei quem é. Essa pessoa conseguiu fazer a manutenção e vendeu pra ele", disse Queiroz. Até o fechamento deste livro, no entanto, a PF não havia conseguido confirmar a veracidade do relato.

49. Portaria 214 do Comando Logístico do Exército. Disponível em: <http://www.dfpc.eb.mil.br/phocadownload/Portarias_EB_COLOG/Portaria%20n%C2%BA%20214-COLOG-C%20Ex,%20de%2015%20Set%202021_Marcacao_Muni%C3%A7%C3%A3o.pdf>.

50. Inquérito civil instaurado pelo MPF para investigar desvios do lote UZZ-18.

51. "Munição desviada de forças de segurança abasteceu criminosos em ações com 83 mortes". *O Globo*, 10 abr. 2021.

52. "Munição encontrada no caso Marielle aparece em outros 17 crimes cometidos no Rio". *CNN Brasil*, 24 jul. 2020.

53. Como ele mesmo admitiria em depoimento.

54. Denúncia do processo 0133709-65.2019.8.19.0001.

5. OS GALÁCTICOS [pp. 151-88]

1. Entrevista concedida ao autor, ago. 2021.

2. Ficha judiciária de Adriano Magalhães da Nóbrega na PM.

3. André Batista, Rodrigo Pimentel e Luiz Eduardo Soares, *A elite da tropa*. Rio de Janeiro: Objetiva, 2006.

4. "Mortes em operações do Bope cresceram 80% em 2017". *Extra*, 19 nov. 2017. Disponível em: <https://extra.globo.com/casos-de-policia/guerra-do-rio/mortes-em-operacoes-do-bope-cresceram-80-em-2017-22057813.html>.

5. Certificado obtido pelo autor.

6. "PMs torturam e matam". O *Globo*, 28 nov. 2003.

7. "PMs são presos em flagrante acusados de matar guardador". *Extra*, 28 nov. 2003.

8. Ficha judiciária de Adriano Magalhães da Nóbrega na PM.

9. "PMs torturam e matam". O *Globo*, 28 nov. 2003.

10. Discurso do deputado Jair Bolsonaro (então no PP) na Câmara dos Deputados. Disponível em: <https://www.camara.leg.br/internet/sitaqweb/TextoHTML.asp?etapa=3&nuSessao=291.3.52.O&nuQuarto=30&nuOrador=2&nuInsercao=0&dtHorarioQuarto=09:58&sgFaseSessao=BC%20%20%20%20%20%20%20%20&Data=27/10/2005&txApelido=JAIR%20BOLSONARO&txFaseSessao=Breves%20Comunica%C3%A7%C3%B5es%20%20%20%20%20%20%20%20%20%20%20&dtHoraQuarto=09:58&txEtapa=Com%20reda%C3%A7%C3%A3o%20final>.

11. Texto de justificativa para a concessão da Medalha Tiradentes para Adriano da Nóbrega. Disponível em: <http://alerjln1.alerj.rj.gov.br/scpro0307.nsf/e4bb858a5b3d42e383256cee006ab66a/66ed6d7f6f4d0355832570210049 02c3>.

12. Carolina Heringer e Thais Arbex, "Bolsonaro diz que mandou condecorar Adriano em 2005 e afirma que, na época, o miliciano era um 'herói'". O *Globo*, 15 fev. 2020.

13. Juliana Castro et al., "Flávio Bolsonaro diz, em depoimento, que recebeu instruções de tiro do ex-capitão Adriano". O *Globo*, 10 ago. 2020.

14. Juliana Dal Piva, "MP vê grande chance de execução em operação policial de Queiroz e Adriano". *UOL*, 5 maio 2021.

15. Mahomed Saigg e Ana Carolina Raimundi, "MP vê falhas na investigação de morte envolvendo Queiroz, e viúva diz que ele era 'temido': 'Fez muita mãe chorar'". *G1*, 13 jul. 2020.

16. Moção 2.650/2003 da Alerj, citada na denúncia do MPRJ sobre o caso da rachadinha.

17. Denúncia do MPRJ sobre o caso da rachadinha, arquivada pelo Órgão Especial do Tribunal de Justiça do Rio.

18. Idem.

19. Depoimento de Rogério Mesquita à Delegacia de Homicídios da Capital, prestado em 23 de julho de 2008 e anexado ao processo administrativo que culminou na expulsão de Adriano da Nóbrega da PM.

20. Os cabos Hector Ramon do Nascimento e Cyro Fernando Simões Ramos, e o soldado Jean Fábio Passos dos Anjos.

21. "Termo de depoimento" do porteiro à Corregedoria da PM, anexado ao processo administrativo que culminou na expulsão de Adriano da Nóbrega da PM.

22. "Termo de diligência" elaborado pela 1ª Delegacia de Polícia Judiciária Militar, anexado ao processo administrativo que culminou na expulsão de Adriano da Nóbrega da PM.

23. "Homens do Bope fazem segurança do bicho". *O Globo*, 13 jul. 2008.

24. Disque Denúncia 513.12.2007, 3 dez. 2007, anexado ao processo administrativo que culminou na expulsão de Adriano da Nóbrega da PM.

25. Termos de declarações de Hector Ramon do Nascimento, Cyro Fernando Simões Ramos, Jean Fábio Passos dos Anjos, Max Leandro Anastácio dos Santos e Edson Alexandre Pinto de Góes à 1ª Delegacia de Polícia Judiciária Militar, anexados ao processo administrativo que culminou na expulsão de Adriano da Nóbrega da PM.

26. "Irmão de bicheiro diz não ter PMs como seguranças". *Extra*, 18 jul. 2008.

27. Solução da averiguação da portaria 036/2558/2008, anexada ao processo administrativo que culminou na expulsão de Adriano da Nóbrega da PM.

28. Requerimento 1200/2015 da Câmara dos Vereadores do Rio. Disponível em: <http://mail.camara.rj.gov.br/APL/Legislativos/scpro1316.nsf/4a8d58b547c021b603257759005297d0/1e059b8a9596ef3283257ec2004eb2ff?OpenDocument>.

29. Acórdão da apelação criminal 0027114-88.2014.8.19.0204.

30. Os trechos do depoimento de Leonardo Barbosa da Silva foram transcritos dos vídeos da audiência, obtidos pelo autor e anexados ao processo 0237773-68.2015.8.19.0001.

31. Depoimento do tenente-coronel Carlos Eduardo Sarmento da Costa transcrito no acórdão 0237773-68.2015.8.19.0001.

32. Relatório do Inquérito Policial Militar (IPM) 1095/2538/2015, da Corregedoria da PM.

33. Todas as mensagens enviadas pelos PMs do Bope aos traficantes do CV estão transcritas na denúncia oferecida pelo MP no processo 0237773-68.2015.8.19.0001. Em algumas ocasiões, a grafia do texto foi alterada para melhor compreensão.

34. Sérgio Luiz da Silva Júnior.

35. O Complexo do Chapadão fica na Zona Norte e, naquela época, por conta da instalação das UPPs no Alemão, fora alçado ao mais importante entreposto de armas e drogas do CV na capital.

36. Rafael Soares. "PM expulsa ex-caveiras condenados por vazarem operações do Bope para traficantes". *O Globo*, 26 abr. 2021.

37. Rafael Soares, "Antes de ser morto em motel, criminoso acusou PMs de corrupção e traiu traficantes e milicianos". *O Globo*, 24 jan. 2020. Até hoje os autores do crime não foram identificados.

38. Rafael Soares, "Bope: Esquema de 'venda de operações' continuou mesmo após prisão de caveiras". *O Globo*, 25 abr. 2021.

39. Ben-Hur Correia e Felipe Freire, "Operação Rainha de Copas mira no RJ e em SC 'herdeira' e laranjas de chefe do tráfico morto em 2019". *G1*, 14 abr. 2021.

40. Relatório de transcrições, anexado ao Procedimento Investigatório Criminal 2020.00596564.

41. Depoimento de Rogério Mesquita à Delegacia de Homicídios, 23 jul. 2008.

42. O diploma de vencedor do torneio de tiro do 9º BPM, obtido pelo autor, está anexado ao processo administrativo que culminou na expulsão de João da PM.

43. Carlos Alberto Rodrigues Alano.

44. "Outra morte no jogo do bicho". *Extra*, 24 ago. 2007.

45. Renata Machado, "Rio: Casal é assassinado na Grajaú-Jacarepaguá". *Jornal do Brasil*, 17 jan. 2007.

46. "Vice-presidente do Salgueiro é assassinado no Andaraí". *Extra*, 14 fev. 2007.

47. Sentença de pronúncia do processo 0001242-75.2008.8.19.0012.

48. Marcos Nunes, "Rogério Mesquita, amigo de Maninho, é assassinado, à luz do dia, em disputa pelo espólio de bicheiro". *Extra*, 29 jan. 2009.

6. ESCRITÓRIO DO CRIME [pp. 189-230]

1. Laudo de exame em local de duplo homicídio. Inquérito 901-01360/2011, DH.

2. Relatório de local de homicídio. Inquérito 901-01360/2011, DH.

3. Sargento Luiz Carlos Felipe Martins.

4. Depoimento de Félix de Barros Lopes na DH, anexado ao inquérito 901-01360/2011.

5. Solução do IPM de portaria 1079/2538/2003.

6. Depoimento de Shanna Harrouche Garcia na DH, anexado ao inquérito 901-01360/2011.

7. Depoimento de Adriano Magalhães da Nóbrega na DH, anexado ao Inquérito 901-01360/2011.

8. Certidão anexada ao inquérito 901-01360/2011, registro de ocorrência 901-00139/2015 e o laudo de exame em local que constatou o alagamento na delegacia.

9. Raian Cardoso, Luís Adorno e Thiago Samora, "A delação da viúva de capitão Adriano". *R7*, 17 ago. 2021. Disponível em: <https://estudio.r7.com/a-delacao-da-viuva-de-capitao-adriano-17082021>.

10. Termo de entrevista de Shanna Harrouche Garcia à CGU, 9 maio 2011.

11. Trecho da carta protocolada por Shanna Harrouche Garcia e seus advogados na SSP-RJ.

12. Em 2018, na Penitenciária de Mossoró.

13. Transcrição feita pela Coordenadoria de Segurança e Inteligência do MP do depoimento de Orlando Curicica em presídio federal.

14. Sentença do processo 0004029-79.2005.8.19.0207.

15. Ficha disciplinar do cabo Antônio Eugênio de Souza Freitas na PM.

16. Felipe Freire, Leslie Leitão e Marco Antônio Martins, "Grupo de Guarabu gastava meio milhão de reais em propina para a PM todos os meses". *G1*, 28 jun. 2019.

17. Todos os diálogos das escutas foram transcritos da reportagem sobre a prisão do cabo Antônio Freitas veiculada no RJTV, da TV Globo, 4 jul. 2005.

18. Boletim interno da PM, 9 jan. 2009.

19. Ligação interceptada pela SSP e pelo MP em abril de 2014. O diálogo foi extraído da sentença do processo 0076551-23.2013.8.19.0001.

20. Idem.

21. Rafael Soares, "Ex-PM preso por cobrar mesada de motoristas dizia ser o 'cara das vans' da Ilha do Governador". *Extra*, 19 abr. 2017.

22. Relatório de análise final da Operação Soberano, anexado ao processo 0076551-23.2013.8.19.0001.

23. Fabiana Rufino Carlos de Souza Freitas, em ligação interceptada que consta do Relatório de análise nº 10 da Operação Soberano, anexado ao processo 0076551-23.2013.8.19.0001.

24. Elenilce Bottari, "Como Rio das Pedras virou sede do Escritório do Crime". *Época*, 28 jan. 2019.

25. Termo de entrevista de Shanna Harrouche Garcia à Corregedoria-Geral Unificada, 9 maio 2011.

26. Chico Otavio e Vera Araújo, "Caso Marielle: Grupo de matadores de aluguel formado por policiais é novo alvo das investigações". *O Globo*, 19 ago. 2018.

27. Entrevista concedida ao autor, set. 2021.

28. Entrevista concedida ao autor, ago. 2021.

29. Ver capítulo 2.

30. Todas as menções ao depoimento de Orlando Curicica no presídio federal foram extraídas da transcrição feita pela Coordenadoria de Segurança e Inteligência do MPRJ.

31. Em julho de 2023, após a investigação engatinhar por quase sete anos, o policial militar Anselmo Dionísio das Neves, o Peixinho, foi denunciado à Justiça por tentar atrapalhar as investigações do assassinato de Falcon. Segundo o Ministério

Público, Peixinho — companheiro de Michele de Mesquita Pereira, ex-namorada e funcionária de Falcon à época — entrou no comitê de campanha logo depois do crime e removeu do local um dos celulares da vítima. Até o fechamento deste livro, o casal era investigado sob suspeita de ter auxiliado os atiradores com informações sobre a rotina de Falcon.

32. Henrique Coelho, "Polícia e MP fazem operação para prender Guarabu e quadrilha que atua na Ilha do Governador". *G1*, 19 abr. 2017.

33. "Justiça liberta suspeito de comandar extorsão a vans na Ilha do Governador". *G1*, 7 jun. 2017.

34. Relatório de cooperação técnica, Gaeco e Polícia Federal, anexado ao processo 0239556-90.2018.8.19.0001.

35. Mariana Oliveira, "CNJ afasta desembargador do Rio e decide investigar decisões do magistrado". *G1*, 17 dez. 2019.

36. Voto do conselheiro André Godinho no processo administrativo-disciplinar 0000046-18.2020.2.00.0000, CNJ.

37. Ana Carolina Torres, Marcos Nunes e Rafael Soares, "Major da Polícia Militar é executado com tiros de fuzil em Nova Iguaçu". *Extra*, 27 nov. 2018.

38. Depoimento do major Alan de Luna Freire transcrito no acórdão do habeas corpus 0049963-79.2017.8.19.0000.

39. Entregues à Polícia Civil para serem usadas em investigações contra a quadrilha.

40. "Imagens de câmera instalada por major da PM assassinado registraram atividade em 'bunker' de Guarabu". *G1*, 27 jun. 2019. Disponível em: <https://g1.globo.com/rj/rio-de-janeiro/noticia/2019/06/27/imagens-de-camera-instaladas-por-major-da-pm-assassinado-registraram-atividade-em-bunker-de-guarabu.ghtml>.

41. Denúncia oferecida pelo Gaeco no processo 0239556-90.2018.8.19.0001.

42. Relatório de cooperação técnica, Gaeco e Polícia Federal, anexado ao processo 0239556-90.2018.8.19.0001.

43. Leslie Leitão, Marco Antônio Martins e Pedro Bassan, "Imagens mostram assassinatos praticados pelo Escritório do Crime". *G1*, 2 jul. 2020. Disponível em: <https://g1.globo.com/rj/rio-de-janeiro/noticia/2020/07/02/imagens-mostram-assassinatos-praticados-pelo-escritorio-do-crime.ghtml>.

44. Luã Marinatto, "Família e amigos de PM morta com bicheiro não sabiam do relacionamento: 'Lugar errado e hora errada'". *Extra*, 23 jun. 2017.

45. Rafael Soares, "Haylton Escafura quis retomar pontos do jogo do bicho de comparsas um mês antes de ser executado". *Extra*, 18 jul. 2017.

46. Transcrição feita pela Coordenadoria de Segurança e Inteligência do Ministério Público do depoimento de Orlando Curicica no presídio federal.

47. Relatório de cooperação técnica, Gaeco e Polícia Federal, anexado ao processo 0239556-90.2018.8.19.0001.

48. Alerj, *Relatório final da CPI destinada a investigar a ação de milícias no âmbito do estado do Rio de Janeiro*, 2008. Disponível em: <https://www.marcelofreixo.com.br/cpi-das-milicias>.

49. Leonardo Luccas Pereira e Diego Luccas Pereira.

50. Rafael Soares, "Irmãos são acusados de chefiar milícia da Praça Seca com apoio de PMs e traficantes". *Extra*, 4 out. 2020.

51. Extrato 51/G303, 28 jun. 2020, produzido pela Coordenadoria de Segurança e Inteligência (CSI) do MP do Rio.

52. Ficha de situação judiciária do ex-cabo João Luiz da Silva na PM.

53. Cota da denúncia oferecida pelo Gaeco no processo 0239556-90.2018.8.19.0001.

54. Idem.

55. Herculano Barreto Filho e Flávio Costa, "Drones e até R$ 1,5 milhão por assassinato: Como age o Escritório do Crime". *UOL*, 1 jul. 2020.

56. Lola Ferreira e Luis Kawaguti, "Bairro do Rio disputado por tráfico e milícia teve 17 horas de tiroteio". *UOL*, 28 mar. 2018.

57. Transcrição feita pela Coordenadoria de Segurança e Inteligência do Ministério Público do depoimento de Orlando Curicica no presídio federal.

58. Cota da denúncia oferecida pelo Gaeco no processo 0104527-97.2020.8.19.0001.

59. Termo de declaração de um funcionário do restaurante na Delegacia de Homicídios, que integra o inquérito 901-00386/2018.

60. Auto de apreensão do inquérito 901-00386/2018.

61. Ver capítulo 5.

62. Todas as informações sobre as quebras de sigilo da quadrilha foram extraídas da cota da denúncia oferecida pelo Gaeco no processo 0104527-97.2020.8.19.0001 e do Relatório de investigação produzido pelo Gaeco e anexado ao inquérito 901-00386/2018.

63. Relatório de investigação produzido pelo Gaeco e anexado ao inquérito 901-00386/2018.

64. O depoimento da testemunha está transcrito na cota da denúncia oferecida pelo Gaeco à Justiça no processo 0041795-17.2019.8.19.0001.

65. Rafael Soares, "Ordem para destruir caça-níqueis de rival precedeu série de atentados contra bicheiro morto". *Extra*, 12 nov. 2020.

66. Cota da denúncia oferecida pelo Gaeco à Justiça no processo 0041795-17.2019.8.19.0001.

67. Laudo de exame em local de homicídio do inquérito 901-00526/2018.

68. Todas as informações provenientes da quebra de sigilo das "nuvens" dos integrantes do Escritório do Crime foram extraídas da cota da denúncia oferecida pelo Gaeco à Justiça no processo 0041795-17.2019.8.19.0001.

69. Rafael Soares, "Os sucessores do Escritório do Crime e a guerra sem fim do jogo do bicho". *O Globo*, 9 dez. 2021.

70. A cena foi reconstituída a partir de informações extraídas da cota da denúncia oferecida pelo Gaeco à Justiça no processo 0041795-17.2019.8.19.0001.

71. Cota e denúncia oferecidas pelo Gaeco à Justiça no processo 0015647-61.2022.8.19.0001.

72. Sentença do processo 0120773-71.2020.8.19.0001.

73. Cota da denúncia oferecida pelo Gaeco à Justiça no processo 0041795-17.2019.8.19.0001.

74. Ver capítulo 3.

7. LIGA DA JUSTIÇA [pp. 231-73]

1. De acordo com o depoimento de um ex-integrante do Escritório do Crime, que estava na mata naquele dia e delatou seus antigos comparsas, citado na cota da denúncia oferecida pelo Gaeco no processo 0104527-97.2020.8.19.0001.

2. Rafael Soares, "Ecko, o cabeça da milícia no Rio de Janeiro". *Época*, 27 nov. 2020.

3. Marcos Nunes, "Milícia faz operação de guerra e invade seis comunidades da Baixada Fluminense". *Extra*, 23 ago. 2019.

4. Luã Marinatto e Rafael Soares, "Com controle da quadrilha em disputa, maior milícia do Rio já não tem policiais no comando". *O Globo*, 2 maio 2022.

5. O depoimento de Dufaz está transcrito na sentença do processo 0007537-77.2017.8.19.0024.

6. Herculano Barreto Filho, "Falou, morreu: Ex-milicianos viram testemunhas da Justiça e acabam assassinados de maneira brutal na Baixada". *UOL*, 9 fev. 2020.

7. Rafael Soares, "PMs do quartel de Santa Cruz são investigados por ligação com milícia". *Extra*, 29 out. 2018.

8. Idem.

9. Carolina Heringer e Rafael Soares, "Tropa do 'Capitão Braga': Levantamento revela ligação de 80 agentes egressos de forças de segurança com a milícia de Ecko". *O Globo*, 27 jun. 2021.

10. Sentença do processo 0007537-77.2017.8.19.0024.

11. Rafael Soares, "Milícia definia como PM deveria patrulhar as ruas na Zona Oeste". *O Globo*, 3 jul. 2022.

12. A mensagem foi enviada por Francisco Anderson da Costa, o Garça, pelo WhatsApp, mar. 2021.

13. Todas as conversas e imagens extraídas do celular de Garça são citadas no relatório do inquérito 405-00078/2021, anexado ao processo 0084868-34.2022.8.19.0001.

14. Leandro de Oliveira Silva.

15. Rafael Soares, "Milícia de Ecko usa munição desviada da Polícia Militar". *O Globo*, 14 jun. 2021.

16. Dados do ISP.

17. Bruno Paes Manso, *A república das milícias: Dos esquadrões da morte à era Bolsonaro*. São Paulo: Todavia, 2020.

18. O depoimento está transcrito no acórdão da apelação 0001649-50.2009.8.19.0205.

19. Bruna Fantti, "Açaí, salgadinhos e manicure: Veja a lista de cobranças da milícia de Zinho". *O Dia*, 8 dez. 2021.

20. Adriana Cruz, "Documentos revelam pagamentos de construtoras à maior milícia do país". *Veja*, 27 jun. 2022.

21. Alerj, *Relatório final da CPI destinada a investigar a ação de milícias no âmbito do estado do Rio de Janeiro*, 2008. Disponível em: <https://www.marcelofreixo.com.br/cpi-das-milicias>.

22. Lucas Altino, "Milícia de Ecko: Investigações mostram a sofisticação e a ousadia do bando de criminosos". *O Globo*, 14 jun. 2021.

23. Depoimento do delegado Marcus Neves à CPI das Milícias da Alerj.

24. "PMs são presos acusados de matar moradores em favela do Rio". *O Estado de S. Paulo*, 21 ago. 2008. Disponível em: <https://www.estadao.com.br/brasil/pms-sao-presos-acusados-de-matar-moradores-em-favela-do-rio/>.

25. Depoimento transcrito no acórdão da apelação 0480173-60.2008.8.19.0001.

26. Sentença de pronúncia do processo 0236167-15.2009.8.19.0001.

27. Sentença de pronúncia do processo 0169839-06.2009.8.19.0001.

28. Marcos Sá Corrêa, "Agora a tolerância é total". *piauí*, mar. 2007.

29. "Eduardo Paes elogia ações de milícias de PMs em Jacarepaguá". *O Globo*, 15 set. 2006.

30. Marco Grillo e Thiago Prado, "Após defender legalização de paramilitares no passado, Bolsonaro agora se diz desinteressado no assunto". *O Globo*, 8 jul. 2018.

31. A íntegra do discurso está disponível em: <https://shorturl.at/klwP7>.

32. Daniel Haidar, "Polícia prende deputado Natalino após tiroteio com milícia". *G1*, 22 jul. 2008.

33. Nilton Claudino, "Minha dor não sai no jornal". *piauí*, ago. 2011.

34. Chico Marés, Leandro Resende e Nathália Afonso, "CPI das Milícias: O que ocorreu com os políticos citados no relatório?". *Agência Lupa*, 12 maio 2018.

35. Decisão de recebimento da ação civil pública 0423270-58.2015.8.19.0001.

36. "PM acusado de participar de milícia na Zona Oeste foge de presídio, diz polícia". *G1*, 28 out. 2008.

37. "Foragido, miliciano Batman posta defesa na internet". *O Estado de S. Paulo*, 14 fev. 2009. Disponível em: <https://www.estadao.com.br/brasil/foragido-miliciano-batman-posta-defesa-na-internet/>.

38. Boletim da PM n. 28, 8 fev. 1990.

39. "Escutas revelam que Batman fazia ameaças de guerras". *Terra*, 22 mar. 2010.

40. Dentuço é Ricardo Gildes de Souza, e Carlinhos Três Pontes é Carlos Alexandre da Silva Braga.

41. Marcos Nunes, "Guerra interna divide milícias no Rio". *Extra*, 16 nov. 2014.

42. Carlos José da Silva Fernandes.

43. Luís Antônio da Silva Braga.

44. Leslie Leitão, "Polícia mata o homem que uniu milícia e tráfico no Rio". *Veja*, 21 abr. 2017.

45. Henrique Coelho, "Já rendido, Ecko tentou tirar a arma de uma policial e levou um segundo tiro, diz delegado". *G1*, 12 jun. 2021.

46. Rodrigo de Souza e Rafael Nascimento de Souza, "Morte de Ecko: 'Tiramos de circulação alguém que fazia tão mal à sociedade', diz Cláudio Castro". *Extra*, 12 jun. 2021.

47. Danilo Dias Lima.

48. O diálogo é citado na representação por busca e apreensão e prisão temporária elaborada pela PF no processo 0224432-28.2022.8.19.0001.

49. Apelido de Manoel de Brito Batista. O conteúdo de todas as interceptações telefônicas sobre a relação entre Adriano e a milícia de Rio das Pedras está transcrito na denúncia oferecida pelo MP no processo 0351055-45.2019.8.19.0001 (Operação Intocáveis).

50. Cota da denúncia oferecida pelo MP no processo 0291962-20.2020.8.19.0001.

51. Denúncia oferecida pelo MP no processo 0351055-45.2019.8.19.0001 (Operação Intocáveis).

52. Ancelmo Gois, "Ao ser preso, miliciano disse que 'não vai acontecer nada': 'Meu advogado vai resolver tudo'". *O Globo*, 24 jan. 2019.

53. Denúncia oferecida pelo MP no processo 0351055-45.2019.8.19.0001 (Operação Intocáveis).

54. Chico Otavio e Vera Araújo, "Alvos de operação, milicianos foram homenageados por Flávio Bolsonaro em 2003 e 2004". *O Globo*, 22 jan. 2019.

55. Rafael Soares, "Milícia fatura R$ 4 milhões por prédios na região de Rio das Pedras". *O Globo*, 6 jun. 2021.

56. Ivonaldo de Souza Costa.

57. Propina, segundo o MP.

58. Elenilce Bottari, "Como Rio das Pedras virou sede do Escritório do Crime". *Época*, 28 jan. 2019.

59. Bruno Paes Manso, *A república das milícias*, op. cit.

60. Alícia Uchôa, "Morte de inspetor: Além de milícias, polícia investiga máfia de caça-níqueis". *G1*, 23 fev. 2007.

61. Josinaldo Francisco da Cruz.

62. "Ex-policial civil do RJ que matou colega por ordem de ex-vereador é condenado a 23 anos de prisão". *G1*, 9 fev. 2022.

63. As escutas estão transcritas no "Relatório de quebra de sigilo telefônico e telemático" anexado ao processo 0112117-62.2019.8.19.0001 (Operação Intocáveis 2).

64. A investigação foi reconstituída com base no "Relatório técnico final", anexado ao processo 0291962-20.2020.8.19.0001.

65. Chico Otavio e Vera Araújo, "Polícia encontra identidade falsa usada pelo ex-capitão Adriano da Nóbrega em mansão na Bahia". *O Globo*, 4 fev. 2020.

66. As mensagens extraídas dos nove celulares de Adriano estão transcritas em relatórios de análise de dados produzidos pelo Gaeco e anexados ao processo 0291962-20.2020.8.19.0001.

67. Jana Sampaio, "'Adriano temia ser morto como "queima de arquivo"', diz advogado". *Veja*, 9 fev. 2020.

EPÍLOGO [pp. 275-83]

1. "Consumo de munição explodiu no batalhão de PMs investigados pelo homicídio de meninas". *Extra*, 8 dez. 2020. Disponível em: <https://extra.globo.com/casos-de-policia/consumo-de-municao-explodiu-no-batalhao-de-pms-investigados-pelo-homicidio-de-meninas-24786376.html>.

2. "Abraji condena ataque da PMRJ contra o repórter Rafael Soares". Abraji, 9 dez. 2020. Disponível em: <https://www.abraji.org.br/abraji-condena-ataque-da-pmrj-contra-o-reporter-rafael-soares>.

3. "O *Globo* e *Extra* repudiam ataques da PM a jornalista". *Extra*, 9 dez. 2020. Disponível em: <https://oglobo.globo.com/rio/o-globo-extra-repudiam-ataques-da-pm-jornalista-24788442>.

4. "PM diz em nota que 'ultrapassou limite' em vídeo feito por porta-voz com ataques a repórter de *Extra* e *O Globo*". *Extra*, 9 dez. 2020. Disponível em: <https://extra.globo.com/casos-de-policia/pm-diz-em-nota-que-ultrapassou-limite-em-video-feito-por-porta-voz-com-ataques-reporter-de-extra-o-globo-24789548.html>.

5. Os cinco episódios da série estão disponíveis em: <https://globoplay.globo.com/podcasts/pistoleiros/aede641a-599a-454d-8f92-7e3b65ccd7b7/>.

Índice remissivo

1ª EDIÇÃO [2023] 3 reimpressões

ESTA OBRA FOI COMPOSTA PELA ABREU'S SYSTEM EM INES LIGHT
E IMPRESSA EM OFSETE PELA LIS GRÁFICA SOBRE PAPEL PÓLEN DA
SUZANO S.A. PARA A EDITORA SCHWARCZ EM ABRIL DE 2024

A marca FSC® é a garantia de que a madeira utilizada na fabricação do papel deste livro provém de florestas que foram gerenciadas de maneira ambientalmente correta, socialmente justa e economicamente viável, além de outras fontes de origem controlada.